IBEROAMÉRICA

Síntesis de su civilización

THE SCRIBNER SPANISH SERIES

General Editor, Juan R. Castellano
Duke University

IBEROAMÉRICA

CARLOS A. LOPRETE
UNIVERSIDAD DE BUENOS AIRES

DOROTHY McMAHON
UNIVERSITY OF SOUTHERN CALIFORNIA

SÍNTESIS DE SU CIVILIZACIÓN

CHARLES SCRIBNER'S SONS · NEW YORK

PRINTED IN THE UNITED STATES OF AMERICA

Library of Congress Catalog Card Number 65-10249

4-4845

Library of Congress Catalog Card Number 65-10249

ADVERTENCIA

Este libro ha sido escrito para cursos de segundo año de español y clases de iniciación a la cultura iberoamericana, en universidades norteamericanas. Esta circunstancia explica de por sí la estructura de la obra, las características técnicas y el estilo en que ha sido compuesto.

Aparece como resultado de la experiencia universitaria de los autores en universidades de los Estados Unidos y de Hispanoamérica. Dada la naturaleza del trabajo, los autores se han atenido, en la valoración de los hechos y de las personalidades, a las fuentes más autorizadas de cada país o a las opiniones más generalizadas en los libros.

Se ha tratado de poner lo esencial de la civilización iberoamericana, haciendo una selección de los asuntos y personajes históricos, y al mismo tiempo, una síntesis en los estudios y juicios.

No se citan todas las fuentes consultadas, pero se ha agregado una bibliografía básica y sumaria al final del volumen, a fin de que los estudiantes puedan remitirse a ella en sus estudios.

El libro está organizado según un orden histórico, y aunque se ha procurado que la totalidad guarde unidad y coherencia, cada capítulo está redactado de modo que pueda ser leído independientemente, para facilitar la adecuación de la obra a las necesidades concretas de cada clase.

Se ha procurado, además, escribirlo en un español moderno y claro, en un todo de acuerdo con la Real Academia Española, su gramática y su diccionario. Se han aplicado las últimas reformas ortográficas, pero en aquellos casos en que faltaba en el léxico académico el vocablo necesario para expresar hechos propios de la civilización iberoamericana, se ha usado el americanismo preciso.

Finalmente, los autores desean expresar su agradecimiento al profesor Juan Rodríguez-Castellano, de Duke University, por sus valiosos consejos durante la preparación del manuscrito, como así también a las numerosas instituciones que tan generosamente les han brindado el material ilustrativo de la obra.

C.A.L.
D.McM.

ÍNDICE DE MATERIAS

IBEROAMÉRICA

Síntesis de su civilización

CAPÍTULO I

AMBIENTE FÍSICO Y HUMANO

DEFINICIÓN

Iberoamérica es un complejo de diecinueve naciones que se extienden en el continente americano desde el Río Grande, al norte, hasta el Cabo de Hornos, al sur, y cuyas lenguas oficiales son en la actualidad[1] el español y el portugués. Se las denomina así, porque son países de América descubiertos, conquistados y colonizados a partir del siglo XV por España y Portugal, que juntos constituyen la Península Ibérica. Dentro de la denominación Iberoamérica no cabría, con propiedad, la república de Haití, cuyo idioma oficial es el francés.

Algunos historiadores prefieren, en cambio, el nombre de *América Latina*, porque incluye a aquel país y, además, señala el aporte[2] histórico, racial y cultural de Francia e Italia en esta parte del continente. En los Estados Unidos es muy corriente esta denominación.

Otros historiadores, hispanos generalmente, usan el nombre de *Hispanoamérica* o *América Hispánica*, para caracterizar a los países de origen español y distinguirlos de los otros. Puerto Rico, antigua colonia hispánica incorporada desde 1898 a los Estados Unidos, formaría parte de ese conjunto hispanoamericano, según dicho criterio.

Por su parte, ciertos autores iberoamericanos, que prefieren alejar los orígenes de estas naciones hasta su más remota antigüedad posible, dando así lugar a las antiguas culturas precolombinas, han propuesto el nombre de *Indoamérica*. Dos nombres también sugeridos, aunque menos divulgados, son el de *Eurindia*, por alusión a la mezcla de la civilización europea y la

---

[1] *actualidad* present, present day   [2] *aporte* contribution

indígena, y el de *Latindia,* por referencia a la fusión de lo latino y lo
indígena. En muchos casos, la elección del nombre responde a una
preferencia ideológica. En este libro adoptamos el nombre de *Iberoamérica*
por ser más exacto para referirse a los países hispanoamericanos y al Brasil
5   conjuntamente.

Los europeos de la época de la conquista denominaron a estas tierras
Indias Occidentales, por oposición a las Indias Orientales, y también *Nuevo
Mundo.* El nombre de *América* está relacionado con el del cartógrafo
Américo Vespucci, de origen italiano, por extrañas circunstancias.[3]

MARCO POLÍTICO

10   Iberoamérica no es una unidad desde el punto de vista geográfico:
un país, México,[4] está en la América del Norte; otros seis países: Guatemala, Honduras, El Salvador, Nicaragua, Costa Rica y Panamá, están en
la América Central; dos: Cuba y la República Dominicana, están
situados en el mar Caribe, y los diez restantes: Brasil, Venezuela, Colombia,
15   Ecuador, Perú, Bolivia, Paraguay, Chile, Argentina y Uruguay, están en
la América del Sur.

En total, ocupan un territorio de aproximadamente 8.000.000 de millas
cuadradas, un sexto más o menos de las tierras del mundo, y el doble del
territorio europeo. Desde la frontera norte de México al sur de la Argentina
20   hay una distancia de 7.000 millas. La superficie de Iberoamérica fue
mayor hasta el siglo pasado, antes de algunos cambios políticos internacionales, en que la región norteña del antiguo imperio español pasó al
dominio de los Estados Unidos: California (1848), Arizona (1848–1853),
Nuevo México (1848), Texas (1845), Luisiana (1803) y Florida (1819).
25   El Brasil es el más grande de todos los países, con una extensión casi igual
a la de los Estados Unidos, incluyendo Alaska.

No todo el territorio americano situado al sur del Río Grande es
iberoamericano, pues algunas islas del mar Caribe son posesiones europeas:
Martinica y Guadalupe, de Francia; Curazao, de Holanda; las Bahamas,
30   Barbados y otras son colonias inglesas. Puerto Rico forma parte de los
Estados Unidos bajo un régimen jurídico especial y los puertorriqueños
tienen la ciudadanía norteamericana. En el territorio continental de

---

[3] Foreign geographers, notably the German Martin Wadseemüller in his *Cosmographiae Introductio*
(1507), confused as to the identity of the true discoverer of the New World, began referring to
it as *Amérige, Tierra de Américo,* or *América.*
[4] Although the Dictionary of the Royal Spanish Academy uses the spelling *Méjico, mejicano,* this
text follows the usage of Mexico itself and employs the forms *México, mexicano.*

Lago de Atitlán, en Guatemala

Centro América, están la Honduras Británica, y la zona del Canal de Panamá, de los Estados Unidos. En la América del Sur, se encuentran la Guayana Británica, la Guayana Holandesa y la Guayana Francesa. Asimismo, son posesiones extranjeras algunas islas más.[5] En los tiempos actuales hay litigios pendientes de solución entre varios países fronterizos y hay también diferencias de opinión entre otros países del mundo con respecto a la región antártica.

PANORAMA GEOGRÁFICO

Casi tres cuartas partes de la América ibérica están dentro de la zona tropical y su clima es bastante cálido, salvo en las tierras altas o en las regiones litorales,[6] donde la influencia de la altura o del mar atempera el calor. La distribución de las lluvias es muy irregular, pero la costa atlántica es más húmeda, en general, que la del Pacífico.

Algunas regiones del centro de la América del Sur, particularmente las extensísimas selvas de Brasil, Venezuela, Colombia, Ecuador, Perú,

[5] The Virgin Islands in the Caribbean and the Falklands off the coast of Southern Argentina, for example.
[6] *litoral(es)* coastal

Selva venezolana en día de lluvia

Bolivia y Paraguay, son consideradas por los geógrafos como zonas no incorporadas todavía al efectivo progreso nacional, y lo mismo acaece,[7] aunque en menor grado, con ciertas regiones de la América Central y México.

5　　La naturaleza de Iberoamérica es espectacular y sorprendente. La Cordillera de los Andes, que se extiende sin interrupción desde el Estrecho de Magallanes hasta Centroamérica, por más de 4.000 millas, es la más larga barrera montañosa del mundo. En ella se encuentran muchos volcanes y el pico más alto del hemisferio occidental, el Aconcagua (22.834 10　pies), en el sector argentino. La cordillera se ensancha a gran altura[8] entre Perú, Bolivia, Chile y Argentina, constituyendo el Altiplano,[9] una

[7] *acaece* happens　　　　　　　　[8] *se ensancha a gran altura* achieves an imposing size and height
[9] *Altiplano* Highlands

La Cordillera de Los Andes, en Venezuela

Lago de la región andina, en Chile

El río Orinoco
a la altura
de Ciudad Bolívar,
Venezuela

meseta extensa entre los 12.000 y 14.000 pies de altura, donde se encuentra el lago Titicaca. La parte meridional,[10] entre Chile y la Argentina, está cubierta de hielos y nieves perpetuas, y enormes glaciares descienden desde las alturas hasta las aguas del mar.

5   Tres grandes sistemas fluviales existen en Sudamérica. El del río Amazonas, segundo río del mundo en longitud (3.900 millas), que cruza casi todo el continente de oeste a este. En torno a esta cuenca[11] se extiende la mayor área de selva tropical de todo el mundo. El sistema del Río de la Plata incluye otros tres ríos: el Uruguay, el Paraguay y el Paraná, e
10   interna sus aguas dulces por muchísimas millas dentro del océano. El sistema del río Orinoco es el tercero en importancia. Otros ríos importantes son el San Francisco, en Brasil, y el complejo del Magdalena y el Cauca, en Colombia.

---

[10] *meridional* southern   [11] *cuenca* basin

La región del Amazonas, en Brasil, es la más densa concentración vegetal del mundo, a causa de la riqueza de su suelo, el clima tropical y las grandes lluvias. Cerca de un cuarto de todas las especies vegetales conocidas han sido halladas en el Brasil.

La Pampa argentina, de suelo húmedo y fértil, cubierta de pastos 5
naturales, avanza con uniforme horizontalidad desde el Río de la Plata, abarcando un cuarto de millón de millas cuadradas. Monótona y fascinante al mismo tiempo, es una de las zonas del mundo más apta para la ganadería y la agricultura. En Venezuela y Colombia los Llanos ofrecen similares características, aunque ocupan menos extensión y están por el 10
momento menos explotados.

En Perú, Ecuador, Colombia y Venezuela, las montañas corren paralelas al mar y determinan en gran parte la economía y la vida de la población. En Centroamérica y en México, ocupan también buena parte del territorio, formando una interesante combinación de alturas, valles, 15
tierras bajas, y playas.

LA FLORA Y LA FAUNA

La fauna de Iberoamérica es bastante diferente de la europea y la asiática. Muchos animales, como el camello, el elefante, el caballo, el cerdo, la mula, el asno, el ganado ovino y el ganado vacuno,[12] no existían en estas regiones y fueron traídos por los conquistadores españoles y
5 portugueses. La llama, la alpaca, la vicuña y el guanaco eran utilizados por los aborígenes en diversas faenas y menesteres, y en ciertas regiones andinas continúa aún su empleo. Tampoco existían gallos ni gallinas. En cambio, era muy variada la fauna en reptiles, insectos y carnívoros.

Muchas plantas, conocidas por los conquistadores europeos en sus
10 países, tampoco crecían en América: arroz, trigo, avena,[13] cebada,[14] centeno,[15] caña de azucar y café. Fueron también introducidas en el continente por los conquistadores. En cambio, el suelo producía otras desconocidas en Europa, como el maíz, el tabaco, el cacao, el maní,[16] la mandioca, la patata y la batata.[17]

ECONOMÍA

15 El territorio iberoamericano es rico en recursos naturales. Venezuela, Chile y Brasil poseen importantes reservas de hierro; Venezuela es el segundo productor de petróleo del mundo; Bolivia es el segundo en minas de estaño; Chile viene después de los Estados Unidos en producción de cobre; México extrae una gran parte del plomo y de la plata mundiales;
20 Argentina es uno de los mayores productores de trigo, maíz, carne vacuna y cueros;[18] Brasil es el mayor productor de café, y conjuntamente con Colombia y otros países iberoamericanos abastece[19] casi toda la demanda mundial; Argentina es el segundo país del mundo en producción de lanas, y Brasil vende algodón en escala mundial; el tabaco y el cacao son
25 también productos de particular abundancia.

La economía de muchos de estos países depende de un solo producto de exportación: Guatemala, El Salvador, Colombia y Brasil, del café, en más de un 60%; Cuba, del azúcar; Honduras, de las bananas; Bolivia, del estaño; Venezuela, del petróleo; Uruguay, de las lanas; Chile, del
30 cobre. Otros dependen de dos o poco más artículos de exportación.

---

[12] *ganado ovino y ganado vacuno* sheep and cattle
[13] *avena* oats   [14] *cebada* barley   [15] *centeno* rye   [16] *maní* peanut
[17] *batata* sweet potato   [18] *cueros* hides   [19] *abastece* supplies

En industria manufacturera, sólo tres de ellos, Brasil, México y Argentina han logrado un moderado desarrollo. Iberoamérica es todavía una región productora de materias primas,[20] aunque los distintos países realizan grandes esfuerzos por alcanzar la etapa industrial.

La mitad aproximadamente del comercio exterior de Iberoamérica 5 se realiza con los Estados Unidos, y en segundo término, con naciones europeas.

[20] *materias primas* raw materials

Plantación de bananos en Costa Rica

Joven indígena de Guatemala, con *huipil,* o blusa tejida en telar manual

POBLACIÓN

La población actual de Iberoamérica es heterogénea. El total de habitantes de los diecinueve países ascendía en 1961 a los 192 millones de personas. Desde el año 1920, es la población que más rápidamente crece en el mundo, habiéndose calculado que para el año 2.000 habrá aumentado 5 a 593 millones. Hacia esta misma época, la población angloamericana en el hemisferio occidental se prevé que será de unos 312 millones.

La mezcla racial y cultural es una de las características humanas de la América española y portuguesa: los elementos raciales originarios son el indio, el blanco y el negro. Sobre un primitivo fondo aborigen,[21] de muy

[21] At present there still exist many indigenous peoples, the Jíbaros of Ecuador for example, who have not entered at all into the mainstream of modern civilization. Others, such as the Aymarás of Bolivia, have been only partly assimilated into modern society.

Mujer de Arequipa, Perú

Gauchos argentinos durante una doma de potros

diversas clases y culturas, se sobrepuso el elemento blanco europeo y, algunos años más tarde, el negro procedente de Africa. De estos tres grupos raciales, combinados en todas las formas y en diversas proporciones,[22] surgieron los *mestizos* (hijos de blancos e indígenas), los *mulatos* (de
5   blancos y negros), y los *zambos* (de indígenas y negros). Existen, además, mezclas en otros grados, al punto que apenas son discernibles los caracteres originarios. En tiempos de la Colonia, se denominaba criollos a los descendientes de europeos nacidos en suelo americano.

    Es posible que el mestizo sea el representante racial más típico de
10   Iberoamérica. La proporción actual de los diferentes grupos raciales

[22] Entirely reliable statistics concerning the precise proportion are not available because of a lack of accurate and extensive census figures.

Escena rural con gauchos, en el sur del Brasil

varía según los países: Argentina, Uruguay y Costa Rica son países predominantemente blancos; Guatemala, Ecuador, Perú y Bolivia tienen más de la mitad de su población indígena; México, El Salvador, Honduras, Nicaragua, Panamá, Venezuela, Colombia, Chile y Paraguay, son mestizos en su mayoría; la República Dominicana (y Haití), tienen poblaciones predominantemente negras y mulatas.

La densidad de población es en todos los países baja en relación a las tierras habitables. Grandes corrientes inmigratorias vinieron a estas partes de América desde el siglo pasado, y se calculan en unos 12.000.000 los europeos ingresados desde el año 1800. De ellos, 4 millones fueron españoles, otros 4 millones italianos y 2 millones portugueses; el resto, lo constituyeron alemanes, polacos, franceses, ingleses, y demás. En algunas zonas, fue importante el aporte de chinos, japoneses y sirio-libaneses. Los negros llegaron como esclavos, mientras que los demás lo hicieron en calidad de inmigrantes libres. En el período de la Segunda Guerra Mundial y de la postguerra, nuevos contingentes de europeos se instalaron en el continente, en particular en la Argentina, Brasil y Venezuela.

Niños recogiendo conchas en una playa cercana a la ciudad de Panamá

En Iberoamérica las ciudades capitales son excesivamente grandes en relación con la población total del país. En 1961, el área metropolitana de Buenos Aires, la ciudad más grande de habla hispánica, tenía unos 6.500.000 habitantes; la ciudad de México, 4.900.000; San Pablo (São Paulo, Brasil), 4.600.000 y Río de Janeiro, 4.250.000. Existen 61 ciudades con poblaciones superiores a los 100.000 habitantes.

Se estima que los católicos de Iberoamérica llegan a unos 140 millones.

CUESTIONARIO

1. ¿A qué parte del continente americano se llama Iberoamérica?
2. ¿Por qué no es lo mismo decir Iberoamérica que América Latina? 3. ¿Qué países incluye el nombre de Hispanoamérica? 4. ¿Cuáles son los otros nombres con que se designa a Iberoamérica? 5. ¿Qué países comprende? 6. ¿Forma parte de Iberoamérica la isla de Puerto Rico? 7. ¿Qué estados de los Estados Unidos eran antes parte de Iberoamérica? 8. ¿Cuáles son algunas de las posesiones no iberoamericanas que existen en la región iberoamericana? 9. ¿Cómo es la naturaleza en Iberoamérica? 10. ¿Cómo es la selva amazónica? 11. ¿Cuáles son las características de la Pampa argentina? 12. ¿Cuáles son algunos de los animales originarios del continente americano? 13. ¿Qué plantas encontraron los conquistadores europeos en el continente? 14. ¿Cuáles son los productos naturales más abundantes en Iberoamérica? 15. ¿Qué exportan principalmente los países iberoamericanos? 16. ¿Cuántos habitantes tenía Iberoamérica en 1961? 17. ¿Cuántos tendrá hacia el año 2.000? 18. ¿Cuáles son los elementos raciales en Iberoamérica? 19. ¿Qué es un criollo, un mestizo, un mulato, un zambo? 20. ¿Cuáles son las ciudades más grandes de Iberoamérica?

TEMAS ESPECIALES DE COMPOSICIÓN Y CONVERSACIÓN

I. La naturaleza de Iberoamérica.
II. El elemento humano de Iberoamérica.
III. La selva amazónica.
IV. La cordillera de Los Andes.
V. Los productos naturales y el comercio de Iberoamérica.

CAPÍTULO II

Los primitivos pobladores

EL HOMBRE AMERICANO

No se conoce exactamente el origen del hombre americano (*homo americanus*), ni tampoco ha podido establecerse con certeza científica la época en que apareció en el continente. Numerosas teorías se han propuesto, con mayor o menor fundamento, pero por el momento este
5   enigma permanece sin solución.

Entre las teorías planteadas,[1] una sostiene que el hombre americano es autóctono[2] del continente.[3] La teoría del origen malayopolinesio afirma que los primitivos pobladores de América llegaron por difusión a través del océano Pacífico.

10   Una de las más difundidas interpretaciones, afirma que el hombre americano llegó desde el Asia, a través del Estrecho de Behring, hace unos 15.000 ó 20.000 años, en estado de civilización neolítica o acaso paleolítica, y que una vez en el continente, desarrolló una cultura propia. Descendieron los grupos inmigratorios desde el Canadá, por el oeste de
15   los Estados Unidos, en dirección al sudeste, y fueron extendiéndose sucesivamente por todo el hemisferio, hasta llegar a la Patagonia. La relación entre las lenguas americanas primitivas y las lenguas asiáticas, no ha podido ser demostrada.

---

[1] *planteadas* set forth
[2] *autóctono* native to the country
[3] Other theories state that the original inhabitants of America are descendants of the lost tribes of Israel or that they come from the lost continents of Lemuria or Atlantis.

Por vía de hipótesis, y a base de los restos antropológicos, se ha pensado que el primitivo hombre americano era fuerte, erguido,[4] de complexión delgada, piel oscura, cabello negro, pómulos salientes[5] y ojos mongoloides, o sea, de tipo oriental.

LA CULTURA AMERICANA ORIGINARIA

Se supone que estos pueblos inmigrados fueron cazadores y pescadores, y que una vez instalados en tierras americanas, se convirtieron a la agricultura y desarrollaron numerosos productos vegetales, en particular el maíz, que es un producto básico en las culturas indígenas desde el Canadá hasta la Patagonia. Las civilizaciones aborígenes de América son fundamentalmente civilizaciones agrícolas, y los numerosos productos alimenticios[6] que los europeos encontraron a su llegada, son una contribución indígena a la civilización mundial. Estos pueblos primitivos trajeron consigo el fuego, el perro y algunas habilidades manuales, y su cultura rudimentaria evolucionó poco a poco hacia formas propias y originales. La civilización del Viejo Mundo está caracterizada por la presencia del trigo panificable,[7] la utilización de los grandes cuadrúpedos, el arado y la rueda. Los primeros pobladores de América carecieron[8] de estos elementos. No conocieron los animales de tiro,[9] y por consiguiente, no tuvieron ningún tipo de carruaje. Las áreas de culturas precolombinas no fueron tampoco iguales entre sí y su grado de evolución fue diferente.

En general, crearon una agricultura, arquitectura, técnica textil, astronomía, algunas ciencias, el beneficio de los metales preciosos y del cobre, la metalurgia y otras habilidades como la cerámica y la cestería.[10]

EL DESCUBRIMIENTO DEL MAÍZ

Lo que se considera como el más grande aporte cultural de los primitivos americanos, es el descubrimiento del maíz. Esta es una planta que requirió, para conseguirse, la intervención humana. Este proceso de domesticación fue sumamente difícil, y sin él no habrían tenido oportunidad de desarrollarse las importantes civilizaciones que vinieron después.

---

[4] *erguido* erect [5] *pómulos salientes* protruding cheekbones
[6] *alimenticios* nourishing, nutritional [7] *panificable* capable of producing bread
[8] *carecieron* lacked [9] *animales de tiro* animals to move a vehicle
[10] *cestería* basket making

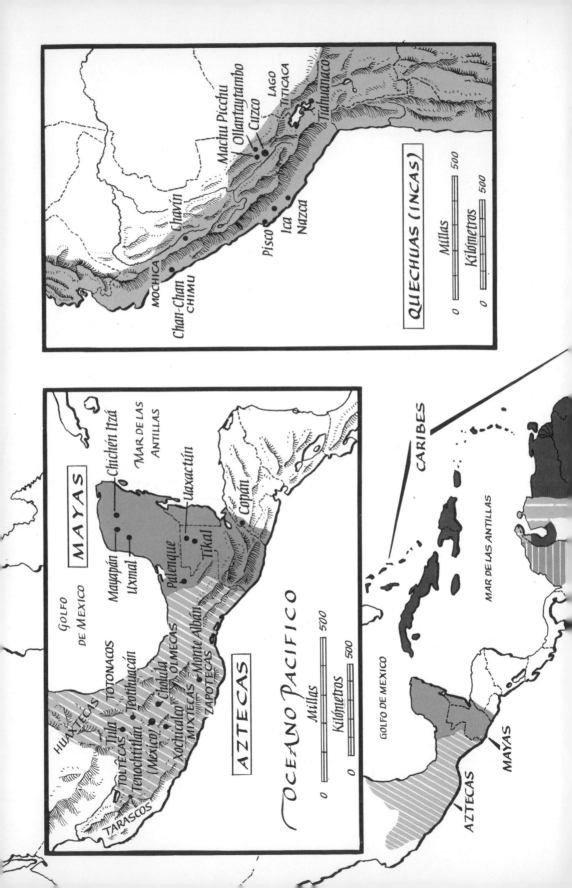

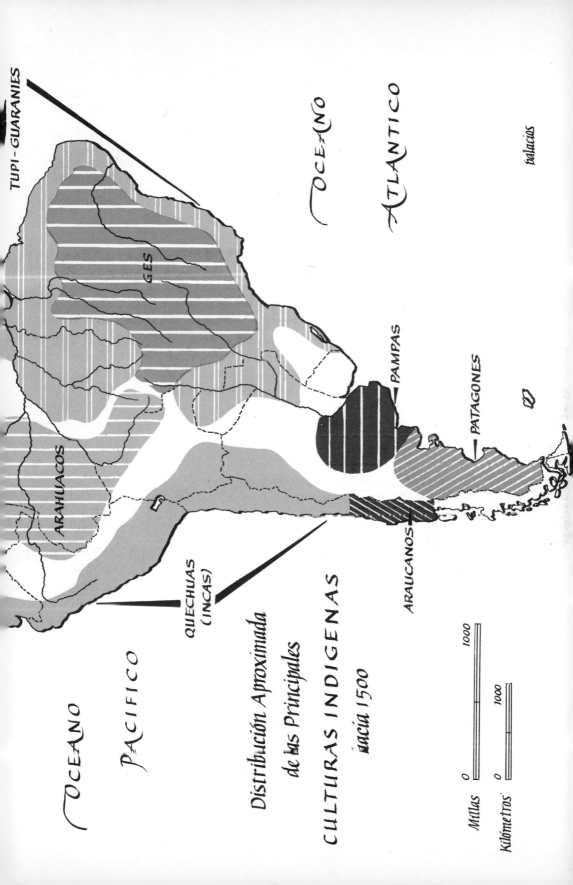

OCEANO PACIFICO

OCEANO ATLANTICO

TUPI - GUARANIES

GES

ARAHUACOS

QUECHUAS (INCAS)

PAMPAS

PATAGONES

ARAUCANOS

falacias

Distribución Aproximada
de las Principales
CULTURAS INDIGENAS
hacia 1500

Millas
0   1000

Kilómetros
0   1000

No se conoce exactamente el lugar donde se logró por primera vez este cereal, pues se han encontrado restos fósiles de maíz en el Perú, México y los Estados Unidos.[11]

5 El maíz ocupa un lugar preponderante en la mentalidad, costumbres e industrias indígenas, aun en nuestros días. De su fermentación obtienen muchos pueblos bebidas alcohólicas, conocidas con distintos nombres, y lo mismo sucede con las tortillas hechas con harina de maíz, que sirven de sustituto del pan de trigo en muchísimas partes.

LAS CULTURAS PREAZTECAS

Desde la época prehistórica hasta la llegada de los aztecas, en el 10 siglo XIII, hubo frecuentes inmigraciones de pueblos al actual territorio mexicano, las cuales vinieron en diferentes etapas[12] de desarrollo cultural y se localizaron en distintas zonas geográficas. Los principales pueblos preaztecas en lo que son hoy México y Guatemala fueron los tarascos, los olmecas, los mayas, los zapotecas, los mixtecas, los huastecas, los totonacas, 15 los toltecas y los chichimecas.

LOS TOLTECAS

Uno de los más importantes pueblos fue el tolteca (200 a. de C.–1200 d. de C.). Era parte de la familia náhoa y fue el primero de ella en llegar al valle de México, procedente del norte. Vino conducido por Huematzin, jefe y sacerdote sobrio, y posteriormente adoptó un gobierno de tipo 20 monárquico.

Los toltecas cultivaban el maíz, frijol, chile, camote, yuca y diversas frutas; hacían sus vestidos de algodón y calzaban sandalias de fibra. Conocían el uso de algunas plantas medicinales y tintóreas; extraían oro y plata de las minas y fabricaban joyas adornadas de piedras preciosas.

25 Fueron atentos observadores de los astros y tuvieron su propio calendario.

Tuvieron, como sus sucesores los aztecas, una escritura ideográfica y escribieron historias de su pueblo en libros ilustrados hechos de un papel especial. Pero, sobre todo, fueron constructores de edificios monumentales 30 y grandes ciudades-templos. La ciudad de Teotihuacán, próxima a la actual ciudad de México, fue una ciudad ceremonial. En ella, sobresalen

---

[11] Corn is a hybrid obtained through the crossing of different, but similar, vegetable species. The only plant known at present which can be crossed successfully with corn to produce an additional hybrid is *teocinte* which grows in Mexico and Guatemala.

[12] *etapas* periods

Restos arqueológicos de la civilización tolteca, en la zona de Tula, estado de Hidalgo, México

la Pirámide del Sol, la Pirámide de la Luna, y el Templo de Quetzal-cóatl.[13] Otra ciudad importante de esta civilización fue Tula. En todos los casos, la arquitectura tolteca se distingue por los edificios gigantescos y el empleo de la piedra tallada[14] como elemento decorativo. Practicaron, asimismo, la escultura y la pintura.

    El gran símbolo tolteca fue la Serpiente Emplumada (Quetzalcóatl), que puede verse en las ruinas de Teotihuacán, y que pasó más tarde a la cultura maya y a la azteca. Según la tradición tolteca, Quetzalcóatl era un hombre blanco de barba grande. Predicó una nueva religión de virtud, amor y penitencia, e introdujo en el país las artes útiles y las de ornato. Predijo, también, que con los años llegarían del oriente unos hombres blancos y con barba, como él, que conquistarían el país.[15]

---

[13] The spelling of a number of words referring to Iberoamerican civilization has not been fixed by the Spanish Royal Academy. In such cases this text uses the spelling most generally used by the authors of the region concerned.   [14] *tallada* carved, cut

[15] For this reason the ruling Indians of the area, influenced by this belief, were disposed to "return" the land to the Spaniards in accordance with the prophecy.

Ruinas de Teotihuacán, México

LOS CHICHIMECAS

Al comienzo del siglo XIII llegaron al valle de México los chichimecas, provenientes también de un desconocido lugar del norte, bajo la
conducción del caudillo Xólotl. Se fundieron con los toltecas y, más tarde,
con los acolhuas, y juntos fundaron a orillas del lago Texcoco, la ciudad
5 del mismo nombre, que llegó a ser la capital del reino de Acolhuacán.

Tuvieron once caciques o reyes, entre ellos el notable Netzahuacóyotl,[16] y su civilización fue semejante a la de los aztecas, sus vecinos y
aliados.

[16] Netzahuacóyotl strengthened the empire by forming an alliance with the Aztecs. He formu-
   lated progressive laws, and made his power felt among tribes settling in the area.

LAS CULTURAS PREINCAICAS

Con anterioridad a los incas hubo varias culturas en el Perú y Bolivia que se desarrollaron con relativa independencia unas de otras.

Una de las más antiguas que se conocen es la cultura de *Chavín* (850 a 500 a. de C.), llamada así por el lugar donde se han encontrado los restos,
5   Chavín de Huantar, en las montañas del norte peruano. Estos restos son remanentes de edificios de piedra, y cementerios, así como tallas[17] y cerámica caracterizadas por la persistencia de un motivo felino, un jaguar, un puma o gato, que fue quizás una divinidad. Su arte fue uno de los más excelentes del Perú preincaico y sus formas preferidas fueron el
10   mencionado felino, seres humanos, y monstruos o demonios.

LA CULTURA MOCHICA

En el período que corre del año 400 al 1000 después de Cristo, sobresalió en la costa norte del Perú la civilización *mochica*, que tuvo una gran importancia en su época. Los mochicas fueron grandes ingenieros y constructores. Levantaron templos inmensos en Moche, no lejos de la
15   actual ciudad de Trujillo, como el dedicado al sol (Huaca del Sol) y a la luna (Huaca de la Luna), con sólidos ladrillos de adobe, decoración en forma de arabescos y murales pintados. La cerámica, la tejeduría[18] y las artesanías alcanzaron igualmente gran desarrollo.

Particularmente notable fue la cerámica mochica. Los gestos y las
20   posturas humanas fueron admirablemente imitados, y por los restos de algunas piezas conservadas hasta la actualidad, se presume que practicaron la amputación de miembros y la circuncisión. Se destacan[19] los llamados "vasos-retratos", los cuales representan con tanta precisión los rostros humanos que se ha pensado que reproducen los de individuos particulares.
25   Los rasgos anatómicos faciales y los estados de ánimo están logrados magníficamente. Otros vasos reproducen formas de animales, y casi todos tienen el asa en forma de estribo,[20] característica de la cerámica mochica.

Los integrantes[21] de este pueblo llegaron a formar un fuerte imperio, construyeron caminos, establecieron un sistema de correos y consolidaron
30   una firme organización social. Fueron, además, médicos y guerreros.

---

[17] *tallas* carvings   [18] *tejeduría* weaving   [19] *se destacan* there stand out
[20] *asa en forma de estribo* handle in the shape of stirrup   [21] *integrantes* components, members

"Vaso-Retrato", cerámica mochica, Perú

Tejido de Paracas, Perú. Poncho sencillo, detalle del cuello

Cerámica de Nazca, Perú, cerca 200 d. de C.

PARACAS Y NAZCA

Hacia este mismo período, aproximadamente, existieron otras culturas en el actual Perú, como las de Pisco, Ica, Nazca, y Paracas, que los historiadores y arqueólogos denominan por el nombre de la ciudad o lugar donde se encuentran los restos. La de Paracas se distingue principalmente por sus tejidos, los más perfectos y artísticos que se conocen hasta ahora provenientes de los indígenas. A veces son de doble faz, decorados y de magnífico colorido, en estilo seminaturalista.

La cultura de Nazca sobresalió, en cambio, en la cerámica. La decoración es simbólica, esotérica,[22] con multitud de personajes fabulosos, como el gato manchado[23] (especie de felino estilizado), el gato demonio (que lleva un garrote y tiene aspecto belicoso), el pájaro demonio, el dios ciempiés, y el dios de muchas cabezas.

LA CULTURA DE TIAHUANACO

Es una de las culturas preincaicas que más misterios encierran. Las ruinas principales se encuentran en la meseta del antiguo Alto Perú, actual Altiplano, cerca del lago Titicaca: son restos de antiguos edificios, caracterizados por el empleo de enormes masas de piedra, algunas de ellas de varias toneladas de peso.[24]

La más atractiva de las ruinas es el inmenso recinto[25] del Kalasasaya, cerca de La Paz, Bolivia, que es un conjunto cuadrangular, con una ancha escalinata de entrada y otras construcciones a los costados. Hay en varias partes grandes rocas abandonadas, que se transportaban a tracción humana, y que se denominan "piedras cansadas", para señalar que no se sabe el motivo de su abandono. Muy notable, entre todos estos restos, es la Puerta del Sol, situada dentro del recinto de Kalasasaya. Está construida con un solo bloque de piedra; tiene excavada una parte y un indescifrado friso[26] en la parte superior.

Notable también es la cerámica de Tiahuanaco, representada por vasos de base plana y labios plegados hacia afuera. En la decoración, de tipo animalístico, sobresalen el jaguar o puma, y el cóndor o halcón.

---

[22] *esotérica* esoteric, mysterious   [23] *manchado* spotted
[24] The earlier phase of this culture, called *Tiahuanaco I*, employed large stones, almost in their natural state. The later phase, called *Tiahuanaco II*, used smaller blocks well wrought.
[25] *recinto* enclosure, region   [26] *friso* frieze, border

Ruinas de Tiahuanaco, en Bolivia

Los hombres de Tiahuanaco conocieron también la minería y lograron fundir el oro, el cobre y la plata, que extraían de amalgamas naturales. Fueron asimismo diestros tejedores. La cultura de Tiahuanaco duró aproximadamente del año 1000 al 1300, en Perú y Bolivia.

5   Se ha supuesto que un desbordamiento[27] del lago Titicaca o terremotos[28] pudieron provocar la dispersión de los tiahuanacos.[29]

LA CULTURA CHIMÚ

El imperio chimú ocupó la zona costera[30] del norte del Perú, entre los años 1000 y 1450, desde el río Rimac al norte. Logró una organización política y social de gran fuerza y cohesión. Su capital fue Chan-Chan,
10   cerca de la cual los españoles establecieron la ciudad de Trujillo. Se

[27] *desbordamiento* overflow, flood   [28] *terremotos* earthquakes
[29] Some of them may have constituted the original nucleus which founded the Inca Empire in the area of El Cuzco.   [30] *costera* coastal

Tiahuanaco, Bolivia—cerca del Lago de Titicaca—Puerta del Sol—Ruinas de una
cultura pre-incaica

Ejemplo de metalurgia chimú

caracterizó el imperio chimú por la arquitectura monumental, murallas, fortalezas, caminos, y por la destreza de sus súbditos en la tejeduría, la cerámica y la metalurgia del oro, que en muchos casos tomaron de sus antecesores los mochicas.

5   Su lengua fue quizás diferente del quechua. No aportaron grandes invenciones, y su arte fue casi carente[31] de imaginación creadora. En cambio, produjeron cerámica en grandes cantidades por el empleo de moldes. Sus tejidos fueron de buena calidad y su metalurgia muy desarrollada.

[31] *carente* lacking

CUESTIONARIO

1. ¿Cuál es el origen más probable del hombre americano? 2. ¿Cuándo se cree que llegaron al continente los primeros habitantes? 3. ¿Qué clase de civilización tenían los primitivos pobladores? 4. ¿Cómo se supone que era físicamente el primitivo americano? 5. ¿Qué elementos caracterizan a la civilización del Nuevo Mundo? 6. ¿Qué es el maíz y qué importancia tuvo en la civilización americana? 7. ¿Cuáles fueron las principales culturas preaztecas? 8. ¿Cuáles fueron las principales ciudades construidas por los toltecas? 9. ¿Qué representa la Serpiente Emplumada de los toltecas? 10. ¿Quiénes fueron los chichimecas? 11. ¿Cuáles fueron las principales culturas preincaicas? 12. ¿Por qué se caracteriza la cultura de Chavín? 13. ¿Cuáles son las características principales de la cerámica mochica? 14. ¿Qué valor tienen los tejidos de Paracas? 15. ¿Cuáles son los motivos decorativos preferidos por la cultura de Nazca? 16. ¿Qué es el recinto de Kalasasaya? 17. ¿A qué se llama "piedra cansada"? 18. ¿Qué es la Puerta del Sol y dónde se encuentra? 19. ¿Qué destino tuvo la civilización de Tiahuanaco? 20. ¿Dónde se formó el imperio chimú y cuál fue su capital?

TEMAS ESPECIALES DE COMPOSICIÓN Y CONVERSACIÓN

   I. La civilización del primitivo hombre americano.
  II. El origen del hombre americano.
 III. Los toltecas.
 IV. Los mochicas.
  V. La cultura de Tiahuanaco.

CAPÍTULO III

LOS MAYAS

EL PUEBLO MAYA

El origen de los mayas es un misterio. Se desconoce de dónde provienen. Probablemente, durante muchos años o siglos llevaron una vida nómada, en busca de una región propia, hasta que se asentaron en la región de las actuales Yucatán (México), Guatemala, parte de Honduras, y El Salvador. Es probable que recorrieran tierras muy frías y muy cálidas y que el descubrimiento del maíz, en la zona mencionada, les diera la oportunidad de quedarse allí y dedicarse a su cultivo.

El pueblo maya contó con[1] excelentes artistas, hombres de ciencia, astrónomos y arquitectos. Es probable que por el refinamiento estético de su arte y arquitectura, la precisión de su sistema astronómico, la complejidad de sus calendarios y la inteligencia en el desarrollo de su matemática y su escritura, no hayan sido superados por ninguna otra civilización del Nuevo Mundo y apenas[2] igualados por muy pocas del Viejo Mundo. Están considerados como los "griegos de América".

EL "VIEJO IMPERIO" MAYA

Los mayas se establecieron en Centroamérica hacia los años 2000 ó 1500 antes de Jesucristo. Durante varios siglos vivieron en un estado de formación cultural, hasta que aproximadamente en el año 300 después de Cristo lograron las características esenciales de su civilización, en la región denominada El Petén, en el norte de Guatemala. Esta es la época clásica de su historia (317 d. de C.–889), que coincide más o menos con lo que se llama el "Viejo Imperio".

[1] *contó con* had   [2] *apenas* scarcely, hardly

Esta civilización estuvo integrada por numerosas ciudades-estados, que hablaban una lengua común, aunque con ligeras [3] variantes dialectales, y tenían similares rasgos culturales. Sin embargo, no parecen haber tenido una unidad política ni una ciudad capital. En esta época se
5 levantan las grandes ciudades: Uaxactun (la más antigua) y Tikal (la mayor), en Guatemala; Chichén-Itzá (abandonada y reconstruida tres veces) y Palenque, en México; y Copán, en Honduras.

Viene luego una época de inexplicable silencio, en que las ciudades son abandonadas y cesan de erigirse monumentos: los palacios, templos,
10 casas de los gobernadores, pirámides, monolitos son devorados por la selva.[4]

EL "NUEVO IMPERIO" MAYA

Hacia el año 900, aproximadamente, la civilización maya está localizada, sin que se sepa cómo, en la península de Yucatán y a este período se lo denomina "Nuevo Imperio", si bien con cierta impropiedad,
15 ya que en tiempos anteriores también habían vivido en esos lugares.

Entran entonces en estrecho contacto con los toltecas de México y se produce un importante intercambio comercial en la frontera. Poco tiempo después los toltecas (llamados "itzás" por los mayas) avanzan sobre Yucatán y conquistan el territorio: reconstruyen entonces Chichén-Itzá,
20 que estaba abandonada desde tiempo atrás.

Comienza así un renacimiento de la nueva cultura maya-tolteca, bajo el signo de Kukulcán (exacta transcripción maya del nombre tolteca Quetzalcóatl), se constituye una liga de poblaciones, y se establece la capital en Mayapán (Yucatán), la primera capital conocida de los mayas.
25 El arte y la arquitectura se vitalizan con la introducción de motivos toltecas, como la serpiente emplumada. En esta época del Renacimiento maya, se levanta la más bella ciudad de la región, Uxmal, las carreteras se reconstruyen y extienden, y florecen la arquitectura y el arte.

Hacia fines del siglo XII, estalla [5] una guerra civil, y más tarde otra,
30 en el siglo XV, entre mayas e itzás, descendientes de los antiguos conquistadores toltecas: los habitantes de Mayapán son matados y la capital saqueada y destruida. Finalmente, en esta situación de decadencia, el

---

[3] *ligeras* slight

[4] This abandonment might have been caused by natural calamities, epidemics, civil wars, foreign wars, crop failures, or aesthetic and intellectual exhaustion, but none of these conjectures has ever been definitely confirmed.

[5] *estalla* there breaks out

El Templo de Kukulcán, llamado por los españoles El Castillo. Famoso templo en forma de pirámide, cuyos restos se encuentran actualmente en Chichén-Itzá, Yucatán

pueblo maya cae bajo los conquistadores españoles, en los siglos XVI y XVII.

LAS CIUDADES PERDIDAS

Los españoles, como Hernán Cortés, enviaron informes a la corona relatando sus hazañas,[6] o, como Bernal Díaz del Castillo, escribieron largas historias sobre las campañas militares y la civilización que habían encontrado. Algunos sacerdotes y viajeros refirieron también sus experiencias por el viejo mundo maya, como Fray Bernardino de Sahagún y Fray Diego de Landa, cuyo libro, *Relación de las cosas de Yucatán*, es una de las principales fuentes para el estudio de la historia y la cultura mayas. Pero las cartas cayeron en el olvido bajo el polvo de los archivos reales y muchos de los libros escritos en la época no se publicaron hasta mucho después.

Años más tarde, un abogado neoyorkino, John Lloyd Stephens, junto con un artista inglés, Frederick Catherwood, organizaron dos expediciones

___
[6] *hazañas* deeds, exploits

a las misteriosas ciudades perdidas en la selva, y así redescubrieron en
México y Centroamérica, 44 ciudades mayas, entre 1839 y 1842.[7] A
partir de entonces, la civilización maya ha sido continuamente visitada y
estudiada, los hallazgos[8] arqueológicos han aumentado, y muchos
5 edificios, monumentos y obras de arte han sido reconstruidos.

LA CIUDAD-ESTADO

Se cree que la ciudad maya no era un centro urbano, en el sentido
moderno de la palabra, sino más bien un centro ceremonial. En las
ciudades descubiertas, la mayor parte de los edificios son templos, palacios
y locales para ceremonias: una plaza central, rodeada de esos tipos de
10 construcciones, que se levantaban sobre grandes plataformas o terrazas en
forma de pirámides truncadas, con largas escalinatas para el ascenso.[9]

Los templos tenían a menudo[10] la forma rectangular, con una sola
cámara, y raras veces, con varias. Ocupaba un lugar importante en la

---

[7] Stephens wrote two books, illustrated by his companion Catherwood: *Incidents of Travel in
Central America, Chiapas and Yucatán* (1841) and *Incidents of Travel in Yucatán* (1843). These books
did much to reawaken interest in the lost Mayan culture.   [8] *hallazgos* discoveries
[9] Sometimes these terraces were constructed by taking advantage of hills or other natural
elevations, but sometimes they were completely man-made.   [10] *a menudo* often

Edificio denominado Las Monjas, en Chichén-Itzá, según un grabado del libro
Incidents of Travel in Yucatán, de John L. Stephens

Indio guatemalteco actual trabajando el suelo. Al fondo, ruinas mayas

ciudad el local para el juego de la pelota, en forma de rectángulo con asientos de piedra a los costados para los espectadores. Se cree que dicho deporte se practicaba con una pelota de goma, que se pateaba con los pies.

En torno a la ciudad se extendían las *milpas* o campos de maíz y las tierras de labranza y cría de animales, y rodeando al conjunto, la selva imponente y majestuosa.

EL GOBIERNO

Al frente de la organización política estaba un oficial denominado *halach uinic*—que significa "hombre verdadero"—, cuyo cargo era hereditario en la familia. Tenía amplios poderes, políticos y religiosos, y probablemente fijaba su conducta con la ayuda de un consejo de los principales jefes, los sacerdotes y los consejeros especiales. Designaba a los jefes de las ciudades y las aldeas, quienes estaban en una especie de relación feudal con él y eran, por lo general, personas de su misma sangre.

Al mismo tiempo, el *halach uinic* era la más alta autoridad religiosa, pues el estado maya tuvo caracteres teocráticos. Era considerado como un semidiós. Todos le debían sumisión y obediencia. Tenía una esposa legítima y varias concubinas.

LAS CLASES SOCIALES

La antigua sociedad maya consistía en cuatro clases sociales: los nobles, los sacerdotes, el pueblo común y los esclavos. La nobleza era también hereditaria y la constituían los magistrados de las ciudades y aldeas, quienes además de gobernar, ejercían la justicia y, en tiempos de guerra, mandaban sus propios soldados.

Los sacerdotes provenían de la nobleza y su posición se adquiría también por herencia. Además de la administración de la religión y el culto, eran eruditos, astrónomos y matemáticos. Constituían una clase sumamente respetada y poderosa, por su sabiduría, sus predicciones, y la superstición del hombre común.

El pueblo estaba integrado por los agricultores de maíz y demás trabajadores, que sostenían al jefe supremo, a los señores locales y a los sacerdotes. Además, construían los templos y edificios principales y los caminos. Pagaban sus impuestos [11] con productos vegetales, telas, animales domesticados, sal, pescado seco, y toda clase de pájaros y plumas.

La clase inferior la constituían los esclavos. Según parece, los esclavos eran los prisioneros, los huérfanos, los hijos de los esclavos, los condenados

---

[11] *impuestos* taxes

por robo, y los individuos comprados o intercambiados. En algunos casos, ciertos esclavos podían redimirse.

Los prisioneros de guerra importantes eran sacrificados, mientras que los otros quedaban como esclavos en poder de los soldados que los habían capturado.   5

RELIGIÓN

La religión de los mayas fue politeísta e idolátrica, basada en la personificación de la naturaleza y la divinización de los cuerpos celestes y del tiempo. Esta religión era esotérica y su interpretación estaba a cargo de los sacerdotes. Incluía también una cosmogonía u origen del mundo.

Las ceremonias del culto fueron muy importantes, e iban desde el   10 simple ofrecimiento de alimentos a los dioses hasta la práctica de sacrificios humanos, aunque no con la frecuencia y el rigor de los aztecas.[12]

LA ESCRITURA Y LOS LIBROS

No tuvieron los mayas un alfabeto comparable al nuestro. Su lenguaje escrito consistía en jeroglíficos o escritos con dibujos: fue el primer sistema de escritura desarrollado en América.   15

Inventaron para escribir sus libros un papel a base de fibras vegetales. Los volúmenes eran largas tiras[13] de papel, dobladas y plegadas varias veces, que se desplegaban para leer. Las cubiertas eran generalmente de madera muy decorada.

Los mayas debieron de haber escrito muchos libros, pero fueron   20 quemados por los españoles para acabar con la superstición y la idolatría, según refiere el obispo Diego de Landa en su libro.[14]

LA ARITMÉTICA

Los mayas adoptaron en su numeración un sistema de veinte unidades que representaba la suma de los dedos de las manos y los pies. Los números iban del 1 al 19 y terminaba la serie con el cero, inventado por los mayas.   25

[12] The sacrificial offerings depended on the gravity of the situation. In moments of great crisis, especially when there was a need for rain, human beings were sacrificed. The Mayas believed in a Creator and they practiced forms of baptism, confession, penance, and fasting.
[13] *tiras* sheets
[14] Only three of these hieroglyphic manuscripts are extant today. They are known as the *Códice Dresdensis, Códice Tro-Cortesiano, Códice Peresiano,* and are housed in Dresden, Madrid, and Paris, respectively. The museum of Chapultepec Castle in Mexico City has some examples of this form of writing and a reproduction of a sort of Mayan "printing press."

Ejemplo de la escritura maya. Esta página contiene datos astronómicos
que muestran el enlace entre el año solar (365 días), el ciclo de Venus
(584 días), y el de Tonalpohauli (260 días). Al final de 37,960 días todos
son idénticos.

DETALLE:

Altar encontrado en Bonampak, México, y considerado por los arqueólogos como uno de los más bellos ejemplos de los bajo relieves mayas

3

Se representaba el uno con un punto y el cinco con una raya; el cero tenía otro signo. De las combinaciones y repeticiones de estos símbolos surgían los demás números. Pero paralelamente a este sistema numeral tenían otro, que se ha denominado de "variantes de cabeza", y que
5 consistía en la representación de los mismos números básicos citados mediante la figura de cabezas humanas con caracteres distintos.

CALENDARIOS

Es muy conocida la extraordinaria capacidad de los mayas para la astronomía. Realizaban observaciones desde edificios especiales y se distinguieron por la predicción de los eclipses, lo cual presupone una
10 ciencia evolucionada. Conocieron asimismo los períodos de varios astros.

El calendario, considerado como uno de los más grandes adelantos del mundo antiguo, comprendía 365 días, como en nuestros tiempos, divididos en 18 meses de 20 días cada uno, y un período final de 5 días. Al lado de este calendario civil, tenían otro, el religioso, que constaba de 260 días.

LA ARQUITECTURA

15 La arquitectura maya sorprendió en su tiempo a los conquistadores españoles y continúa sorprendiendo en la actualidad al investigador moderno, por la belleza de la construcción y el alarde[15] técnico que representa. Resulta misterioso comprender cómo pudieron vencer a la piedra: cortarla, pulirla, grabarla y subirla a grandes alturas, sin poseer
20 instrumentos de hierro ni conocer la rueda. Conocieron, eso sí, el compás, la escuadra y la plomada.[16]

Los techos eran siempre planos, hasta que con el tiempo lograron inventar la denominada "media bóveda maya". Es posible que la estructura de la cabaña inspirara la forma de los edificios monumentales. Muy
25 característicos de la arquitectura maya son los frisos, de notable buen gusto. Utilizaron mucho las columnas, rectangulares y cilíndricas. Las ventanas tenían sólo el valor de medios de ventilación, y tanto éstas como las puertas, tenían dinteles muy adornados y horizontales.

La falta de fortalezas o construcciones estratégicas en el mundo maya,
30 ha hecho suponer que este pueblo no tenía espíritu guerrero.

Los mayas, como otras civilizaciones antiguas americanas, no conocieron el arco de medio punto, pero en lugar de él crearon una especie

---

[15] *alarde* manifestation, display   [16] *plomada* plummet, plumb bob

de arco semicurvo, muy característico. Emplearon también un cemento especial y el estuco en los muros.

LA ESCULTURA

Este arte fue complementario de la arquitectura, y con el tiempo prosperó y produjo obras de tal factura artística, que algunos la consideran superior a la egipcia y a la caldea.

5

Estela maya, en Quirigua, Guatemala

Cabeza de piedra encontrada
en Santa Rosa de Copán,
Honduras

Uno de los más frecuentes motivos escultóricos es la serpiente emplumada (Kukulcán), divinidad principal en la mitología azteca-tolteca.
Lograron gran dominio en el esculpido de la forma humana, generalmente
guerreros y sacerdotes con complicadas y suntuosas vestimentas.

LA PINTURA

5 También cultivaron los mayas la pintura, aunque en menor grado
que las otras artes. Muchos templos y palacios mayas son famosos por los
murales pintados en ellos. Después de un bosquejo primero, aplicaban los
colores y contorneaban las figuras con líneas fuertes y decididas.

Las pinturas se fabricaban con sustancias minerales y vegetales, en
10 forma de polvos o líquidos y se les agregaba una sustancia viscosa para
fijar los colores en las paredes. Los preferidos eran el rojo, el amarillo, el
azul, el blanco y el negro, en diferentes intensidades, pero el color más
característico de la paleta maya fue el cobrizo.[17] La pintura sobre objetos
de cerámica fue la otra especialidad.

MÚSICA Y DANZA

15 En música, los mayas no alcanzaron grandes progresos debido a sus
instrumentos demasiado primitivos: flautas y pitos de caña, hueso o

---

[17] *cobrizo* copper

barro, tambores y clarines, y trompetas de caracoles y cuernos. Las melodías eran monótonas.

Las danzas, en cambio, eran muy variadas y vistosas. Practicaban el baile en conjunto y las principales danzas eran: la de las banderas, de carácter marcial; la de las candelas, ritual y más bien religiosa, con antorchas; y la de las cintas, en que un gran número de bailarines entrelazaban artísticamente al son de la música unas cintas que pendían de una estrella colocada en la punta de un mástil.

EL TEATRO

Hay bastantes razones para creer que los mayas conocieron las representaciones dramáticas y tuvieron un buen teatro. Las obras se representaban en las plazas públicas y, a veces, en los templos. Se conserva una pieza dramática, el *Rabinal Achí*,[18] perteneciente a los *quichés*, una tribu del pueblo maya.

LA LITERATURA

Las obras literarias que se conservan provienen de textos escritos en lengua maya pero con caracteres latinos, por nativos de la zona, en épocas posteriores a la Conquista misma.

Uno de ellos, *El libro de Chilam Balam*, escrito por un maya de Yucatán, es famoso por expresar la desesperación de los indígenas ante la invasión de los españoles, profetizada por un sacerdote.

En la región de Guatemala, se escribieron también algunos libros después de la Conquista: el *Popol Vuh* y los *Anales de los cakchiqueles*, también en lengua maya y caracteres latinos. El primero es un libro sagrado de los quichés, una especie de Biblia maya, donde se mezclan cosmogonía, religión, mitología e historia de dicho pueblo. El segundo es más histórico que el anterior, pero con referencia al pueblo cakchiquel, aunque también incluye datos cosmogónicos, religiosos y mitológicos.

En general, los libros mayas que se conservan no son de fácil comprensión y por momentos resultan incoherentes, pero revelan una alta inspiración poética, un profundo patriotismo, y una constante apelación al mundo científico y religioso del pueblo.

[18] In the Bibliography at the end of your textbook you will find the data necessary in order to locate the reference works and sources mentioned throughout the text.

CUESTIONARIO

1. ¿Cuál es el origen de los mayas? 2. ¿En qué superaron los mayas a los demás pueblos aborígenes de Iberoamérica? 3. ¿Qué son el Nuevo y el Viejo Imperio entre los mayas? 4. ¿Por qué se llama "ciudades perdidas" a las antiguas ciudades mayas? 5. ¿Cómo era la típica ciudad maya? 6. ¿Qué es la *milpa*? 7. ¿Cómo era el gobierno maya? 8. ¿Cuáles fueron las clases sociales? 9. ¿Quiénes eran los esclavos? 10. ¿Cómo era el culto de los mayas? 11. ¿En qué consistía la escritura jeroglífica de los mayas? 12. ¿Cómo estaba hecho un libro maya? 13. ¿Cómo representaban los mayas los números? 14. ¿Cuántos calendarios tenían? 15. ¿Por qué es sorprendente la arquitectura maya? 16. ¿Qué es la "media bóveda maya"? 17. ¿Cómo se llamaba la Serpiente Emplumada entre los mayas? 18. ¿Cómo eran los murales mayas? 19. ¿Qué es el *Rabinal Achí*? 20. ¿Cómo se llama la Biblia de los mayas?

TEMAS ESPECIALES DE COMPOSICIÓN Y CONVERSACIÓN

   I. El pueblo maya.
  II. La vida política y social de los mayas.
 III. La arquitectura maya.
  IV. La religión maya.
   V. La literatura maya.

CAPÍTULO IV

LOS AZTECAS

HISTORIA DEL PUEBLO AZTECA

Los aztecas, llamados también tenochcas o mexicas, fueron los creadores de la más valiosa de las culturas del centro y sur de México. Llegaron a la región del valle central a principios del siglo XIII, desde un lugar del norte llamado Aztlán, desconocido hasta ahora para nosotros.

Dirigió esta peregrinación desde el norte un caudillo y sacerdote llamado Ténoch. Como el territorio del valle estaba ya ocupado por otras tribus náhoas, vivieron sucesivamente en varios lugares, luchando a veces contra algunos pueblos, y soportando otras la dominación o las hostilidades. Se calcula en poco más de 100 años este período de peregrinaje. Por fin, en el año 1312, lograron tomar posesión de un islote situado dentro del lago Texcoco, donde en cierto modo podían estar a resguardo de[1] los ataques enemigos.[2]

Levantaron allí una choza[3] destinada al dios Huitzilopoxtli, y en torno de ella, sus viviendas de cañas y juncos. El pueblo se llamó Tenochtitlán, y con los años, vino a convertirse en la fabulosa ciudad que más tarde deslumbró por su grandeza a los conquistadores españoles: la ciudad de México.

[1] *a resguardo de* safeguarded from
[2] According to an Aztec legend, the god Huitzilopoxtli (or Mexitli) made known to his people that they must leave Aztlán and move to the south, establishing themselves at the spot where they would see an eagle devouring a snake. One day, after many wanderings and sufferings, they saw the sign on an island. They founded there the city of Tenochtitlán, also called México because of its relation to their god Mexitli.
[3] *choza* hut, cabin

45

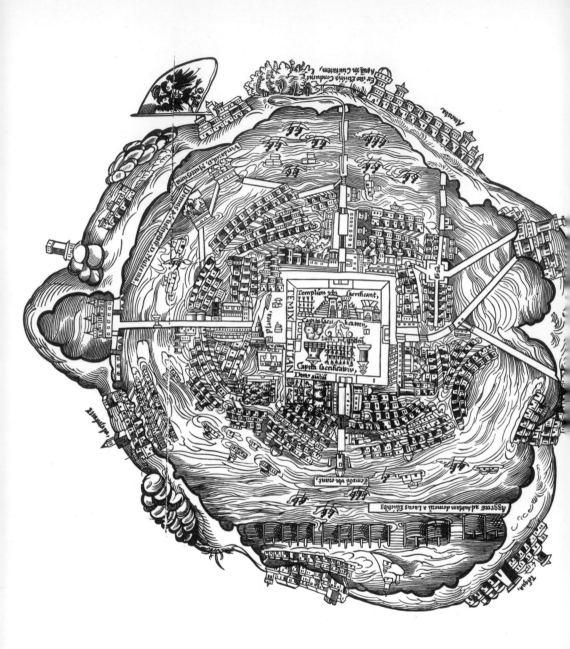

Plano de la cuidad de Tenochtitlán

Como el terreno era insuficiente, los aztecas construyeron huertos flotantes, llamados *chinampas*, donde cultivaron maíz, frijoles, legumbres, calabazas, y chile. Consistían en estacadas clavadas en el lago, sobre las cuales colocaban un tendido de césped y una capa de limo extraído del fondo de la laguna, tal como puede apreciarse hoy en día en Xochimilco. 5

Con el correr de los años los aztecas cambiaron el régimen teocrático por una especie de gobierno monárquico. El gobierno estuvo desde entonces en manos de un *tlacatecutli* o rey, elegido por el pueblo. El primer monarca dentro de este régimen fue Acamapichtli, designado en 1376.

En forma progresiva, los emperadores aztecas fueron conquistando a 10 los pueblos vecinos, y después de apoderarse de todo el Anáhuac o valle central, extendieron el imperio hacia el océano Pacífico, el golfo de Mexico, y Guatemala, con muy pocas excepciones.

Hacia principios del siglo XVI, llegaron al territorio los exploradores y conquistadores españoles. Hernán Cortés, a pesar de la feroz resistencia 15 de los aztecas, tomó a Tenochtitlán y su imperio (1519), y así comenzó a levantarse la colonia que se denominó después Nueva España.[4]

[4] The story of the Aztec people and their struggles with the Spanish invaders can be read in various works, such as: Hernán Cortés, *Cartas de relación*; Bernal Díaz del Castillo, *Verdadera historia de la conquista de Nueva España*; Fray Bartolomé de las Casas, *Historia general de las Indias*; Fray Bernardino de Sahagún, *Historia general de las cosas de las Indias*; Fray Toribio de Benavente (Motolinía), *Historia de los indios de Nueva España*.

Regalo de Moctezuma al conquistador Cortés. Obra de plumas—broquel con el dios de fuego azteca en forma del coyote hablante

ORGANIZACIÓN POLÍTICA

El pueblo azteca no estuvo organizado en un imperio absoluto. Teóricamente, tuvo un régimen democrático militar de gobierno, y el imperio constituía una especie de confederación.

Varias familias formaban un clan y veinte clanes la tribu de los
5 aztecas. Cada clan se administraba por sí mismo mediante un jefe civil, otro jefe militar y un consejo, que elegía a los dos primeros. Los representantes de cada clan constituían el consejo de la tribu azteca. De estos veinte consejeros, los cuatro más experimentados y sabios eran seleccionados para formar otro consejo menor que aconsejaba al jefe del estado o *tlacatecutli*,
10 al cual los españoles llamaron en su lengua emperador o rey.

Este cargo era a la vez electivo y hereditario, pues se adjudicaba entre los hermanos del gobernante anterior, o en su defecto, entre los sobrinos. En casos excepcionales, podía ser desposeído de su mando, como sucedió con Moctezuma. Al lado de este jefe supremo, que unía a
15 sus funciones militares las sacerdotales, había un jefe civil.

En cuanto al consejo tribal, designaba de su propio grupo a los cuatro oficiales que aconsejaban al emperador y, además, tenía a su cargo la tarea de mantener el orden entre los clanes, e intervenir en las disputas y crímenes que no podían resolver los propios jefes.

CLASES SOCIALES

20 No hubo propiamente clases sociales, sino más bien rangos: los nobles, los sacerdotes, los militares, el pueblo común y los esclavos. Los nobles ocupaban las principales jerarquías del estado y podían dedicarse al sacerdocio o a las armas; los sacerdotes cumplían las tareas del culto y el cuidado de los templos; los militares hacían la guerra e imponían la
25 autoridad del *tlacatecutli*; los plebeyos practicaban los diferentes oficios, mientras que los esclavos desempeñaban las más duras faenas[5] agrícolas.

Estos esclavos eran las personas expulsadas de los clanes por mala conducta o por dejar de trabajar la tierra que tenían asignada. Si persistían en la indolencia, se los castigaba con penas mayores y, en última instancia,
30 se los entregaba a los sacerdotes para el sacrificio.

TENOCHTITLÁN

La actual ciudad de México se llamó en tiempos antiguos Tenochtitlán. Los españoles la llamaron "Venecia de América", porque estaba

[5] *faenas* tasks

construida en el lago Texcoco y cruzada por canales que servían de calles. Se comunicaba con tierra firme por medio de calzadas[6] especiales.[7]

El suelo del antiguo islote se fue ampliando con las *chinampas* y el dominio de otra isla, Tlatelolco. En la época de apogeo en que la encuentran Hernán Cortés y sus soldados (1519), la ciudad estaba dividida 5

[6] *calzadas* causeways
[7] The original construction had buildings of adobe, but later stone was used for public buildings. The wealthy classes had homes of stone and brick covered with colored plaster.

producción de la Plaza Principal de Tenochtitlán. Una ciudad arriba, y otra abajo. ace unos pocos años, se descubrieron las ruinas de la antigua ciudad americana encima la cual construyeron los españoles la suya.

en cuatro secciones mayores y veinte menores. El centro cívico y ceremonial era la Plaza Mayor. Allí estaba la gran pirámide dedicada a
Huitzilopoxtli y a Tlaloc, de doscientos pies de altura, con un doble
templo encima. Al término de las gradas se encontraba la piedra del
sacrificio. También estaba allí el templo de Quetzalcóatl, de estructura
redondeada; el recinto del juego de la pelota; la residencia de los sacerdotes; el *tzompantli* o edificio donde se colgaban los cráneos de las víctimas
sacrificadas, y otra numerosa serie de construcciones públicas y oficiales.

De igual importancia arquitectónica eran otras obras: el mercado, la
piedra sagrada de la guerra, la piedra del calendario, el palacio de
Moctezuma, el aviario real, arsenales, escuelas. Tenochtitlán fue una de
las ciudades mejor planeadas y más extraordinarias de todas las culturas
antiguas, y prácticamente inexpugnable para otras tribus de la época.

EL EJÉRCITO Y LA GUERRA

Los aztecas fueron un pueblo fundamentalmente guerrero y agricultor. Su ejército logró un alto grado de organización y disciplina y los
varones recibían, desde niños, una esmerada[8] educación para el ejercicio
de las armas y de la guerra.

Los altos oficiales de la tribu, el jefe de guerra y los jefes de sección y
clanes, comandaban los ejércitos. Los otros cargos se encomendaban a los
miembros de las órdenes guerreras, como los Caballeros Águilas, los
Caballeros Tigres y una tercera orden, los Caballeros Flechas.[9]

La guerra tenía un concepto ritual, y los conflictos económicos y
políticos con otros pueblos eran bien recibidos, pues brindaban[10] la
ocasión para luchar, poniendo en práctica de esta manera, según su
concepción, la lucha entre las fuerzas de la naturaleza y el hombre.

Practicaron a veces un tipo especial de guerra para cautivar enemigos y sacrificarlos a sus dioses que necesitaban saciar.[11] Estas costumbres
y creencias fueron motivo de gran censura por los españoles.

---

[8] *esmerada* careful, thorough

[9] Arms were important to the Aztecs. They used shields of cotton and helmets of various non-
metallic types. They were apparently the first Americans to use swords, which they fashioned
from wood. They also used bows, javelins, and maces.

[10] *brindaban* offered, afforded

[11] If the warrior survived, he achieved fame and glory. If he was captured, he believed that he
would achieve the most glorious of deaths by being sacrificed. If he was killed in battle, his
remains were cremated, which, according to his beliefs, accorded him a special sort of heaven
reserved exclusively for warriors. The Spaniards called it "guerra florida".

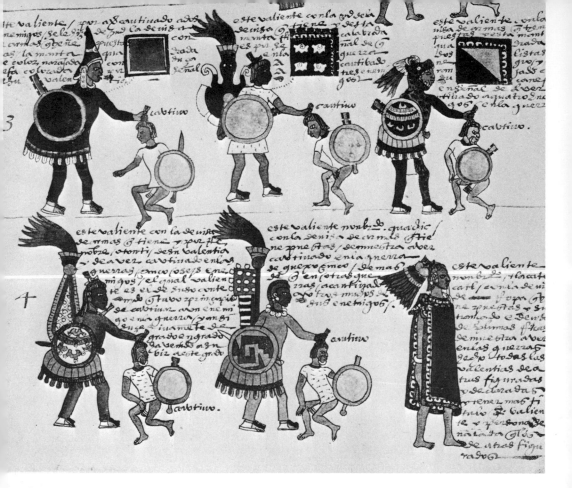

Guerreros aztecas

LA EDUCACIÓN

Dedicaron particular atención a la educación de los hijos, que comenzaba en el hogar y continuaba en las escuelas de los templos principales. Daba comienzo a los tres años, y el fin era conducir a los niños lo más pronto posible al conocimiento de las técnicas y obligaciones de la vida adulta. En el hogar, los padres enseñaban a los hijos varones, y las madres a las mujeres. Hasta los seis años, el método consistía en el consejo, pero más tarde, se cambiaba por el castigo severo.

Después de los quince o dieciséis años, asistían a dos clases de escuelas: una para la enseñanza general, y otra para la instrucción de las obligaciones religiosas. La primera pertenecía al clan y en ella se enseñaba ciudadanía, uso de las armas, artes, oficios, historia, tradición y cumplimiento de la religión; la segunda, era una especie de seminario para formar a los futuros sacerdotes y jefes, y parece haber sido una continuación de la anterior.

USOS Y COSTUMBRES

La casa del hombre común era de adobe pintado y su interior se dividía en una cocina y un dormitorio. No tenía chimeneas, ni ventanas ni fogones. Muchas casas tenían un *temascal* o baño de vapor, que se producía echando agua sobre piedras calientes. Las mujeres cumplían
5 las tareas domésticas mientras los hombres salían a los campos de maíz (*milpas*) para trabajar.

Cada clan o grupo de familias debía laborar un pedazo de tierra adjudicado por el consejo de la tribu, en forma colectiva, y pagar impuestos en granos, tejidos, etc. Además, los clanes eran convocados para contribuir
10 a levantar los templos y edificios públicos y, rotativamente, para el cultivo de las tierras del emperador.

Fueron diestros comerciantes, y el mercado (*tiaquiz*) era un importante centro en cada ciudad, con jueces para los conflictos entre compradores y vendedores, y secciones especiales para cada tipo de producto.
15 Tuvieron muchos días festivos en el año, unos ceremoniales y otros seculares. Muy típico fue el juego ceremonial denominado "volador", en que hombres vestidos como pájaros, se colgaban con cordeles atados a la cintura (cabeza abajo y los brazos abiertos) de una rueda giratoria colocada horizontalmente en el extremo de un alto palo, y así daban vueltas.

20 Otro juego famoso fue el de la pelota (*tlachtli*), que se practicaba en un patio rectangular: los jugadores debían hacer pasar por un anillo de piedra o madera, empotrado[12] verticalmente en uno de los muros laterales, una pelota de goma. En la pugna contra los adversarios, los equipos sólo podían usar las piernas, las caderas o los codos. También
25 tenía carácter ritual.

ARQUITECTURA Y ESCULTURA

La arquitectura azteca fue soberbia y majestuosa, y junto con la escultura, son las dos artes en que sobresalió el genio de ese pueblo.

El símbolo fue la pirámide truncada o *teocalli*, y todo lo importante en arquitectura tuvo relación con la religión.
30 El templo azteca se construía sobre una terraza, generalmente de tres partes superpuestas. Largas escalinatas, flanqueadas por balaustradas, conducían a la cima. Bloques de piedra tallada, representando por lo común cabezas de serpientes, se colocaban en varias partes como ornamento. En la parte alta de la terraza estaba la piedra del sacrificio donde

---

[12] *empotrado* set, imbedded

Juego de los Voladores,
ún una lámina de la historia
México escrita por
ıncisco J. Clavigero, e
presa en 1844, en México

se mataba a las víctimas, y detrás de ella, se encontraba el templo del
dios.

La escultura era un complemento de la arquitectura. Todas las
piezas aztecas tienen un particular aspecto de dignidad. La serpiente,
símbolo de Quetzalcóatl, fue el tema más insistentemente grabado. Lo
mismo puede afirmarse de las imágenes de los otros dioses. La piedra
conocida como el *Calendario*, es una obra maestra de la escultura de todos
los tiempos.

La pintura y el dibujo se usaron con preferencia para fijar hechos

5

históricos. Los pocos frescos aztecas que quedan revelan un arte no inferior
al dibujo de sus códices y manuscritos. El diseño es hermoso y fascinante.

La música parece haber sido rica en ritmo aunque escasa en melodías
y tonos, mientras que la danza se piensa que tuvo gran repercusión en la
vida pública: tuvieron varias danzas en las que participaba el pueblo
entero. Las reforzaba el canto. Como en otros pueblos antiguos, los actos
religiosos cumplían la función del drama. Se supone que ejercitaron con
maestría la oratoria y tuvieron buen talento poético.

RELIGIÓN

La vida de los aztecas no puede ser concebida sin su religión. Esta
fue una de las más sangrientas del mundo, ya que requería el sacrificio
de seres humanos para hacer felices a sus dioses, y lograr su buena
voluntad.[13]

Los ritos eran de gran colorido y misterio y se realizaban con la
participación del sacerdote, ricamente vestido, bailarines y música. Eran
presenciados por el emperador y el pueblo, en un ambiente de flores y
perfumes.

La víctima era sacrificada en la piedra ceremonial por el sacerdote,
quien extraía el corazón de la víctima con un cuchillo de obsidiana, lo
ofrecía a la imagen del ídolo, y lo quemaba más tarde.[14]

Los prisioneros de guerra eran las víctimas preferidas; en menor
importancia, los esclavos, y en casos excepcionales, las mujeres y niños.
Las cabezas de los sacrificados se desplegaban colgadas en dispositivos[15]
especiales al frente de los templos.

EL CALENDARIO

Tuvieron dos calendarios: el solar y el ritual. El año solar estaba
dividido en 18 meses de 20 días cada uno, con un período final de 5 días.
Cada 52 años constituía un ciclo. El calendario ritual, en cambio,
tenía sólo 260 días, y quizás fuera de origen mágico. Comprendía 20
semanas de 13 días cada una.

---

[13] The Aztecs believed that human sacrifice attracted natural forces favorable to human life,
so that, in a way, they regarded their religion as a support to economic progress.

[14] The victim was given an anesthetic. This was also true in the cases in which the victim was
burned alive on the sacrificial stone. Another type of sacrifice on the stone was gladiatorial.
In this case the victim was not anesthetized as he was given weapons to fight from the stone
against the warriors charged with the duty of executing him.

[15] *dispositivos* devices, apparatus

El Calendario Azteca o Piedra del Sol

Los calendarios tienen una importancia básica en la vida de los aztecas, y fueron uno de los hallazgos más perfectos de ese pueblo. Hacia el final de cada ciclo de 52 años, en que se dividía el tiempo, los aztecas temían grandes calamidades y desgracias,[16] y por ello realizaban ceremonias especiales. La tradición decía que el mundo había sido destruido ya cuatro veces, por animales salvajes, por huracanes, por lluvia de fuego y por inundación—al fin siempre de un ciclo—y se esperaba una quinta destrucción que sería por terremotos. Para evitar esta desgracia, se realizaba la ceremonia del "Fuego Nuevo".

La víspera[17] de cada nuevo ciclo, que comprendía los últimos cinco días del año, se quemaban todos los utensilios y muebles de las casas y los templos, y todos los fuegos se apagaban una hora antes de concluir el año. Al crepúsculo de ese día, los sacerdotes subían a una colina sagrada

5

10

16 *desgracias* misfortunes   17 *víspera* eve

cerca de Tenochtitlán y escudriñaban el cielo, esperando distinguir en el cielo ciertas estrellas. Si esto ocurría, era señal de que el mundo continuaría, y entonces los sacerdotes encendían un nuevo fuego con un leño en el pecho de una víctima recién sacrificada y otros individuos encendían allí antorchas y corrían a prender los fuegos de los altares, mientras los dueños de casa encendían a su vez los suyos. Al día siguiente, se comenzaba a renovar todo lo quemado.[18]

LITERATURA

Los aztecas lograron fabricar un papel de muy buena calidad e hicieron un gran consumo de él. Ya antes que ellos, los mayas, los toltecas y otros pueblos lo habían fabricado con fibras vegetales. El papel era utilizado por los sacerdotes, escritores y artistas, y se vendía luego en los mercados.

En papel escribieron sus genealogías, registros de juicios, y varios otros asuntos relativos a su existencia.[19]

[18] The Aztec Calendar, carved in stone, and preserved in the National Museum of Mexico, is one of the most celebrated archaeological discoveries of the world. According to tradition, it took exactly 52 years to carve it. On it is engraved the astronomical knowledge of the Aztecs, which was quite advanced.

[19] Some Aztec "books" are still conserved. By means of pictographs they express ideas, although the Aztecs did not have an alphabet as such.

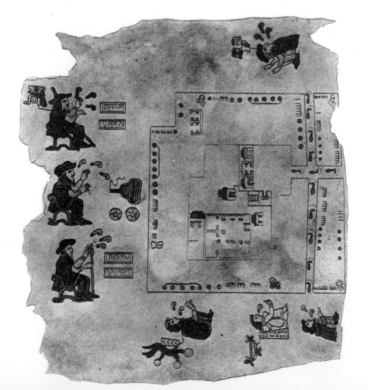

Manuscrito azteca, con escritura jeroglífica

Tuvieron una literatura propia, quizás no exactamente en el sentido moderno de esa palabra, pero sí fundamentalmente histórica: anales, libros de días y horas, mitología, acontecimientos astronómicos, observaciones celestiales, almanaques sagrados.

La literatura propiamente dicha fue oral y era conservada por individuos de muy buena memoria: éstos la transmitieron a los españoles a su llegada, en forma de relatos, himnos, cantos, elegías, y es por esta razón que se conservan transcritos en lengua castellana. Otras obras literarias se conservaron por tradición oral hasta nuestros tiempos. Los textos conocidos expresan sutiles y delicados pensamientos y sentimientos.

CUESTIONARIO

1. ¿De dónde llegaron los aztecas al valle central de México? 2. ¿Cómo fue la peregrinación de los aztecas? 3. ¿Quién la dirigió hasta su asiento definitivo en el Anáhuac? 4. ¿Dónde se fundó la ciudad de Tenochtitlán? 5. ¿Qué es una *chinampa*? 6. ¿Cómo estuvo organizado políticamente el imperio azteca? 7. ¿Qué era un clan? 8. ¿Quién era el *tlacatecutli* y cómo era designado? 9. ¿Cuáles eran las clases sociales entre los aztecas? 10. ¿Quiénes eran los esclavos? 11. ¿Cómo era Tenochtitlán en tiempos de la conquista española? 12. ¿Qué era el *tzompantli*? 13. ¿Por qué se hacía la "guerra florida"? 14. ¿Qué es un *temascal*, y qué una *milpa*? 15. ¿Qué era el *tiaquiz* y cómo estaba organizado? 16. ¿Cómo se practicaba el juego de la pelota? 17. ¿Qué es un *teocalli*? 18. ¿Cuántas clases de sacrificios humanos cumplían los sacerdotes aztecas? 19. ¿Qué importancia tenía el calendario azteca en la vida nacional? 20. ¿Tuvieron los aztecas literatura?

TEMAS ESPECIALES DE COMPOSICIÓN Y CONVERSACIÓN

  I. El calendario azteca.

 II. La peregrinación de los aztecas hasta el valle de México.

III. Descripción de la ciudad de Tenochtitlán.

IV. La religión de los aztecas y los sacrificios humanos.

 V. La organización social y política de los aztecas.

CAPÍTULO V

LOS INCAS

ORIGEN

Los quechuas (o quichuas) constituían el imperio más civilizado de la América del Sur, a la llegada de los españoles en el siglo XVI. Sus soberanos se llamaban *incas* y este nombre fue posteriormente aplicado por los historiadores a todo el pueblo quechua.

⁵ Estos indígenas hicieron su aparición en el continente en el siglo XI.[1] Ocuparon inicialmente la región del valle del Cuzco, y en sucesivas épocas, conquistaron y ocuparon a los pueblos vecinos, hasta formar un colosal imperio que cubría la mitad sur del Ecuador actual, Perú, Bolivia, la mitad norte de Chile y el noroeste argentino.

LA LEYENDA DE MANCO CAPAC

¹⁰ Según la leyenda de los propios incas, Manco Capac fue el fundador de la dinastía. El Sol creó a Manco Capac y a su hermana Mama Ocllo, en una isla del lago Titicaca, y les ordenó enseñar a los demás pueblos la civilización. Para ello, debían establecerse los hijos del Sol en una región fértil, donde pudiera enterrarse un bastón dorado. Manco Capac y su ¹⁵ hermana comenzaron la peregrinación y al llegar al valle del Cuzco, encontraron que ése era el lugar de las características señaladas. Así nació la ciudad del Cuzco, en un primitivo valle deshabitado. Se construyó entonces en aquel lugar el Templo del Sol o *Coricancha* y poco a poco el resto de la ciudad. A continuación, empezó la expansión de los ²⁰ incas a las regiones vecinas.

[1] The origin of the Incas is not clear. They could have been descendants of Mayas, Aztecs, or of Tiahuanacos.

58

EL TAHUANTISUYO O IMPERIO INCA

La citada ciudad fue la capital del imperio. El Cuzco, situada en las altas montañas, estaba rodeada de varias fortalezas (Sacsahuaman, Ollantaytambo, Pisac, Machu Picchu), estratégicamente situadas[2] en las alturas y a pocas millas de distancia, que la protegían con un cinturón de defensas inexpugnables contra los eventuales ataques de los indígenas enemigos. 5

La plaza central del Cuzco era el punto de salida de una vastísima red[3] de caminos, que se extendió hasta el último rincón del imperio. Esta red comprendía dos rutas principales: una por la zona costera (2.520 millas) y la otra por las montañas (3.250 millas), desde el Ecuador hasta el centro de Chile, conectadas entre sí transversalmente en varios lugares por otros caminos. 10

El imperio estuvo dividido en cuatro grandes partes (*suyus*): el norte o "Chinchasuyo"; el sur o "Collasuyo"; el este o "Antisuyo", y el oeste o "Cuntisuyo", regida cada una por un gobernador emparentado con la familia del Inca. 15

LOS CAMINOS Y LAS COMUNICACIONES

Este ingenioso sistema de caminos interconectados permitía el rápido desplazamiento[4] de los funcionarios en viajes de inspección, los ejércitos y los viandantes,[5] así como también un eficiente servicio de correos.[6] Los transportes se hacían a lo largo de ellos por medio de llamas. 20

Cada cierta distancia, se construían al lado del camino mesones o ventas, llamados *tampus*, que servían para el reposo.[7] Algunos tenían corrales anexos para las llamas.

Los mensajeros o *chasquis* eran corredores entrenados desde la niñez y alimentados especialmente a base de maíz tostado, que se pasaban los mensajes de posta en posta, a través de todo el imperio con una celeridad increíble.[8] Se refiere que un correo llegaba desde Quito al Cuzco, a lo 25

---

[2] *situadas* located   [3] *red* network   [4] *desplazamiento* shift, movement
[5] *viandantes* travelers   [6] *correos* mail
[7] Some of these were for officials, some for the public. They were supplied with provisions for the comfort of the wayfarer. The Spanish conquerors found them to be a great convenience and obliged the Indians to continue supplying the *tampus* or *tambos*, as they were also known.
[8] The posts were located at a distance from each other such that the messenger could run from one to the other at full speed. This system of quick communication afforded the Incas a systematic dominion over their vast territory.

Civilización indígena del Perú y Ecuador, según una edición inglesa (1772) del libro de viajes de Jorge Juan y Antonio de Ulloa. Fig. 1: a) templo; b) tumbas; c) fuerte; d) villa. Fig. 2: ruinas del palacio de los Incas, cerca de Quito. Fig. 3: balsa de los pueblos costeros del norte del Perú y del Ecuador. Fig. 4: palacio y ciudadela Inca

largo de 1.250 millas, en sólo cinco días. El secreto del mensaje era celosamente [9] guardado por los corredores.

La ingeniería de los caminos alcanzó notable maestría. No eludían
los obstáculos naturales, sino que los enfrentaban. Cruzaban desiertos
arenosos, altiplanos, páramos,[10] bosques tropicales, ríos y precipicios, y   5
su técnica se ajustaba a las condiciones de cada lugar. En algunas partes,
estos caminos estaban rodeados de cercados[11] de adobe para impedir el
avance de las arenas, mientras que en la costa y el llano solían flanquearse
de árboles y aun de canales. El cruce de los ríos y precipicios se hacía por
intermedio de puentes, a veces sostenidos sobre pilares, pero en la mayoría   10·
de los casos colgaban de gruesos cables de fibra fijados en las orillas. La
técnica de los puentes fue de inigualada excelencia.

LA ADMINISTRACIÓN Y LOS "QUIPUS"

La administración de tan fabuloso imperio fue posible gracias al
desarrollo de procedimientos estadísticos. Todo estaba perfectamente
contado y calculado, hasta los animales obtenidos en las cacerías y las   15
piedras de las hondas.[12] El sistema numérico, como el de los mayas y el de
los aztecas, fue vigesimal.

Como los quechuas ignoraron la escritura, utilizaban en sus cómputos
y registros los famosos *quipus*. Consistían en un sistema de memorización a
base de cordeles con nudos, de diferentes tamaños, formas y colores, que   20
sólo podían ser interpretados y leídos por funcionarios iniciados. El color
negro significaba tiempo, el azul religión, el amarillo oro, y así los demás
colores. Posiblemente, el nudo indicaba la cantidad, y el color el contenido.

La contabilidad[13] la efectuaban los funcionarios especializados,
pues el *quipu* requería el comentario y la explicación verbal de los técnicos.   25
Si un funcionario no recordaba lo que debía recordar frente al *quipu*, o si
mentía en su comentario, era matado.

EL "AYLLU"

El *ayllu* fue la forma social y básica del mundo quechua. Consistía en
un grupo humano, con un antepasado común, cuyo cuerpo se conservaba
por lo general momificado y a quien se le rendía culto. Cada *ayllu* tenía   30

---

[9] *celosamente* zealously, jealously
[10] *páramos* cold, windy places; high, barren plains   [11] *cercados* fences
[12] *hondas* slingshots   [13] *contabilidad* accounting

además su totem propio. Podía ser un animal, un lugar, un objeto inanimado, o un personaje mítico, que lo distinguía y particularizaba entre los otros *ayllus*.

5 Cada grupo de esta clase tenía sus terrenos de labranza, campos de pastoreo y bosques comunes, de manera que la explotación de la tierra era de tipo colectivista. El trabajo era obligatorio para todas las personas, entre los 25 y los 50 años de edad.[14]

El suelo se dividía en tres partes: una correspondiente al dios Sol, otra al Inca, y la tercera a la comunidad. La extensión estaba relacionada 10 con el rendimiento del terreno. La tierra de la comunidad era dividida por funcionarios del gobierno, en nombre del soberano, entre los jefes de familia. A cada pareja correspondía un lote, otro por cada hijo varón y medio por cada hija. Esta distribución se renovaba cada año.

Los trabajos de la tierra eran obligatorios para el campesino u 15 hombre común (*hatunruna*). El Inca, los miembros de las clases aristocráticas, los oficiales del gobierno y de la religión tenían sus obligaciones específicas, y por ello no estaban obligados al trabajo de la tierra.

Los quechuas debían cultivar y trabajar el suelo por orden de importancia, hasta satisfacer la totalidad de las tierras disponibles: primero 20 las reservadas al dios Sol y los demás dioses locales; luego las de los impedidos (huérfanos, viudas, enfermos, ciegos y soldados en servicio); a continuación las tierras propias; después las de los jefes y oficiales del ejército del gobierno, y por último, las del Inca soberano. Cada familia, así como su lote, tenía un par de llamas, que únicamente podían matar 25 cuando llegaban a viejas, y su leche no debía ordeñarse, para no quitar así el alimento a las llamas pequeñas. Sólo podían ser esquiladas[15] para utilizar la lana en tejidos.

El Inca, sin embargo, se preocupaba por el bienestar del pueblo y devolvía parte de sus bienes en forma de donaciones anuales de parte de 30 sus reservas o efectuando distribuciones a súbditos de méritos extraordinarios.[16]

Aparte de la propiedad del Estado (edificios públicos, tierras de labranza, campos de pastoreo, plantaciones de coca y minas), y de la propiedad de la comunidad, existía la privada, que consistía en la casa y 35 tierras provenientes de donaciones, muebles y utensilios domésticos.

---

[14] All economic activities were subject to a central plan, *i.e.*, they were controlled economies, socialistic or communistic in concept.   [15] *esquiladas* sheared

[16] Many of the products given by the Indians to the Government were stored in cities or at crossroads for distribution to the people in times of need.

LAS CLASES SOCIALES

La sociedad incaica estuvo dividida en clases bien diferenciadas unas de otras, y la actividad de todas ellas se ajustaba a una estricta reglamentación.

Presidía la organización social el Inca y su familia. El Inca era polígamo: su esposa principal (*colla*) era su hermana, una prima o una sobrina, para conservar la pureza de la sangre de los hijos del Sol y la tradición de Manco Capac y Mama Ocllo. Sus otras esposas podían ser de sangre real (*pallas*) o vírgenes del Sol. Otras mujeres, las concubinas, seguían en importancia.

El heredero del imperio debía ser hijo de la *colla* o esposa principal, y si no lo había, el hijo de otra de las mujeres. La razón de esta poligamia radicaba en la necesidad de disponer de hombres en número suficiente para el clan superior, destinado a cubrir los cargos políticos, militares y religiosos más importantes. Se mantenía, sin embargo, el equilibrio en el número de miembros, enclaustrando a las mujeres que no se necesitaban en el templo de las vírgenes del Sol.[17]

Una vez por año el Inca presidía y efectuaba casamientos colectivos entre las personas importantes de su corte y las jóvenes escogidas para la carrera de vírgenes del Sol. Estos matrimonios eran forzosos e indisolubles, salvo caso de adulterio.

El Inca usaba suntuosas vestimentas, y un complicado aparato ceremonial se cumplía para poder verle. Gobernaba por su sola voluntad, aunque en casos difíciles, pedía opinión a un consejo. A la muerte del Inca le sucedía su hijo, pero no el primogénito, sino el que se consideraba mejor capacitado para el gobierno.

Por debajo de la realeza y alta aristocracia, estaba la baja aristocracia de los *curacas*. Estos pertenecían a la antigua nobleza de los distintos pueblos conquistados por los incas. Concurrían con frecuencia a la corte de Cuzco, lo mismo que sus hijos. Igual que los miembros de la familia incaica, no pagaban impuestos. Su jerarquía dependía del número de hombres a su cargo, que oscilaba de 100 a 10.000. El puesto era hereditario.

La clase sacerdotal era también privilegiada y estaba organizada en jerarquías. El sumo sacerdote residía en el Cuzco y era hermano, tío u otro pariente del soberano. Estaba considerado como uno de los individuos más importantes de todo el imperio.

Otro grupo social lo constituían los hombres sabios (*amautas*), que cumplían tareas de poetas, historiadores, cantores, maestros de los

---

[17] The Spaniards called the royal family *orejones* or "big ears" because of their custom of enlarging the earlobe and perforating it.

jóvenes pertenecientes [18] a la clase dirigente, y consejeros. La educación se cumplía en cuatro años y comprendía: el primer año, idioma; el segundo, religión y culto; el tercero, interpretación de los *quipus*, y el cuarto, historia.

5   Aparte de los anteriores, había otros dos grupos que estaban en una situación especial: los *yanaconas* y los *mitimaes*. Los primeros habían sido primitivamente los únicos esclavos del imperio, pero con el tiempo habían pasado a ser una especie de "criados perpetuos". Servían como pajes, sirvientes, cargueros en el ejército, y en otras labores manuales. Los
10   *mitimaes* eran a su vez otro grupo muy particular de súbditos: servían para poblar las regiones nuevas, ocupar las fortalezas y las regiones fronterizas peligrosas, y para establecer los primeros núcleos incas en las provincias y regiones que acababan de conquistarse.

       El pueblo común (*hatunruna*) cumplía los trabajos de agricultura,
15   ganadería y demás estipulados por el plan estatal. Los productos de su trabajo se distribuían entre el gobierno, el templo, y el propio productor. Los enfermos, ausentes, soldados, obreros y demás empleados del gobierno, recibían productos agrícolas del Inca. El ocio [19] estaba proscrito y castigado.

       Además de las obligaciones de prestar servicio como agricultor en las
20   tierras del Estado y de la Iglesia, cada hombre del pueblo debía cumplir asimismo una cierta cantidad de trabajo en obras públicas, todos los años: construir caminos y puentes, laborar las minas, hacer de correo, o prestar servicio personal a los nobles. Este trabajo equivalía a un impuesto y se le denominaba *mita*.

LA ARQUITECTURA

25   Los incas fueron habilísimos constructores y arquitectos. Los materiales dependían de la naturaleza de cada región. En la costa edificaban con ladrillos de adobe secados al sol, pero cuando disponían de piedras, hacían con ellas muros, uniéndolas sin cemento. Estos muros (*pircas*) son típicos de la cultura incaica.

30   En la montaña, las construcciones mayores se hacían de piedra, con ángulos rectos. El ajuste de los bloques era perfecto, y las piedras disminuían de tamaño a medida que subía el muro.

       Son famosas las murallas gigantescas que han dejado los incas. Tuvieron distintos tipos de arquitectura: militar, palaciega, religiosa,
35   funeraria, administrativa y popular. Entre los mayores ejemplos de construcción monumental, figuran Machu Picchu, la ciudadela fortificada

---

[18] *pertenecientes* belonging   [19] *ocio* idleness

Machu Picchu, la ciudad perdida de los Incas, que se descubrió en 1912

de los incas cerca del Cuzco, el Templo del Sol, y la fortaleza de Sacsa-huaman.

El elemento característico de la arquitectura y estilo inca es la abertura en forma trapezoidal, que adoptaron para las puertas, ventanas y nichos.

RELIGIÓN

El dios supremo y creador del universo se llamaba entre los incas 5 *Viracocha*, y tuvo un templo especial en el Cuzco. Es probable que el culto a este dios fuera exclusivo de la minoría educada.

El pueblo común rendía culto a los antepasados legendarios y mito-lógicos. Puesto que Inti, el Sol, era el progenitor y antepasado de los incas, en cada *ayllu* se lo adoraba, y lo seguían en jerarquía, los antepasados propios del lugar.

El Templo del Sol construido en el Cuzco se conocía con el nombre de *Coricancha* y fue famoso en su época. Era inmenso y estaba decorado interiormente de oro.

Una institución muy peculiar dentro del cuadro religioso de los incas fueron las "vírgenes del Sol". Eran jóvenes educadas cuidadosamente en edificios especiales muy guardados. Aprendían música, tejeduría, cocina y otras artes durante tres años. Se encargaban de mantener permanentemente encendido el fuego sagrado en honor de Inti. Cuando terminaban su noviciado, el Inca escogía para sí y para los nobles algunas de estas jóvenes, mientras que las demás se convertían para siempre en vírgenes del Sol y eran encerradas en el templo hasta el fin de sus días.[20]

El clero era muy respetado, llevaba una vida ascética, y tenía una organización y consejo propio. Existían también augures y adivinos.

LA LITERATURA

Los quechuas no tuvieron escritura, pero por lo que se sabe hasta ahora, tuvieron una literatura oral. Han llegado hasta nosotros algunos fragmentos de literatura quechua en las obras de varios cronistas e historiadores españoles, en particular las del Inca Garcilaso de la Vega, cuyos *Comentarios Reales* son una de las fuentes de época más interesantes sobre el mundo incaico.[21] Otras manifestaciones literarias, han sido recogidas en tiempos modernos de boca de indígenas descendientes de los antiguos quechuas.

Los incas tuvieron cantores profesionales (*haravecs*) que recitaban composiciones en festividades públicas o ante la corte. En general, los principales fragmentos conocidos son poéticos. Se sabe, también, que ejercitaron cierto tipo de representaciones teatrales, con mimos, bailarines, y bardos.

Una obra dramática relacionada con la civilización quechua es *Ollantay*. No se trata precisamente de una pieza incaica, pues fue escrita en el Perú en el siglo XVIII, en quechua, siguiendo el modelo y la técnica de las obras dramáticas españolas. Desarrolla la historia de los amores ilícitos del legendario Ollantay, jefe heroico de Ollantaytambo,

[20] In addition to the gods already mentioned, the Incas rendered homage to Mamaquilla (the Moon), Pachamama (the Earth), Mamacocha (the Sea), and several others.

[21] Other sources are: Piedro Cieza de León, *La crónica del Perú*; Felipe Guzmán Poma de Ayala, *Nueva crónica y buen gobierno*; Pedro Sarmiento de Gamboa, *Historia de los Incas*.

con Cusi Coyllur, hermosa princesa inca. De ambos nace una hija, Ima Sumac. El Inca se ha opuesto decididamente a estos amores y, enfurecido, ordena a Rumiñaui, jefe del ejército, que derrote a Ollantay. Este se defiende en Ollantaytambo, pero al final es apresado a traición. Mientras tanto, el Inca ha muerto, y su hijo, y heredero del gobierno, perdona al 5 héroe y a Cusi Coyllur.

ARTES, CIENCIAS E INDUSTRIAS

Otros ejemplos del talento inca en las artes son la cerámica y la metalurgia del oro, la plata y el cobre. Practicaron con eficiencia también la cestería y la tejeduría. Su arte militar fue notablemente superior al de cualquier otro pueblo aborigen de América. 10

La ciencia médica fue espectacular entre ellos, pues llegaron a practicar amputaciones de miembros y trepanaciones del cráneo. Mucho de su instrumental quirúrgico ha llegado hasta nosotros como testimonio de su habilidad de cirujanos. Emplearon varias drogas de origen vegetal y consiguieron obtener narcóticos y anestésicos. 15

CUESTIONARIO

1. ¿De dónde provienen los incas? 2. ¿Qué dice la leyenda de Manco Capac? 3. ¿Qué fue el Tahuantisuyo y cuántas regiones comprendía? 4. ¿Cuáles eran las dos rutas principales del imperio inca? 5. ¿Qué era un *tampu* y para qué servía? 6. ¿A quiénes se llamaba *chasquis* y cómo se entrenaban? 7. ¿Cómo se construían los puentes en el imperio? 8. ¿Qué era un *quipu*, cómo estaba hecho, y para qué se utilizaba? 9. ¿Qué es un *ayllu*? 10. ¿Cómo era el sistema económico de los incas? 11. ¿En qué forma procuraba el Inca dar bienestar a sus súbditos? 12. ¿Cuáles eran las clases sociales en tiempos de los incas? 13. ¿Cómo estaba constituida la familia del Inca? 14. ¿Quiénes eran los *curacas*? 15. ¿Quiénes eran los *amautas*? 16. ¿Qué era un *yanacona*? 17. ¿Qué eran los *mitimaes*? 18. ¿En qué consistía el régimen de la *mita*? 19. ¿Cuáles son los elementos característicos de la arquitectura incaica? 20. ¿Es el drama *Ollantay* una obra propiamente quechua?

TEMAS ESPECIALES DE COMPOSICIÓN Y CONVERSACIÓN

I. La organización social de los quechuas.
II. El sistema económico del imperio incaico.
III. Descripción de la familia real del Inca y su corte.
IV. La arquitectura incaica.
V. La administración del imperio.

CAPÍTULO VI

LAS CULTURAS ABORÍGENES MENORES

LOS CHIBCHAS

Estos indígenas habitaron primitivamente en la meseta de Bogotá, pero luego se extendieron por casi toda Colombia.[1] Al parecer, la frontera de los chibchas se rozó con la de los incas y a punto de estallar un conflicto entre ambos imperios, llegaron los españoles.

ORGANIZACIÓN

5 Los chibchas estaban dividos en la época en que los encuentra el conquistador Gonzalo Jiménez de Quesada (1536–1538) en varios estados, algunos todavía independientes, pero la mayoría de ellos sometidos a la autoridad de dos jefes, llamados el *zipa* y el *zaque*.

El primero dominaba sobre las dos quintas partes del territorio de la 10 actual Colombia, en el sur, y las ciudades principales de su reino eran Bacatá (Bogotá) y Muequetá (Funzha). El segundo imperaba sobre el centro del país y residía en Hunsa (Tunja).

El poder del jefe no se trasmitía al hijo sino al sobrino materno. Los jefes eran objeto de homenajes de respeto y reverencia por parte de sus 15 súbditos, y nadie podía mirarlos cara a cara, sino con la cabeza inclinada. La saliva del zipa se consideraba sagrada.

[1] *chibchas* These Indians are sometimes referred to as *muiscas*.

Los caciques de las tribus vasallas se seleccionaban entre las familias principales de la aristocracia. Los jefes eran polígamos y el zipa tenía de doscientas a trescientas mujeres o concubinas, gobernadas por la favorita. En caso de tener hijos mellizos,[2] el segundo de ellos era condenado a muerte, por considerarse a los mellizos fruto del adulterio. Si enviudaba la esposa, ésta debía guardar continencia por cinco años.

Las ceremonias nupciales estaban reglamentadas con cuidado. El sistema penal era riguroso: el homicidio, el rapto y el incesto se castigaban con la ejecución del condenado. En algunos casos, el reo antes de ir a la muerte era torturado con azotes,[3] sed, comidas con ají[4] o encierro en habitaciones subterráneas con sabandijas,[5] reptiles e insectos venenosos.

El héroe legendario del pueblo chibcha fue *Bochica*, un anciano bondadoso de barba blanca, que llegó al valle de Bogotá como enviado del creador (*Chuminigagua*), en compañía de su esposa *Chía*, una mujer de gran belleza. Bochica enseñó a los chibchas el arte de vestir, la organización política, el cultivo de los campos y el culto religioso.

Pero su esposa, de una gran maldad, trató de evitar la prosperidad del pueblo y se originó así una lucha entre ambos esposos. Chía hizo crecer las aguas del río Funzha hasta provocar la inundación del valle: los indios abandonaron sus casas y sus plantaciones y se retiraron a las montañas. Al fin, Bochica expulsó de la tierra a Chía y la convirtió en la luna, con la misión de iluminar las noches; abrió un camino natural a las aguas rompiendo una barrera de rocas y los chibchas retornaron a sus hogares, los reconstruyeron y se instruyeron en el culto al sol y en la organización política. Bochica, cumplida su obra, se retiró al valle de Iraca, en el cual vivió como asceta durante mil años. Este dios se encarnó en el sol.[6]

RELIGIÓN: SACRIFICIOS

El culto religioso de los chibchas estaba presidido por el zipa o el zaque, jefes de la religión, y atendido por una casta sacerdotal muy selecta: *xeques*. Cumplían las diversas ceremonias del culto y los sacrificios rituales. También existían médicos brujos y adivinos, cuyas artes adivinatorias se hacían por intermedio de la masticación de una planta narcótica.

Las víctimas propiciatorias eran niños, criados en un templo hasta la edad de diez años, en que efectuaban una peregrinación ritual por los caminos, seguidos por Bochica, para ser luego inmolados[7] a los quince.[8]

---

[2] *hijos mellizos* twins   [3] *azotes* lashes   [4] *ají* chili   [5] *sabandijas* insects, worms
[6] Other versions of this legend mention a struggle between Bochica and a demon called Chibchacum.   [7] *inmolados* sacrificed
[8] They were tied to a column and killed with arrows. Then their hearts were extracted in order to be offered to the gods. Sometimes adults were sacrificed.

ENTIERROS Y TUMBAS

Los muertos eran enterrados con su ajuar,[9] y los altos jefes y monarcas eran momificados.

Sacaban al cadáver las entrañas, le colocaban esmeraldas y tejuelos[10] de oro en los ojos, las narices, orejas, boca y ombligo, y a veces los rellenaban prácticamente de estos objetos valiosos, por lo cual los conquistadores posteriores despojaron[11] con avidez las tumbas. El entierro lo efectuaban los sacerdotes en secreto.[12]

COSTUMBRES

La clase aristocrática vestía suntuosos ropajes, guarnecidos[13] de joyas. Los caciques usaban coronas de oro. El resto del pueblo iba vestido con mantas de algodón, por lo general blancas; los soldados se rapaban[14] el cabello y llevaban narigueras,[15] aros, cascos y gorras de pluma en los combates. Los chibchas se depilaban el vello y la barba por medio de pinzas metálicas, y usaban pinturas faciales de color rojo y negro. Se adornaban con collares de moluscos, conchillas, y oro.

No emplearon la flecha y el arco, sino la lanza, la pica, la maza, y el broquel.[16]

METALURGIA

Los chibchas gozan de fama entre todos los pueblos aborígenes por su técnica en el trabajo del oro y el cobre, que empleaban solos o en aleaciones.[17] Solían colorear el cobre por un procedimiento desconocido hasta el presente.

Conocían la fundición en crisoles[18] de barro, y muchas piezas se confeccionaban en moldes hechos a base de arcilla y cera. Otras veces, se hacían los objetos de láminas de metal, logradas a golpe de martillo, con adornos de hilos metálicos fundidos sin soldadura.[19]

---

[9] *ajuar* personal belongings   [10] *tejuelos* small tiles
[11] *despojaron* despoiled, robbed
[12] The *zipa* was buried in a low wooden chair covered with gold.
[13] *guarnecidos* adorned with   [14] *rapaban* shaved   [15] *narigueras* nose rings
[16] *broquel* shield   [17] *aleaciones* alloys   [18] *crisoles* crucibles, melting post
[19] The Quimbaya tribe, living in Chibcha territory, was so expert that there is some question as to whether they were Chibchas or Arahuacos.

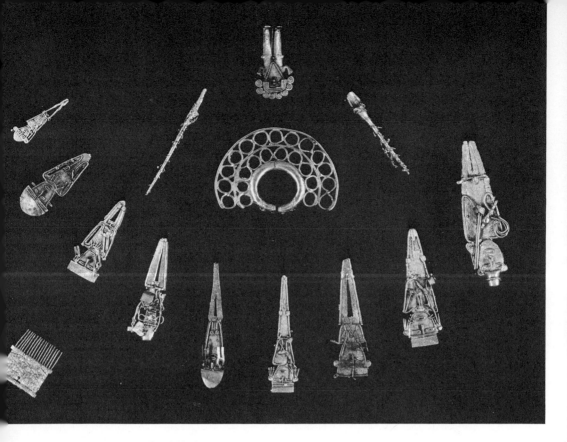

Ejemplo de metalurgia chibcha

ALFARERÍA

Tan expertos como en metalurgia fueron en alfarería.[20] El arte se caracteriza, entre los chibchas, por su belleza. Fabricaban grandes vasos con pie, sin asas, y grandes vasijas de cuello alto y elegante; urnas funerarias, ollas, potes, cántaros y otros objetos de uso doméstico.

Usaban como decoración motivos generalmente humanos realistas, y con menos frecuencia, dibujos geométricos. 5

Complementaba este arte, el labrado de objetos en piedra: hachas, morteros, y en modo principal, grandes estatuas y monolitos, de más de dos metros de altura. Los monolitos eran rígidos y hieráticos.[21]

TEJIDOS

Los tejidos de algodón eran de uso personal entre los chibchas y se 10
fabricaban en rústicos telares. Para el colorido empleaban plantas tintóreas

---

[20] *alfarería* pottery making
[21] *hieráticos* pertaining to the priesthood

regionales y llegaron a practicar el decorado de telas mediante el uso de rodillos entintados o de planchuelas que aplicaban sobre los tejidos extendidos en el suelo.

EL MITO DE "EL DORADO"

Este mito despertó sobremanera la atención de los conquistadores.
5 Según la tradición, era una ceremonia que se cumplía para entronizar al zipa. Después de un ayuno ritual, el futuro jefe iba a la laguna de Guatabita para ofrecer sacrificios al demonio. En una balsa de juncos, muy ornamentada, se encendían cuatro hogueras[22] y se quemaban plantas aromáticas; luego el príncipe se desnudaba y lo cubrían con una tierra
10 grasosa sobre la cual se espolvoreaba[23] oro, hasta cubrirlo de ese metal. Subía a la balsa y a sus pies se colocaban grandes montones de oro y esmeraldas: cuatro de los caciques más importantes, también desnudos y adornados de oro y plumas, hacían de remeros.[24]

Los futuros súbditos se colocaban a las orillas del lago, entonaban
15 cánticos y gritos y hacían sonar los tambores y cornetas, hasta que el zipa llegaba al centro del lago. Una vez allí, el jefe arrojaba al agua las riquezas de la balsa y se izaba[25] un banderín a bordo para indicar que se había cumplido la ofrenda. Luego emprendía el regreso el zipa, entre aclamaciones y música, y se efectuaban danzas.

LOS ARAUCANOS

20 Los araucanos, o *aucas*, estaban asentados en la región media del actual territorio de Chile cuando se produjo la conquista española por Pedro de Valdivia (1540–1541). Anteriormente habían vivido más hacia el norte, pero debieron ceder territorio ante el avance de los quechuas. Los araucanos, a su vez, se extendieron por los valles andinos y penetraron
25 en la Patagonia argentina. Como los seminolas de la Florida, Estados Unidos, no pudieron ser totalmente conquistados por la fuerza.

El famoso cacique Lautaro acaudilló a las distintas tribus araucanas en su oposición a los conquistadores, hasta que murió en el campo de batalla. Lo sucedió Caupolicán, elegido por su valor, astucia y fuerza.
30 Los araucanos y sus descendientes lograron la calidad y los derechos de ciudadanía en Chile y constituyeron un ponderable aporte a la grandeza de ese país.

---

[22] *hogueras* bonfires   [23] *espolvoreaba* sprinkled   [24] *remeros* oarsmen   [25] *se izaba* was raised

En general, fueron pueblos agricultores y criadores de ganado. Llevaron una vida sedentaria. Se alimentaban de patatas y otros vegetales, preparaban una bebida fermentada a base de maíz y consumían sus alimentos crudos o semicocidos.

Vivían en casas colectivas (*rucas*) construidas con vigas y varillas de madera, amarradas por una especie de fibra de enredadera.[26]

Usaban *chiripá*[27] y poncho; en la cabeza se ponían *vinchas*[28] o pañuelos, y además, usaban el *quillango*, una gran manta hecha con trozos de piel de vicuña o guanaco, cosidos con tendones de avestruz. Se depilaban con tenacillas especiales y las mujeres se pintaban las mejillas. Los hombres usaban una especie de calzado, de cuero de vaca, caballo u otros animales.

No construyeron ciudades, ni templos ni carreteras. Vivían en grupos independientes y cada tribu tenía su jefe o cacique. Sólo en los casos de guerra se reunían para deliberar y elegir un jefe militar común y constituir una federación de tribus.

[26] They covered the floor with carpets of fibers or hides. In the center there was a spot for a fire, which they produced by striking stone against stone.
[27] *chiripá* a garment to protect the legs
[28] *vinchas* headbands

Indios araucanos

En tiempos de paz, su vida se reducía a la caza, la pesca, o al cultivo de la tierra. Gran parte del trabajo económico estaba a cargo de la mujer, que solía acompañar a su marido a la guerra para llevarle las armas y prepararle los alimentos. En el hogar, el hombre comía primero, luego los hijos y por último la mujer y las hijas.

La hilandería y la tejeduría fueron muy cultivadas por los araucanos, a base de pelos de guanaco o vicuña o lana de oveja. Los tejidos araucanos eran de muy buena calidad y colorido, sobre todo las mantas y las alfombras.

También desarrollaron desde épocas muy antiguas la metalurgia, y en contacto con los españoles, llegaron a ser muy buenos plateros. Fundían la plata y confeccionaban ornamentos de toda clase: cadenas, prendedores, pendientes, collares y pulseras. Completaban su artesanía el trabajo en piedra y hueso, y la industria del cuero.

Practicaron mucho los juegos de destreza o azar, como las pruebas con troncos, que los oponentes debían tener el máximo de tiempo posible en sus brazos, para decidir la elección de un jefe de guerra; o la *chueca*, que consistía en una pelota de madera que dos equipos de 6 a 8 jugadores debían meter en un agujero perforado en el suelo. Otra competencia era la del silencio, en la que vencía la persona que hubiera podido pasar más tiempo sin pronunciar palabra. Jugaron también a los dados, como juego de azar.

Una particular característica de este pueblo fue la oratoria. Se educaban los araucanos desde jóvenes en este arte, y los más famosos solían ser viejos narradores y algunas veces poetas. Referían las historias de los antepasados, o historias de magia, misterio y amor, frente a grandes auditorios. Practicaron asimismo la música, con pitos de caña y tambores, al compás de los cuales danzaban y cantaban.

Su religión, según parece, no fue formal y no conocieron el concepto de un dios supremo. Reverenciaban a divinidades totémicas y tenían un culto de los muertos; creían en varios dioses o fuerzas naturales.

LOS PAMPAS

Habitaron las llanuras, o Pampa argentina, desde tiempos anteriores a la Conquista hasta el siglo XIX, y en diversos momentos de su historia debieron ceder terreno a los araucanos venidos de Chile.

Los indios pampas, llamados también *puelches*, fueron nómadas y dominaron el uso del caballo traído por los conquistadores. No practicaron la agricultura organizada, pues vivían de los productos de la caza del avestruz, ciervos, liebres, caballos salvajes y otros animales de la región.

Sus casas o toldos, eran rústicas y consistían en soportes de troncos, de diversas combinaciones, con techos y paredes de cuero. Las mujeres se vestían con pieles o tejidos de lana y se adornaban con collares y otros objetos metálicos, mientras que los hombres ostentaban con preferencia los adornos en sus caballos. No se tatuaban y usaban *vinchas*.

Practicaron la cerámica, sin ornamentación de color, pero sí con ornamentación incisa. Lo más típico de su artesanía de piedra son las *boleadoras*, que usaban en la caza y en la guerra. Muy excepcionalmente trabajaban la madera o el hueso.

Socialmente estaban organizados en grupos o tribus, con caciques propios, y sólo se aliaban para hacer la guerra en común o para defenderse. Su técnica consistía en el *malón* o ataque sorpresivo en masa desde caballos lanzados a la carrera contra el enemigo. Las armas eran el arco y la flecha, la lanza y la boleadora.

Tuvieron creencias religiosas muy primarias y sin sistema propiamente dicho. Creían en la inmortalidad del alma. Además, las tribus tenían sus médicos o brujos hechiceros. No tuvieron prácticamente arte y sólo se han encontrado algunas pictografías muy rudimentarias, con cruces y círculos. Muchas de sus técnicas ecuestres fueron asimiladas más tarde por los gauchos de la Pampa.

LOS PATAGONES

Llamados también *tehuelches*, habitaban el sur del actual territorio argentino, desde el río Negro hasta el estrecho de Magallanes. Fueron denominados así por Magallanes y sus hombres, que inventaron en 1520 la leyenda de su gigantismo.

Su civilización fue muy precaria y simple: eran principalmente recolectores de frutos, raíces y otros vegetales, y obtenían la carne de la caza.

Sus viviendas fueron sencillas mamparas de troncos y cueros. Ignoraron el arte del tejido y se cubrían con mantas de pieles con el pelo para adentro. Practicaban la alfarería sin llegar a extremos artísticos.

LOS CARIBES

Los pueblos caribes son probablemente originarios de la región del Amazonas, desde donde se extendieron luego por las Guayanas, Venezuela y las Antillas. Fueron los aborígenes que tuvieron el primer contacto con

Indios caribes

Indios tobas en la actualidad, habitantes de la región chaqueña, en la frontera argentino-paraguaya

ídios tupí-guaraníes

Colón. Estas tribus practicaban la antropofagia[29] ritual. Su ferocidad es legendaria. Tenían gran afición a la música, los bailes y los cantos, se pintaban la cara y se horadaban[30] las orejas y la nariz.

5 Tenían ritos mágicos y religiosos, ofrendaban maíz al sol y a la luna, y cremaban los cadáveres en ceremonias. En la guerra, empleaban flechas envenenadas que con sólo rasgar la piel producían la muerte.

LOS ABORÍGENES DEL BRASIL

El territorio del actual Brasil estuvo ocupado primitivamente por tres grandes grupos aborígenes: los tupí-guaraníes, los arahuacos, y los ges.

Los *tupí-guaraníes* ocupaban la costa del Brasil y algunas zonas del 10 interior, y en general, vivían en los espacios abiertos dentro de plena selva, donde practicaban la agricultura, en particular la de la mandioca, el maíz, las patatas, y la caña de azúcar. Agregaban a su alimentación las bananas y la piña, y una fuerte bebida alcohólica obtenida por fermentación del fruto de la caoba. Cazaban animales tropicales con arco y flecha, y 15 además, con cerbatanas.[31]

Vivían en casas colectivas (*malocas*), en grupos de 4 a 7 por pueblo, dispuestas en torno a una plaza cuadrangular. En el interior de la casa colectiva, sin divisiones, las familias se acomodaban en un mismo lugar. La hamaca fue el elemento más característico del mobiliario. Estas casas 20 se construían con troncos de árboles clavados en tierra y unidos por otros horizontales, los muros y techos se hacían con ramas y hojas, preferentemente de palmeras. En muchos casos, el pueblo se rodeaba de empalizadas dobles para la protección contra posibles ataques.

Los indios de esta cultura andaban por lo general desnudos o semides- 25 nudos, por causa de la temperatura tropical. Muy pocos pueblos usaban algunas prendas de algodón: un delantal, una banda entre las piernas o una túnica. A veces usaron sandalias.

Muy peculiar de estos aborígenes fueron los ornamentos de plumas de vivos colores, que a veces se pegaban al cuerpo con resina y miel, o utiliza- 30 ban como pelucas, collares o armaduras. Practicaron mucho la alfarería, la tejeduría y la cestería, y en menos escala, el trabajo en piedra.

Las tribus estaban ligadas entre sí por parentesco, y en situaciones excepcionales, sobre todo en la guerra, se unían en confederaciones. Estas alianzas fueron empleadas en la lucha contra los invasores españoles 35 o portugueses.

---

[29] *antropofagia* cannibalism   [30] *horadaban* pierced   [31] *cerbatanas* blowguns

Una rara costumbre fue la *cuovade*, que consistía en que el marido tomaba en la hamaca el puesto de la mujer después del parto, para recibir así las felicitaciones y regalos.

Tuvieron vagas y difusas ideas religiosas, y entre sus ritos, se destaca la antropofagia ritual, o sea comer los restos humanos de sus enemigos en medio de danzas y fiestas. Otro uso singular fue la salutación lacrimosa, o sea recibir a los extraños con grandes llantos, en señal de alegría.

La divinidad se llamaba Tupá, un dios misterioso que se manifestaba, en su opinión, en el fuego y el relámpago. Tenían también otros dioses menores.[32]

Los *ges* constituyen otra de las grandes razas del Brasil, y se cree que tuvieron su asiento inicial en las regiones del Amazonas antes de la llegada de los tupí-guaraníes y de los arahuacos. Luego se dispersaron, por razones desconocidas, por diversos puntos del país. El nombre de estos pueblos se basa en la preponderancia del sonido de la letra *G* en su vocabulario. Su cultura no fue inferior a la de los tupí-guaraníes. Fueron también principalmente agricultores, cazadores y pescadores. Por lo general, se establecieron en pequeños pueblos, con viviendas de materiales vegetales, en los claros de la selva y siempre cerca de alguna fuente de agua y animales de caza. Se tatuaban, iban desnudos o semidesnudos, conocían la alfarería, trenzaban fibras vegetales para hacer cordeles y redes, y apenas fabricaban tejidos. Los trabajos en piedra fueron, en cambio, de buena factura.

Fueron polígamos, tenían ciertos ritos religiosos y funerarios y les gustaba la danza y la música.

LOS ARAHUACOS

Los arahuacos son tal vez la familia lingüística más numerosa de toda la América del Sur. Se los denomina también "aruacas" y con otros nombres, pero el nombre parece provenir de una tribu venezolana a la que los españoles llamaron "araguacos".

En épocas remotas habitaron el delta del Amazonas y luego se extendieron por la costa y el interior del continente, para ceder más tarde terreno ante los avances de los caribes.

Estos pueblos sufrieron numerosas aculturaciones por causa de su relación con otros pueblos vecinos. Fueron agricultores y la mandioca fue la base de su alimentación.

---

[32] Among the legends of these people are some about a person called Sumé or Tumé who preached goodness and morality. Some Jesuit missionaries suggested that Sumé or Tumé might be Saint Thomas.

El mapa racial de Iberoamérica fue mucho más amplio y diversificado en tiempos precolombinos y aun en época de la conquista y la colonización. Algunas culturas indígenas han sido intensamente estudiadas, pero restan aún cantidad de asuntos sin conocer ni dilucidar.

CUESTIONARIO

1. ¿Cuál era la organización del pueblo chibcha en épocas del descubrimiento y conquista? 2. ¿Qué refiere la leyenda de Bochica? 3. ¿Quiénes eran los *xeques* y qué poderes tenían? 4. ¿Cómo se cumplían los sacrificios religiosos entre los chibchas? 5. ¿Cómo momificaban los chibchas a los cadáveres? 6. ¿Cuál fue el arte más sobresaliente del pueblo chibcha? 7. ¿Qué relata el mito de El Dorado? 8. ¿Quiénes fueron Lautaro y Caupolicán? 9. ¿Cómo era la vida habitual de los araucanos? 10. ¿Cómo era el juego de la *chueca*? 11. ¿Qué características tenía la oratoria araucana? 12. ¿Qué clase de cultura tuvieron los indios pampas? 13. ¿En qué consistía un *malón*? 14. ¿Quiénes denominaron patagones a los indios del sur de la Argentina? 15. ¿Cuál es la familia aborigen considerada más feroz? 16. ¿Qué es la antropofagia ritual? 17. ¿Cuáles son los tres grandes grupos aborígenes del Brasil? 18. ¿Qué es una *maloca*? 19. ¿En qué consistía la rara costumbre de la *cuovade*? 20. ¿Qué es la salutación lacrimosa? 21. ¿Quiénes fueron los arahuacos?

TEMAS ESPECIALES DE COMPOSICIÓN Y CONVERSACIÓN

 I. La leyenda de El Dorado entre los chibchas.
 II. El trabajo del oro entre los chibchas.
 III. Los araucanos y su cultura.
 IV. Los indios pampas.
 V. Los aborígenes del Brasil primitivo.

CAPÍTULO VII

EL DESCUBRIMIENTO Y LA EXPLORACIÓN

ÉPOCA

La historia de Iberoamérica durante la época del descubrimiento[1] y la conquista (siglos XV y XVI) está profundamente ligada a la de Europa, en especial a la de España y Portugal. A partir de la hazaña de Cristóbal Colón (1492), la América indígena se transforma en América hispánica y portuguesa.

El mismo año del descubrimiento de América por los españoles, los Reyes Católicos, Isabel de Castilla y Fernando de Aragón, reconquistan la ciudad de Granada del poder de los moros, que hacía más de 700 años dominaban una parte del territorio en España, y así logran la unidad política del país. Obtienen también la unidad religiosa expulsando del reino a los judíos y a los moros no conversos. Bajo el gobierno del emperador Carlos V (1517 a 1556) y el de su hijo Felipe II (1556 a 1598), España se convierte en la primera potencia mundial y en el centro de un inmenso imperio que se extiende por todos los continentes.

Este período histórico es el de las grandes invenciones: la brújula, el astrolabio,[2] las cartas marinas o portolanos,[3] y la construcción de grandes

---

[1] In the 9th, 10th, and 11th centuries the Vikings had discovered Greenland and Iceland, and they may even have reached the shores of North America. The discovery of America, however, is not usually attributed to them because the accounts of their exploits lie within the realm of the fantastic-historical.

[2] *astrolabio* astrolabe (*an instrument for measuring distances from the position of the stars*)

[3] *portolano* a reasonably exact chart which replaced the old style map

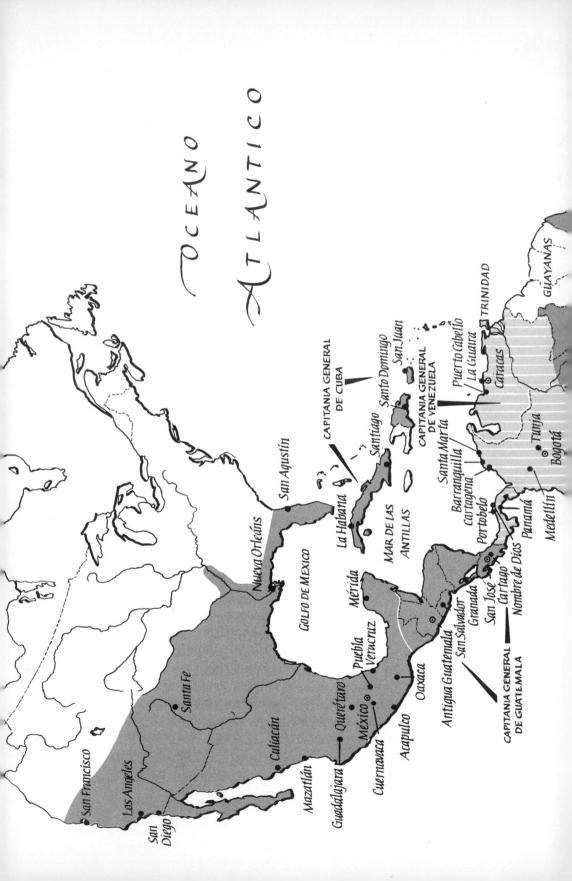

OCÉANO ATLÁNTICO

GUAYANAS

TRINIDAD

CAPITANIA GENERAL DE CUBA

Santo Domingo
San Juan

CAPITANIA GENERAL DE VENEZUELA

Puerto Cabello / La Guaira
Caracas

Santiago

Tunja
Bogotá

San Agustín

La Habana

MAR DE LAS ANTILLAS

Santa Marta
Barranquilla
Cartagena
Portobelo
Panamá
Medellín

Nueva Orleáns

GOLFO DE MÉXICO

Mérida

Nombre de Dios
Cartago
San José
Granada
San Salvador
Antigua Guatemala

CAPITANIA GENERAL DE GUATEMALA

Santa Fe

Puebla
Veracruz

Querétaro
México
Cuernavaca
Oaxaca
Acapulco

Culiacán

Guadalajara

Mazatlán

San Francisco

Los Ángeles

San Diego

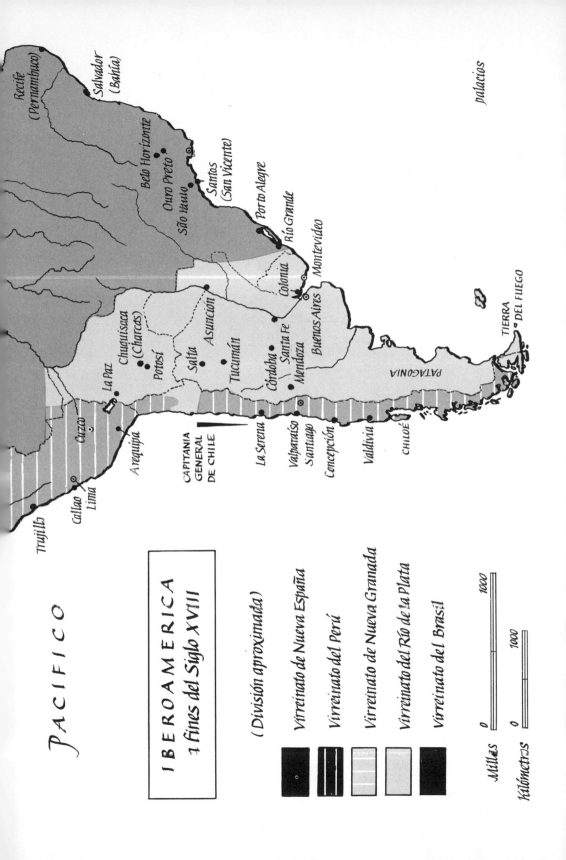

PACIFICO

IBEROAMERICA
a Fines del Siglo XVIII

(División aproximada)

■ Virreinato de Nueva España

▦ Virreinato del Perú

▨ Virreinato de Nueva Granada

▨ Virreinato del Río de la Plata

■ Virreinato del Brasil

Millas
0   1000

Kilómetros
0   1000

CAPITANIA
GENERAL
DE CHILE

Trujillo
Callao
Lima
Cuzco
Arequipa
La Paz
Chuquisaca
(Charcas)
Potosí
Salta
Tucumán
Asunción
Córdoba
Santa Fe
Mendoza
Buenos Aires
La Serena
Valparaíso
Santiago
Concepción
Valdivia
CHILOÉ
PATAGONIA
TIERRA DEL FUEGO
Colonia
Montevideo
Río Grande
Porto Alegre
Santos
(San Vicente)
São Paulo
Ouro Preto
Belo Horizonte
Salvador
(Bahía)
Recife
(Pernambuco)
palacios

navíos. Se aplica la pólvora a las armas de fuego, se desarrolla la imprenta de tipos móviles, y se perfecciona la fabricación del papel. La investigación científica se orienta hacia nuevos campos del saber: biología, botánica, astronomía, geografía, física, matemáticas, ciencia política y jurídica,
5 teología y escolástica.

El Concilio de Trento (1545–1563) se pronuncia sobre materias religiosas, fortaleciendo el dogma católico frente al naciente protestantismo.

Portugal, por su parte, aunque en menor grado que España, ocupa un lugar proponderante en el mundo. El príncipe Enrique el Navegante
10 (1394–1460), hijo del rey Juan I de Portugal, dedica todo su talento y esfuerzos al progreso de la ciencia de la navegación y los descubrimientos. Funda y sostiene la famosa Escuela Náutica de Sagres, donde se educa la mayor parte de los cosmógrafos y pilotos del reino; perfecciona el estudio de los instrumentos y las cartas marinas, y atrae a Sagres a célebres
15 marinos extranjeros.

En este ambiente de invenciones y de entusiasmo vital, España y Portugal comienzan una carrera de competencia en el campo de la exploración y conquistas. Los portugueses descubren las islas Azores (1431), y las del Cabo Verde (1445), y el piloto Bartolomé Dias llega al
20 Cabo de Buena Esperanza en 1487.

Pero si los portugueses dedican sus mayores esfuerzos a la exploración de las costas de África, los españoles prefieren el mar Mediterráneo y el Atlántico occidental. En estos momentos de ardua rivalidad, un genovés de origen, Cristóbal Colón (1451?–1506), logra para España la gloria del
25 descubrimiento de un Nuevo Mundo.

CRISTÓBAL COLÓN

El genial navegante, cuya vida es todavía incierta en algunos aspectos, llega a la isla de Guanahaní[4] (San Salvador) el 12 de octubre de 1492 con unos 120 hombres, después de poco más de dos meses de navegación.

Había firmado una *capitulación*[5] con los reyes para su fantástica
30 aventura, mediante la cual se le otorgaba el título hereditario de almirante y el cargo de virrey y gobernador de las tierras e islas que descubriese, además de un diezmo de los metales y piedras preciosas que se obtuvieran allí. Colón, en cambio, debía aportar una octava parte de los gastos de la expedición, los cuales fueron cubiertos por varios marinos amigos suyos.
35 De esta manera, Cristóbal Colón fue el primer gobernante de la América hispánica.

[4] Most probably one of the Bahamas, but just which one has not been established.
[5] *capitulación* name given to the contract which the explorers had with the Spanish Crown

Tres viajes más realizó Cristóbal Colón, en 1493, 1498 y 1502. Descubrió las islas de Cuba, Haití (*La Española* o *Hispaniola*), Puerto Rico, Jamaica, las Vírgenes, y otras más, y reconoció la Tierra Firme o continental, desde Venezuela hasta Honduras. El más importante de sus viajes, desde el punto de vista de la unión de las culturas europea y americana, fue el segundo, pues tuvo como finalidad la colonización de las nuevas tierras descubiertas. En esta oportunidad fundó la primera ciudad americana, la Isabela (1494), en la isla La Española, donde su hermano Bartolomé fundó dos años más tarde la ciudad de Santo Domingo. Llegaron también al continente en esa expedición mulas, caballos, vacas, toros, puercos, gallinas y otros animales útiles, así como la caña de azúcar, semillas y plantas de Europa, en un verdadero traspaso de civilización a través del océano.

Los reyes le habían encomendado antes de dicho viaje, que hiciera todo lo posible por convertir a los naturales al cristianismo, y así vinieron

Una de las naves de Cristóbal Colón, presumiblemente la *Santa María,* que figura en una edición en latín de la carta del Almirante al tesorero de la corona, publicada en 1493

Fray Buil y otros once religiosos.[6] Los monarcas españoles deseaban también llevar al nuevo continente hombres de bien y de trabajo, y por esta causa, a partir de esa ocasión se trasladaron labriegos y artesanos junto a los hombres de armas, y fue necesario que ofrecieran condiciones

5 especiales para embarcarse.

La hazaña de Colón, así como su personalidad, su actitud durante el descubrimiento, sus erróneas ideas sobre las tierras descubiertas, su capacidad de gobernante y sus intenciones, han sido objeto de ataques o sospechas desde la época misma de sus expediciones, con argumentos

10 difíciles de apreciar en nuestros tiempos. De todos modos, el descubrimiento de América es posiblemente el suceso más importante de la historia de la humanidad realizado por hombre alguno hasta entonces.[7]

[6] These were the first Spanish missionaries to work in America.

[7] López de Gómara, a Spanish historian and contemporary of Cortez, considered the discovery of America to be the most important event in the history of mankind after the birth of Christ.

Primera publicación referente a América. Traducción al latín de la carta dirigida por Colón a Rafael Sánchez, tesorero de los Reyes Católicos, y publicada en 1493

De Insulis inuentis

Epistola Cristoferi Colom (cui etas nostra multū debet : de Insulis in mari Indico nup inuētis. Ad quas perquirendas octauo antea mense: auspiciis ét ere Inuictissimi Fernandi Ibispaniarum Regis missus fuerat) ad Magnificum dñm Raphaelez Sanxis: eiusdē serenissimi Regis Thesaurariū missa. quam nobilis ac litterat⁹ vir Aliander d Cosco: ab Ihispano ydeomate in latinū conuertit: tercio kl's Maij. M. cccc. xciij. Pontificatus Alexandri Sexti Anno primo .

Cloniam suscepte prouintie rem p̄fectam me psecutum fuisse: gratū ti bi fore scio: has pstitui cxarare: que te vniuscuiusq̃ rei in hoc nostro itinere geste inuenteq̃ admoneāt. Tricesimotertio die postq̃ Gadibus discessi: in mare Indicū perueni: vbi plurimas Insulas innumeris habitatas hominib⁹ reꝑeri: quaꝝ oim p felicissimo Rege nostro: preconio celebrato τ vexillis extensis: cōtradicente nemine possessionē accepi. primeq̃ earum: diui Saluatoris nomen imposui (cuius fret⁹ auxilio) tam ad hāc q̃ ad ceteras alias puenim⁹. Eam vero Indi

LOS DESCUBRIDORES Y EXPLORADORES

Colón abrió el camino a millares de descubridores, exploradores, conquistadores, colonizadores, y misioneros que vinieron tras de él y crearon un imperio casi dos veces más grande que Europa, con una audacia tremenda, una rapidez impresionante y un desborde de vitalidad no visto hasta entonces.

Una oleada de navegantes se lanzó a explorar las nuevas tierras, no solamente desde España, sino también desde Portugal, Inglaterra, Francia, y Holanda. Juan Caboto, desde Inglaterra, llega a Norte América (1497) y Pedro Alvares Cabral, desde Portugal, descubre el Brasil en el año 1500.

Américo Vespucci, florentino, realizó cuatro viajes, dos bajo bandera española (1497 y 1499), y dos bajo bandera portuguesa (1501 y 1503). En uno de ellos dio el nombre de Brasil a ese país. A su regreso, publicó relatos de sus viajes, dando a su participación más importancia de la que realmente tuvo, lo cual provocó el error del geógrafo alemán Martín Wadseemüller, que en un libro suyo designó a estas tierras con el nombre de *América*. Luego corrigió su error y las designó *Tierra Incógnita*. Los españoles las denominaron durante muchísimos años *Indias* o *Indias Occidentales*. Los portugueses no se quedan a la zaga[8] de los españoles, y Vasco de Gama pasa por el Cabo de Buena Esperanza y llega a la India, en Asia, el año 1498.

HERNANDO DE MAGALLANES

El segundo gran descubridor es el portugués Hernando de Magallanes, quien completa la hazaña de Colón, al servicio de España. Recorre la costa atlántica de Sudamérica, descubre el paso entre los dos océanos (1520), atraviesa el Pacífico, y descubre las islas de los Ladrones (ahora Marianas) y el archipiélago de las Filipinas (1521), donde muere en una lucha contra los indígenas. El segundo de la expedición, Juan Sebastián de Elcano, asume el comando del único barco que resta, continúa viaje hasta el extremo meridional de África, y por el Atlántico regresa a España en 1522, después de una ausencia de casi tres años. El rey Carlos V recibe a Elcano con los poquísimos sobrevivientes de los naufragios, motines, y luchas con los aborígenes, y lo autoriza a usar un escudo, con la inscripción latina *Primus circumdedisti me* rodeando un globo terrestre. Desde entonces, el mundo fue uno y la gloria de España única.

---

[8] *a la zaga* behind

Monumento a Cristó
Colón, en Buenos Ai

AMÉRICA DIVIDIDA

Después del primer viaje de Colón, España se interesó por obtener
del Papa Alejandro VI el reconocimiento de sus derechos jurídicos sobre
las tierras descubiertas y por descubrir, pues el Pontífice era la única
autoridad que podía otorgar facultades a una nación para predicar el
5   cristianismo.

Pero Portugal, que ya había efectuado exploraciones en África e
islas cercanas del Atlántico, y presumía la existencia de tierras continentales
en América, reclamó iguales derechos para efectuar exploraciones.
Alejandro VI, mediante una bula (1493), trazó una línea divisoria de
10   norte a sur, a cien leguas al oeste de las islas Azores: el territorio al este de
dicha línea sería portugués, y el situado al oeste, español.

Monasterio de La Rábida, en Huelva, España, donde Cristóbal Colón se hospedó con su hijo Diego e hizo amistad con los monjes, en su viaje de Portugal a Castilla, para exponer su proyecto a los Reyes Católicos

El rey portugués Juan II, se mostró disconforme con esta decisión, y presionó al gobierno de España a firmar el Tratado de Tordesillas (1494), por el cual la línea divisoria se trasladaba a 370 leguas al oeste de las islas del Cabo Verde. Pocos años después, en 1500, Portugal descubría el Brasil, que quedaba así incluido en gran parte dentro de su zona. A partir de entonces, hubo una América hispánica y otra portuguesa. $_5$

EL ESPÍRITU DE EXPLORACIÓN

En los cincuenta años posteriores al descubrimiento, los exploradores españoles recorrieron prácticamente, por mar y por tierra, las tres Américas, con excepción del norte de los Estados Unidos y el Canadá.[9] Las exploraciones, sin embargo, continuaron mucho tiempo más. Las continuaron $_{10}$ personas nacidas en las Américas, y, en ciertos lugares, no han concluido aún, pues restan sitios y regiones en Iberoamérica que no están incorporados todavía al dominio efectivo de la civilización.[10]

[9] Some of the important discoverers were: Blasco Núñez de Balboa (the Pacific Ocean, 1513); Juan Díaz de Solís (the Río de la Plata, 1509); Juan Ponce de Léon (Florida, 1513); Hernando de Soto (the Mississippi River, 1541); Francisco Hernández (Yucatán, 1517); Alonso Pineda (coast of the Gulf of Mexico, 1519); Juan Rodríguez Cabrillo (California, 1540); Alvar Núñez Cabeza de Vaca (journey from Florida to California, 1528–1536).

[10] Some of the jungle regions in South America, for example.

El extraordinario espíritu de aquellos hombres asombra. España excedió sobremanera en esta empresa a las demás naciones de Europa. En débiles barcos de vela, con capacidad para pocos cientos de personas, se lanzaban contra la furia de los elementos naturales en viajes de meses y
5 meses de duración. Por tierra, caminaban meses y años, a veces en grupos de veinte o treinta hombres, afrontando el desierto, las nieves, las montañas, la sed, el hambre, las enfermedades, el ataque furioso de los indios, y sobre todo, el trópico, que fue uno de sus más serios adversarios. Millares de ellos dejaron la vida en esta gigantesca aventura de combinar
10 dos civilizaciones. Carlos F. Lummis, hispanista norteamericano, ha dicho al respecto: "Aquel temprano anhelo español de explorar era verdaderamente sobrehumano."[11]

LAS LEYENDAS Y LAS EXPEDICIONES

Las leyendas y los mitos han ocupado un lugar de capital importancia en las exploraciones y descubrimientos. América fue un mundo fabuloso
15 en la mente de los europeos, que soñaban con riquezas fantásticas, ciudades perdidas, tesoros ocultos, amazonas, pigmeos, gigantes, monstruos, y animales inverosímiles. La literatura de navegantes, cronistas, conquistadores y exploradores está llena de alusiones de esta naturaleza.

Colón y sus hombres esperaban llegar a las fabulosas costas de
20 Asia, visitadas años atrás por Marco Polo. Cuando en su tercer viaje llegó a las bocas del Orinoco, en Venezuela actual, y vio la Tierra Firme, escribió a los reyes diciéndoles que había llegado al Paraíso Terrenal.

Fray Marcos de Niza, en 1539, oyó hablar de las Siete Ciudades de Cíbola, que se suponía que existían al norte de México, fundadas por siete
25 obispos escapados de Portugal ante la invasión de los musulmanes. Más tarde, Francisco Vázquez de Coronado recorrió el sudoeste de los Estados Unidos en busca de ellas (1540–1542).

Algunos alemanes y el propio Sir Walter Raleigh buscaron en Venezuela una ciudad imaginaria llamada Manoa. Caboto, Mendoza y
30 otros navegantes trataron de localizar la Sierra de la Plata por los ríos de la Plata y el Paraguay. Martín Alfonso de Souza envió gente para buscar en el interior del Brasil el imperio del Rey Blanco. En Chile, Perú, y la Argentina se buscó afanosamente[12] la Ciudad de los Césares, una supuesta

---

[11] Charles F. Lummis, *Los exploradores españoles del siglo XVI* (Buenos Aires: Espasa-Calpe, 1945: 2nd edition, translated by Arturo Cuyás), p. 48.
[12] *afanosamente* zealously

ciudad perfecta, donde estaban acumuladas extraordinarias riquezas. Juan Ponce de León creía que en la Florida se encontraba la Fuente de la Juventud, cuyas aguas hacían rejuvenecer a quienes las tocaban o bebían.

EL DESCUBRIMIENTO Y LA CIVILIZACIÓN MODERNA

El descubrimiento de América significó el fin de la Edad Media y el comienzo de la Edad Moderna. A partir de entonces, el interés de Europa se alejó de Oriente y se proyectó hacia Occidente, preferencia que ha durado hasta nuestros tiempos. España y Portugal convirtieron al cristianismo a millones de seres humanos, obra que aún perdura, después de cuatro siglos y medio. Se terminaron las viejas hipótesis fabulosas sobre el globo terrestre, y las ciencias naturales se ampliaron. La ciencia de la navegación logró progresos como jamás los había tenido hasta entonces. Al mismo tiempo, la inmensidad de la tarea por realizar, acabó con las pequeñas luchas feudales entre nobles de un mismo país, y el sentido nacional de los estados modernos surgió en la historia.

La economía europea sufrió un tremendo impacto con el hallazgo de oro y plata, y se activaron las industrias. Millares de personas desocupadas vinieron a tentar fortuna al Nuevo Mundo y el panorama social de Europa cambió: el rico pasó a ocupar el lugar que hasta entonces había tenido en la sociedad el noble.

La literatura vio nacer un nuevo género, la crónica de Indias, y la arquitectura europea adoptó el oro como motivo ornamental, al modo indígena. Los arquitectos diseñaron templos y edificios para las Américas, y gran cantidad de artistas encontraron nuevas fuentes de trabajo.

Geógrafos, botánicos, astrónomos, historiadores, teólogos, y otros hombres de ciencia se aplicaron a investigar el Nuevo Mundo. Según la expresión de un historiador americano, América fue "la tierra de los hombres nuevos, nacida para los desheredados del mundo antiguo".[13]

[13] Enrique de Gandía in *Historia de América* by Ricardo Levene (Buenos Aires: W. M. Jackson, Inc., 1947), IV, 95.

CUESTIONARIO

1. ¿Qué hechos importantes ocurrieron en España en la época del descubrimiento? 2. ¿Qué invenciones tuvieron lugar en Europa? 3. ¿Qué establecía la capitulación que Cristóbal Colón firmó con los Reyes Católicos? 4. ¿Cuál fue el más importante de los cuatro viajes de Colón, desde el punto de vista del intercambio cultural? 5. ¿Cuál fue la primera ciudad fundada por los españoles en América? 6. ¿Por qué se hizo famoso el nombre de Américo

Vespucci? 7. ¿Cómo nació el nombre de América? 8. ¿Quién fue Hernando de Magallanes? 9. ¿Quién dividió América entre España y Portugal? 10. ¿Qué es el Tratado de Tordesillas? 11. ¿Quedan todavía territorios por explorar en Iberoamérica? 12. ¿Qué opina el historiador Carlos F. Lummis de la exploración? 13. ¿Cuáles fueron los principales obstáculos con que tropezaron los exploradores? 14. ¿Qué importancia tienen las leyendas en las exploraciones y descubrimientos? 15. ¿Qué decía la leyenda de las Siete Ciudades de Cíbola? 16. ¿Qué era la Ciudad de los Césares? 17. ¿Qué es la Fuente de la Juventud? 18. ¿Cuándo termina la Edad Media y comienza la Edad Moderna? 19. ¿Qué influencia económica y social tuvo el descubrimiento de América?

TEMAS ESPECIALES DE COMPOSICIÓN Y CONVERSACIÓN

  I. Los viajes de Colón.
 II. Hernando de Magallanes y la vuelta al mundo.
III. Las leyendas y los descubrimientos.
IV. La división de América entre España y Portugal.
 V. La influencia del descubrimiento de América en la civilización europea.

CAPÍTULO VIII

La CONQUISTA Y LA COLONIZACIÓN

CARÁCTER DE LA CONQUISTA

La conquista de América fue realizándose a medida que se descubrían territorios, y tuvo caracteres propios y distintivos. No fue, como generalmente se cree, de carácter oficial. Estuvo a cargo de individuos particulares, que convenían con[1] los reyes, mediante una *capitulación* o contrato, las obligaciones y los derechos de cada una de las partes.[2]

El rey solía conceder, según los casos, títulos honoríficos, funciones de gobierno, propiedad de tierras, repartimientos de indios, derechos sobre las minas, parte de las rentas o beneficios de la corona, y otros privilegios. El descubridor o *adelantado*,[3] debía a su vez pagar los gastos de la expedición por lo general, para lo cual se asociaba con personas de fortuna, ofreciendo parte de sus eventuales beneficios a soldados, marineros y colonos. En casos imprevistos, los interesados podían elevar peticiones al rey, con el objeto de obtener nuevas franquicias.[4] Por estas razones, la conquista española tuvo carácter popular y colectivo.

A América no vinieron solamente hombres de armas y aventureros— aunque los hubo mucho—, sino también campesinos, mineros, artesanos, comerciantes, profesionales y religiosos. No faltaron, claro está, los

---

[1] *convenían con* made an agreement with　　　[2] *partes* parties to the agreement
[3] *adelantado* Name given to the discoverer who would have certain rights with respect to the lands he might discover; he also had the duty of defending them militarily.
[4] *franquicias* franchises, privileges

individuos de mal vivir. La pobreza, la codicia, el ansia de gloria, el espíritu de aventura, el celo religioso o la urgencia de escapar a la ley, fueron motivos para muchos españoles.

Cuatro fueron los más grandes conquistadores que mandó España al Nuevo Mundo: Hernán Cortés (1485–1547), Francisco Pizarro (1470?–1541), Gonzalo Jiménez de Quesada (1499?–1579) y Pedro de Valdivia (1500?–1553).

HERNÁN CORTÉS

Provenía[5] de una familia noble y había estudiado en la Universidad de Salamanca. Se encontraba en Cuba desde hacía algunos años, cuando decidió partir hacia México, a los treinta y tres años de edad. Con unos 600 hombres y la ayuda de una joven de sangre indígena, doña Marina, que entendía la lengua náhuatl y la española, Cortés entró en Tenochtitlán (1519), tomó prisionero al emperador Moctezuma, y luego de hacer ejecutar al valiente caudillo azteca Cuauhtémoc, héroe de la defensa, conquistó definitivamente a México.[6]

El rey Carlos V dio ciudades y vasallos a Cortés y lo nombró Marqués del Valle de Oaxaca, y más tarde creó el Virreinato de Nueva España (1535).

FRANCISCO PIZARRO

Francisco Pizarro fue hijo ilegítimo de un coronel español, y pasó su infancia en la pobreza y la ignorancia, cuidando puercos. Anduvo por el Caribe, participando en varias expediciones, incluso con el mismo Balboa. Asociado con Diego de Almagro, soldado aventurero y de dudosa responsabilidad, y con el clérigo Hernando de Luque, que se ofreció a financiar la expedición, conquistó el imperio de los incas. Su ejército se componía de unos 183 hombres con 37 caballos, y se aprovechó para sus planes de la lucha civil que existía en esos momentos entre los Incas Atahualpa y Huáscar, al primero de los cuales hizo ajusticiar,[7] violando un acuerdo previo.

---

[5] *Provenía* He came from

[6] For Cortés' own account of the conquest of Mexico, see his *Cartas de Relación* (composed 1519–1526). For an account by another eyewitness, see Bernal Díaz del Castillo, *Verdadera historia de la conquista de la Nueva España*, which was composed earlier but not published until 1632.

[7] *hizo ajusticiar* he had executed

Monumento a Francisco Pizarro, conquistador del Perú, en Trujillo (Cáceres), España, su ciudad natal

En 1535 Pizarro fundó la ciudad de Lima, nueva capital de las tierras conquistadas, que luego se constituyeron en el Virreinato del Perú (1544).[8]

GONZALO JIMÉNEZ DE QUESADA

Este conquistador, de familia noble, había estudiado en España la carrera de leyes. Llegó a ser magistrado en Santa Marta, ciudad de la costa de Colombia, y desde allí dirigió una expedición de 600 soldados y 200 marinos, que en dos columnas, por tierra y por el río Magdalena en barcos, llegaron al interior del país después de agotadoras jornadas.[9] Tomó prisionero a algunos de los caudillos chibchas y fundó la ciudad de Santa Fe de Bogotá (1538). La corona española le otorgó el cargo de

5

10

[8] Accounts written by chroniclers of the period are: Pedro Cieza de León, *La crónica del Perú;* Agustín de Zárate, *Historia del descubrimiento y conquista del Perú.*
[9] *agotadoras jornadas* exhausting journeys or marches

gobernador de las tierras que había conquistado, las que más tarde, en el siglo XVIII, formaron el Virreinato de Nueva Granada (1717).

PEDRO DE VALDIVIA

    También de origen noble, había intervenido en las guerras de Carlos V contra Italia. Se radicó[10] en el Perú, donde llegó a ser un rico propie-
5 tario de minas. Con unos 200 españoles y un millar de indios, se dirigió a conquistar Chile, donde antes había fracasado Almagro. Después de motines entre sus propios soldados y feroces luchas contra los araucanos, fundó la ciudad de Santiago (1541) y varias otras, ocupando el país hasta el río Bío-Bío. Despachó también algunas expediciones a la Argentina
10 actual, a través de los Andes. Valdivia tuvo en Caupolicán y en Lautaro, los dos héroes de la resistencia indígena, a sus más terribles enemigos. Murió en una de las luchas.

LA LUCHA INICIAL CONTRA LOS INDIOS

    En los primeros tiempos del descubrimiento y la conquista, los españoles, lejos de toda vigilancia real, y comprometidos en una guerra
15 peligrosa y difícil, actuaron librados a su propia conciencia.[11] Se cometieron abusos contra los indios, y se destruyeron valiosos monumentos y documentos culturales. Cortés hizo matar a Cuauhtémoc, y Pizarro a Atahualpa; Caupolicán fue terriblemente ajusticiado por haber matado a Valdivia.

    Entre los propios conquistadores hubo traiciones, crímenes, y hasta
20 luchas civiles: Hernando Pizarro (o su hermano Francisco) hizo ejecutar a Diego de Almagro, y el hijo natural de éste mató a su vez a Francisco Pizarro; Pedrarias, el gobernador del Darién, mandó degollar[12] en público a Balboa.

    Los indios, por su parte, conocieron también estas prácticas:
25 Atahualpa mandó matar a su hermano Huáscar en época de la invasión española, y varias tribus indígenas ayudaron a Cortés en contra de los aztecas de Tenochtitlán, que los tenían subyugados.

    La historia de la conquista es abundante en episodios de esta naturaleza, que pueden leerse en las crónicas y documentos de esos
30 años. Sin embargo, hubo también muchos defensores de los indígenas, como Fray Bartolomé de las Casas, cronista de los orígenes de la conquista,

---

[10] *Se radicó* He settled
[11] *librados a su propia conciencia* without any restraint
[12] *mandó degollar* ordered beheaded

Fray Bartolomé
de las Casas

que acusó con exaltación, y hasta con exageraciones, a los españoles, en su *Brevísima relación de la destrucción de las Indias* (1552), y obtuvo del rey Carlos V importantes disposiciones protectoras de los indios.

LA "LEYENDA NEGRA"

Se ha dicho que Fray Bartolomé de las Casas fue el iniciador de la llamada "leyenda negra", o sea la interpretación antiespañola de la conquista, de la que se aprovecharon ciertos historiadores extranjeros. Las Casas habló de matanzas inauditas, violaciones de mujeres, incendios de poblaciones, robos, esclavitud de indios y calamidades infinitas.

Está probado que el Padre Las Casas, por pasión en sus buenas intenciones, por error aritmético, o por necesidad de impresionar a las autoridades, exageró los números y aun entró en contradicción consigo mismo.[13] De todas maneras, hubo una despoblación de las Indias en tiempos de la conquista, que se atribuye a las guerras, las epidemias— de viruela[14] particularmente—, el trabajo en las minas, la miseria, la disminución de agricultura, la falta de comercio y comunicaciones, y el alcoholismo.

En torno a este asunto las opiniones de los historiadores están muy divididas, lo mismo entre españoles que entre hispanoamericanos. Lewis Hanke, un historiador reputado de imparcial, ha sostenido al respecto que nadie defendería hoy las estadísticas que dio Las Casas, pero pocos negarían que sus principales cargos eran verdaderos en gran parte.[15]

El otro gran protector de los indios fue el virrey del Perú, Francisco de Toledo, cuyas justas ordenanzas le han merecido el título de "Solón americano".

LAS LEYES DE INDIAS

Sin embargo, los reyes de España procesaron[16] y castigaron a los responsables de delitos[17] cuando pudieron hacerlo: muchos fueron enviados en cadenas a la Península, otros retirados de sus funciones, o privados de sus privilegios y bienes.

Puesto que el descubrimiento de América fue en cierto modo casual y sorpresivo, las leyes se referían al principio a hechos inmediatos y tendían a corregir los abusos. Los propios Reyes Católicos habían fijado ya limitaciones al trabajo forzado, y la reina Isabel la Católica mandaba en su testamento que no se "consientan ni den lugar a que los indios vecinos y moradores de las dichas Islas y Tierra Firme, ganadas y por ganar, reciban agravio alguno en sus personas y bienes; mas manden que sean bien y justamente tratados, y si algún agravio han recibido, lo remedien..."[18]

---

[13] Father de las Casas' own figures as to the number of Indians killed vary from 12 to 20 million, and the total he cites exceeds the sum of the separate figures he offers in support of his contention   [14] *viruela* smallpox

[15] Lewis Hanke, *The Struggle for Justice in the Conquest of America*, examines and clarifies many aspects of this complex and controversial subject.

[16] *procesaron* indicted   [17] *delitos* crimes

[18] Carlos Pereyra, *Breve historia de América* (Santiago de Chile: Zig-Zag, 1938), p. 241.

Carlos V, por insistencia del Padre Las Casas, ordenó a una comisión estudiar el asunto de las encomiendas[19] y dio unas *Nuevas Leyes de Indias* (1542) en que prohibía enviar indios a las minas o a las pesquerías de perlas,[20] ni cargarlos; y que donde no pudiera prescindirse de[21] su trabajo, se les pagase justamente su trabajo. Ordenaba, además, que se fijase exactamente el tributo que cada indio debía pagar y que se quitasen las encomiendas y repartimientos[22] de indios que tenían algunos monasterios, hospitales, antiguos gobernantes u oficiales. Pedía, en esencia, que todos los indios fueran tratados como vasallos de la corona de Castilla, pues ésa era su calidad.[23]

Su hijo y sucesor, Felipe II, hizo preparar otra *Nueva Recopilación*[24] (1567), que fue luego seguida y perfeccionada por otras recopilaciones.

REPARTIMIENTOS Y ENCOMIENDAS

Si bien los indios no eran esclavos sino vasallos del rey, la corona española no podía prescindir de su trabajo y colaboración en la gigantesca tarea de la colonización. Por otra parte, los indios, ignorantes de la idea de propiedad privada y acostumbrados a otro tipo de vida, se negaban a trabajar para los conquistadores y huían hacia zonas inaccesibles.

Así las cosas, el rey dispuso que los indios fueran "repartidos" en aldeas y predios[25] y "encomendados" a hombres distinguidos de las Indias, quienes estaban obligados a protegerlos, educarlos, instruirlos en la religión católica, y hacerlos trabajar. Los *mitayos* eran los indios repartidos para trabajar por semanas o por meses. Los *yanaconas*, en cambio, eran repartidos para siempre entre los españoles, quienes los empleaban en sus casas y campos. En la práctica, los repartimientos y las encomiendas, resultaron muchas veces nuevas formas de esclavitud.

La encomienda se concedía por merced real a los hombres que habían desempeñado un papel[26] importante en la conquista. Tanto el encomendero como su heredero, tenían el derecho de percibir[27] para sí

---

[19] *encomiendas* Term used to describe the system by which a Spaniard was entrusted with the care of a number of Indians whom he was to instruct in the Christian religion. In return for his services he was entitled to receive a limited amount of work and tribute from the Indians making up his *encomienda*.

[20] *pesquerías de perlas* pearl fisheries   [21] *prescindirse de* do without

[22] *repartimientos* allotments

[23] To consider a conquered people as subjects, rather than as slaves or, at best, second-class citizens was a very advanced doctrine for the early 16th century.

[24] *Nueva Recopilación* revised code of laws   [25] *predios* farms

[26] *desempeñado un papel* played a rôle   [27] *percibir* to collect

Típica población española, semejante a las ciudades españolas de la
época de la colonización. Ésta es Sololá, a orillas del lago Atitlán, en
Guatemala.

los tributos de los indios, pero no tenían ningún derecho de propiedad
sobre ellos. "Es absurdo imaginar que los españoles por sí, podían realizar
la colonización—como los ingleses en el norte—con prescindencia de los
indios, que constituían la inmensa mayoría. En todo el proceso de la
dominación hispánica esta contribución de los indígenas constituye su
base", ha dicho el historiador argentino Ricardo Levene.[28]

[28] Ricardo Levene, *Historia de América* (Buenos Aires: W. M. Jackson, Inc., 1947), tomo IV,
    p. 262.

LA POLÍTICA DE COLONIZACIÓN

Los españoles tuvieron desde los primeros tiempos una política de colonización.

Las tierras, aguas, montes y pastos de las Indias, se consideraban propiedad de la corona española, pero el rey podía premiar los servicios de sus hombres otorgándoles tierras. Hacia 1534, gran parte de las tierras descubiertas habían sido concedidas. Minuciosas disposiciones fueron perfeccionando el sistema, que en sus orígenes fue injusto y desproporcionado.

Las ordenanzas sobre poblaciones (1573) establecen que ninguna persona podía hacer legalmente descubrimientos por su cuenta, entrar en una población indígena, ni fundar ninguna ciudad, sin autorización real.

Los gobernadores debían hacer previamente todas las averiguaciones[29] sobre lugares por descubrir o pacificar: habitantes, religión, culto, gobierno y economía, sin enviar hombres de guerra, y sin hacer escándalos. Luego se debía tomar posesión, en solemne acto público, poner nombre a la tierra, ciudades, pueblos, montes y ríos principales.

La fundación de ciudades estaba también reglamentada. Debía elegirse un lugar saludable,[30] con cielo claro y aire puro, sin exceso de calor ni de frío, lo cual podía conocerse por la complexión de los habitantes, animales o plantas del lugar. Debían tener buenas entradas por tierra y por mar, y debía resolverse si tendría el carácter de ciudad o pueblo.

El plano de la ciudad debía estar confeccionado previamente a base de una Plaza Mayor, desde la cual se tirarían[31] las calles hasta los caminos

[29] *averiguaciones* investigations   [30] *saludable* healthful   [31] *se tirarían* would extend, start

Antiguo fuerte o Castillo de San Felipe, en Guatemala, construido durante la época colonial y destruido por los piratas. Reconstruido en la actualidad

inas de una antigua fortaleza,
Heredia, Costa Rica

o entradas principales. Si la ciudad era costera, dicha plaza debía estar
cerca del desembarcadero, y si no, debía hacerse en el centro. En torno
de la plaza, no podían darse solares[32] a los individuos particulares, pues
debían reservarse para la iglesia, la casa real, el cabildo,[33] casas de
comercio y tiendas. Los demás solares debían repartirse entre los pobladores. 5
Fuera del ejido[34] de la ciudad, se fijaban lugares para los trabajos de
agricultura y ganadería, en cantidad equivalente a la de solares de la
ciudad. Otras disposiciones regulaban la construcción de las viviendas
y el aprovechamiento[35] de las tierras concedidas.

[32] *solares* building lots [33] *cabildo* city government
[34] *ejido* common, enclosed public land [35] *aprovechamiento* utilization

CUESTIONARIO

1. ¿Qué carácter tuvo la conquista española? 2. ¿Qué es una *capitulación* y qué un *adelantado*? 3. ¿Quién fue Hernán Cortés? 4. ¿Quién fue el conquistador del Perú y quiénes fueron sus compañeros de empresa? 5. ¿Quién fue el conquistador de Colombia? 6. ¿Cómo murió Pedro de Valdivia, el conquistador de Chile? 7. ¿Fue pacífica la conquista de América? 8. ¿Qué papel importante desempeñó en la época de la conquista Fray Bartolomé de las Casas? 9. ¿A qué se llama "leyenda negra" en la historia de América? 10. ¿Cuál es la opinión del historiador Lewis Hanke sobre las obras de Las Casas? 11. ¿Quién fue llamado el "Solón americano"? 12. ¿Qué decía el testamento de Isabel la Católica acerca de los indios? 13. ¿Qué ordenó el rey Carlos V en las *Nuevas Leyes de Indias*? 14. ¿Qué diferencia existe entre un esclavo y un vasallo? 15. ¿Qué era un repartimiento? 16. ¿Qué es una encomienda? 17. ¿Cuáles eran las obligaciones de los encomenderos? 18. ¿Se cumplieron en la práctica las disposiciones de la corona española? 19. ¿Quiénes podían fundar ciudades? 20. ¿Cómo era el plano de una ciudad colonial hispánica?

TEMAS ESPECIALES DE COMPOSICIÓN Y CONVERSACIÓN

   I. Los conquistadores.
  II. La lucha contra los indios.
 III. La "leyenda negra" de la conquista hispánica.
 IV. Las Leyes de Indias.
  V. La fundación de ciudades.

CAPÍTULO IX

EL RÉGIMEN COLONIAL Y LA CIUDAD INDIANA

LA ADMINISTRACIÓN COLONIAL

Las Indias no se consideraban colonias, sino parte de la corona española, la cual era propietaria de todas las tierras y aguas, y se obligaba a mantenerlas unidas, defenderlas, y no enajenarlas.[1] El rey de España era al mismo tiempo rey de las Indias, Islas y Tierra Firme del Mar Océano, y ejercía una autoridad absoluta y sin restricciones.

Dada la inmensidad de los dominios—se podía dar la vuelta al mundo sin salir de territorio hispánico—y la variedad de los problemas de gobierno, se creó poco a poco un sistema de instituciones cuya autoridad emanaba del rey. Las había en España y en las Indias.

En España se establecieron la Casa de Contratación[2] (1503) y el Consejo de Indias (1524).

La Casa de Contratación, que estuvo al principio en Sevilla y luego en Cádiz, tenía un carácter bastante complejo, pues allí se depositaban las mercaderías que iban a América o provenían de allí, se instruían pilotos, se hacían estudios técnicos de navegación, se promovían los descubrimientos y exploraciones, se atendían los pleitos comerciales y marítimos, y se dirigía el comercio.

El Consejo de Indias se creó más tarde para hacerse cargo de los asuntos de justicia, peticiones de los gobernantes de Indias, ciertas

[1] *enajenarlas* to give them away   [2] *Casa de Contratación* House of Trade

causas criminales y civiles, disposiciones de gobierno, otorgamiento de mercedes,[3] asuntos de guerra y de paz, política de los dominios, y asesoramiento[4] del rey.

En las Indias, el gobierno estuvo en los primeros tiempos en manos de los adelantados y gobernadores, pero luego el imperio fue encomendado a virreyes y capitanes generales, que gobernaban como representantes personales del rey. En el siglo XVI se crearon los dos primeros virreinatos, el de Nueva España (1535) y el del Perú (1544). Dos siglos después se crearon otros dos, el de Nueva Granada (1717–1739) y el del Río de la Plata (1776).

El virrey era inspeccionado de tiempo en tiempo por visitadores[5] reales, y al término de su misión debía someterse a un juicio, llamado juicio de residencia, con el objeto de juzgar su gobierno. En todos los virreinatos y capitanías generales, existía la Audiencia, un organismo con funciones de hacienda,[6] gobierno y guerra.

Cuba, Chile, Guatemala, y Venezuela fueron capitanías generales y sus gobernantes dependían del Consejo de Indias y del rey. En las ciudades o municipalidades se establecieron los Cabildos, con importantes funciones en asuntos de abastecimiento,[7] obras públicas, higiene, educación primaria y policía. Los Cabildos están considerados como la base del federalismo en la historia de Hispanoamérica. Ciertas ciudades fueron autorizadas a tener escudos de armas.[8]

RÉGIMEN ECONÓMICO

La política económica tenía por finalidad explotar al máximo la tierra, y fue principalmente minera y agrícola. Las minas eran regalías,[9] o sea propiedad de la corona, pero el cateo[10] era libre. Nadie podía poseer más de seis minas. Para explorar y descubrir, tanto extranjeros[11] como españoles o naturales tenían iguales derechos, pero debían contar con autorización. Fueron dictadas minuciosas disposiciones sobre la seguridad en el trabajo.

El comercio se rigió[12] por el sistema del monopolio absoluto, adoptado también en la época por Inglaterra, Francia, Holanda, y Portugal. Dos flotas salían por año de España, escoltadas[13] en convoy por naves de

---

[3] *otorgamiento de mercedes* granting of privileges   [4] *asesoramiento* advising
[5] *visitadores* investigators   [6] *hacienda* treasury   [7] *abastecimiento* supplies
[8] *escudos de armas* coats of arms   [9] *regalías* prerogatives of the crown
[10] *cateo* prospecting   [11] *tanto extranjeros* foreigners as well
[12] *se rigió* was regulated   [13] *escoltadas* escorted

Ruinas del convento de Santa Clara, en la ciudad de Antigua, Guatemala

guerra. Cada flota, al llegar al Caribe, se dividía en dos partes: una iba hacia Tierra Firme, puertos de Cartagena (Colombia actual) y de Portobelo (Panamá); la otra llegaba hasta Veracruz (México). De Portobelo, las mercaderías cruzaban el istmo, luego se embarcaban para Lima, y desde allí se transportaban por tierra a Buenos Aires y Montevideo. 5 De Veracruz cruzaban por tierra, a través de México, hasta el puerto de Acapulco, donde volvían a embarcarse hacia las Filipinas. De regreso, las flotas pasaban por La Habana.

Hacia mediados del siglo XVIII este antieconómico sistema— creado para sostener el monopolio y combatir a la piratería—fue abolido. 10 Se permitió entonces a los barcos ir solos a América, y se abrieron al comercio más puertos de España y de los dominios. La oficina económica y comercial, en América, se llamaba "consulado".

PIRATAS Y FILIBUSTEROS

Como España no permitía el comercio de sus dominios con otros países, Inglaterra, Francia y Holanda—enemigos tradicionales de 15

España—rompían el monopolio mediante el contrabando, que también interesaba a los comerciantes de América y a los criollos. En ciertos momentos, el comercio ilegal llegó a tener tanta importancia como el legal.

La piratería fue muy intensa durante casi tres siglos. El pirata actuaba protegido por el gobierno de su país, y prestaba un servicio patriótico cuando saqueaba una ciudad costera o robaba un galeón. En la práctica, era una forma de guerra en tiempos de paz. Los piratas se dedicaron también al tráfico de negros. John Hawkins empezó su carrera como negrero y luego fue pirata. Sir Francis Drake fue uno de los más temidos: en 1572 dio la vuelta al mundo en su barco, atacó las costas de América, y tomó la ciudad de Nombre de Dios (Panamá). Thomas Cavendish realizó la proeza[14] de capturar el galeón de la ruta a Manila, frente a las costas de California, en 1587. Henry Morgan tomó y saqueó también a Panamá. Entre los holandeses, fueron muy temidos Piet Heyn y Henrik Brouwer.

Los filibusteros eran aventureros y bandidos, que actuaban bajo su propia responsabilidad y tenían su base de operaciones en islas del Caribe.

LA SOCIEDAD COLONIAL

La sociedad iberoamericana estuvo compuesta por blancos, indígenas y negros. El cuadro de combinaciones de estos tipos básicos es sumamente extenso.

El español o portugués era a menudo noble, o descendiente de conquistadores y colonizadores. Ocupaba generalmente los cargos del gobierno y la administración, gozaba de las prerrogativas del monopolio comercial, y constituía la clase alta de la sociedad colonial.

Los criollos, también blancos, eran hijos de los españoles o portugueses nacidos en América, y aunque gozaban de beneficios como sus padres, se sentían ya hijos de América más que de Europa. Hacia fines del siglo XVIII, constituyeron una clase ilustrada,[15] rica, y disconforme con España y Portugal, y fueron los autores de la revolución.

Los mestizos formaban la clase más numerosa, principalmente en Nueva España y Perú. Los mulatos eran más numerosos en los países donde el comercio de negros había sido más intenso, como en Venezuela, Colombia, Cuba y Brasil. Zambos, como ya se ha dicho, eran los hijos de indios y negros.

[14] *proeza* feat   [15] *ilustrada* enlightened

Misión de Orosi, en Cartago, Costa Rica, fundada en 1776

EL MESTIZAJE

Desde el principio España fomentó el matrimonio de europeos e indios, esto es, el mestizaje.[16] Las Leyes de Indias establecían la libertad de casamiento, y ordenaban que nadie puede "impedir ni impida el matrimonio entre indios e indias con españoles o españolas, ni que tengan entera libertad de casarse con quien quisieren".[17] Con el tiempo, el criollo y el mestizo, nacidos ambos en las Indias, fueron inmensa mayoría en América.

En los primeros años del descubrimiento las mujeres no podían venir al continente americano, y se produjeron entonces uniones ilegales de españoles e indias. Así empezó la fusión de razas.

LOS INDIOS

Ocuparon el lugar más bajo de la escala social en Iberoamérica hasta la llegada de los esclavos negros. El mal trato dado a los indios por

[16] *mestizaje* crossbreeding
[17] Ricardo Levene, *Historia de América* (Buenos Aires: W. M. Jackson, Inc., 1947), tomo IV, pág. 269.

Indios en la época colonial

Española Quiteña.   India Palla.

algunos conquistadores y encomenderos levantó la airada[18] protesta del Padre Las Casas, quien sostuvo una ruidosa polémica, la mayor del siglo XVI, con Juan Ginés de Sepúlveda (1490?–1573). Mientras éste consideraba a los indios representantes de una raza inferior, y sostenía el
5   derecho de los españoles a conquistarlos y convertirlos por la fuerza, Fray Bartolomé de las Casas sostenía que los indios eran seres humanos y racionales, de naturaleza suave y bondadosa, capaces de asimilar la

[18] *airada* angry

Tarabita donde pasan Bestias.

Tarabita de hombres.

Indio Rustico.

India Ordinaria.

Mestiza Quiteña.

Indio Barbero.

cultura europea, y que no debían estar sujetos a la sumisión, porque los reyes no son dueños de las vidas y el destino de sus súbditos.

Desde el punto de vista teológico y jurídico, el campeón de la defensa de los indios fue el Padre Francisco de Vitoria (1486–1546), famoso teólogo y religioso humanitario, que discutió el derecho de España a someter a los indios. Se preguntaba por qué leyes vienen los indios a poder de los españoles, y cuáles son las bases y los límites del poder del monarca sobre los pueblos de las nuevas tierras. El Padre Vitoria concluía su doctrina sosteniendo que los indios son como todos

5

los humanos, que no están sometidos a leyes de los hombres, y que sólo deben sometimiento a las leyes divinas.[19]

Algunas tribus indígenas estuvieron en lucha hasta el siglo pasado con los propios iberoamericanos. En la Argentina, la conquista del desierto, último reducto[20] aborigen, no se terminó hasta 1879.

LOS NEGROS

Los negros aportaron también su sangre en la fusión racial de Iberoamérica. Entraron en el continente como esclavos, provenientes de África,[21] a partir del siglo XVI, para sustituir a los indios de inferiores

[19] The theories of Father Francisco Vitoria are in his work, *Relaciones sobre los indios.*
[20] *reducto* redoubt
[21] They came principally from the west coast of Africa from areas such as Sierra Leone, Liberia, the Gold Coast, Nigeria, Angola and the Ivory Coast.

Negros en tiempos de la colonia

condiciones físicas en los trabajos duros. Duraron en esta triste condición aun después de la independencia de los países iberoamericanos. En la Argentina se decretó la libertad de vientres[22] en 1813. En Cuba se declaró libres a los esclavos en 1886, y en Brasil en 1888.

Varias compañías nacionales y extranjeras, obtuvieron de España y Portugal el derecho de importar negros en América, a cambio de sumas pagadas a la corona.

En 1502, Nicolás de Ovando obtuvo un permiso para transportar negros del sur de España a La Española y en 1517 Fray Bartolomé de la Casas pidió al emperador que se enviaran negros a América para sustituir a los indios en el trabajo de las minas. En ese año se otorgó un *asiento* a una compañía extranjera. En 1562, John Hawkins introdujo un cargamento de esclavos en las Antillas bajo bandera inglesa, y en 1595, Pedro Gómez de Reynel obtuvo permiso del rey español para pasar 38.000 negros a América. La *South Sea Company*, inglesa, obtuvo en 1717 permiso de los reyes Borbones para introducir en las tierras hispánicas 144.000 negros esclavos, a razón de 4.800 por año y durante un período de 30 años, mediante el pago de $200.000. Actuaban también la Compañía Francesa de las Indias Occidentales y otras.[23]

Hacia principios del siglo XIX, España suprimió la trata de negros,[24] primero al norte del Ecuador (1817) y luego al sur de dicha línea (1820). Estas disposiciones, sin embargo, no se cumplieron del todo.

LOS VIAJEROS

América atrajo siempre el interés de los europeos. En diversos momentos del período colonial, viajaron por estas tierras hombres de negocios, observadores extranjeros, y hombres de ciencia, que luego escribieron estudios o memorias sobre Iberoamérica, su naturaleza, sus gentes, sus costumbres, y su cultura. Son los denominados *viajeros*.

Algunas de esas obras, por su excelente calidad literaria y la abundancia de información, se han convertido en verdaderas obras de valor.[25] Muy conocidas son la de C. Marie de La Condamine, *Viaje a la América Meridional*, y la del barón Alejandro von Humboldt, *Ensayo político sobre*

---

[22] *libertad de vientres* Children are born free even though the parents may be slaves.
[23] The practice of making contracts (*asientos*) with companies or individuals, mostly foreigners, who wished to engage in the slave trade began in the 16th century.
[24] *trata de negros* black trade, slave traffic
[25] The works written by these travelers are varied and many. They have had a considerable impact on the cultural history of Ibero-America.

La plaza central de México, o Zócalo, según una lámina francesa de 1847

la Nueva España. El primero había venido con una comisión de sabios franceses en 1726 para medir sobre la línea del Ecuador un grado de meridiano terreste, y el segundo era un científico alemán que recorrió buena parte de América en viaje de investigación, a principios del siglo
5 XIX.

LA VIDA EN LA CIUDAD COLONIAL

La vida en la América colonial era simple y lenta. Pocos aconte-cimientos turbaban la tranquilidad habitual: un ataque de piratas, un levantamiento de indios, la coronación de un nuevo rey en España, la llegada de un misionero, un conquistador o un viajero extraño, una
10 epidemia, una festividad religiosa, o un acto público[26] en el colegio o la universad.

La típica casona colonial, amplia y de paredes gruesas, con dos patios cuadrados y una quinta[27] al fondo, albergaba[28] a gran cantidad de personas, entre amos, su familia, criados, esclavos, y huéspedes. La sala,
15 donde solían estar el oratorio,[29] los muebles finos y los cuadros al óleo,[30]

---

[26] *acto público* public ceremony
[27] *quinta* garden for raising food for the household   [28] *albergaba* sheltered
[29] *oratorio* private place of worship   [30] *cuadros al óleo* oil paintings

Vieja iglesia cercana a la ciudad de México

se abría ritualmente por las tardes o las noches, para recibir a las visitas o realizar las tertulias.[31] El rezo del rosario era riguroso y lo cumplían todos los días, a la hora de oración,[32] patrones y servidumbre, en un clima de unción.[33] Las casas principales eran las de las autoridades, y ocupaban la parte central de la ciudad. Luego se extendían las del pueblo común.

En el campo vivían los indios, los mestizos, y también algunos españoles dedicados a la ganadería, la agricultura, o la minería.

La vida era eminentemente familiar[34] y la mujer ocupó un lugar importante en la civilización iberoamericana. Las fiestas religiosas más

5

[31] *tertulias* informal gatherings, discussion groups
[32] *hora de oración* the time set aside each day for family prayers
[33] *unción* piety   [34] *familiar* family oriented

importantes eran las de Corpus Christi y las de Semana Santa, a las que se agregaban [35] las de Nochebuena, [36] Navidad, [37] y Año Nuevo. Algunas veces había fiestas populares, con fuegos de artificio. [38] Más tarde hubo teatros y representaciones teatrales en los colegios religiosos.

[35] *se agregaban* were added
[37] *Navidad* Christmas

[36] *Nochebuena* Christmas Eve
[38] *fuegos de artificio* fireworks

CUESTIONARIO

1. ¿Qué eran la Casa de Contratación y el Consejo de Indias? 2. ¿Quiénes gobernaban las Indias en América? 3. ¿Cuántos virreinatos hubo en la América hispánica? 4. ¿Qué capitanías generales hubo? 5. ¿A qué se llamaba "juicio de residencia"? 6. ¿Quién era el propietario de las tierras y las aguas de la América hispánica? 7. ¿Cómo era el régimen comercial de las Indias? 8. ¿Cuántas flotas hacían el comercio de Indias y qué rutas tomaban? 9. ¿Qué es la piratería? 10. ¿Qué piratas famosos atacaron a los dominios y barcos españoles? 11. ¿Cuáles son los grupos raciales básicos de Iberoamérica? 12. ¿Cómo se realizó la fusión de razas? 13. ¿En qué consistió la polémica entre el Padre Las Casas y Ginés de Sepúlveda? 14. ¿Quién fue el Padre Francisco de Vitoria y en qué consistía su teoría? 15. ¿En qué calidad entraron los negros en Iberoamérica? 16. ¿Cuándo fueron declarados libres? 17. ¿Cuándo suprimió España la trata de negros? 18. ¿A quiénes se denomina "viajeros" de la Colonia? 19. ¿Cómo era la vida en la ciudad colonial? 20. ¿Cómo era la típica casona colonial?

TEMAS ESPECIALES DE COMPOSICIÓN Y CONVERSACIÓN

I. La administración y gobierno colonial español.
II. El régimen económico de las Indias.
III. Piratas, filibusteros, y tratantes de negros.
IV. La sociedad colonial.
V. Los indios en la América colonial española.

CAPÍTULO X

La vida intelectual y religiosa

LA CONQUISTA ESPIRITUAL

Españoles y portugueses trasladaron[1] a América sus instituciones, su lengua, su raza, su religión y su sentido de la vida.

Si su régimen económico de monopolio comercial, y la explotación de las riquezas del nuevo continente ha sido considerado un fracaso por historiadores y economistas, no ha sucedido lo mismo con su conquista espiritual. En general, el Nuevo Mundo es cristiano, y habla español o portugués.

En otros aspectos, como estilo de vida, costumbres, psicología y arquitectura, Iberoamérica tiene la marca ibérica. Puede decirse que hasta 1880 esta influencia permaneció casi intacta, salvo algunos casos excepcionales, y que sólo a partir de entonces Iberoamérica comienza a incorporar o crear nuevos estilos de vida. Según el historiador J. Fred Rippy, el "mayor defecto de la cultura española transmitida a América no fue la falta de apreciación de lo sentimental y lo bello; fue la falta de énfasis en la ciencia, tecnología y libertad civil".[2]

EDUCACIÓN

Al principio los españoles intentaron[3] imponer a todos los indígenas su lengua, pero luego renunciaron a este propósito y fomentaron el

---

[1] *trasladaron* brought
[2] J. Fred Rippy, *Latin America: A Modern History* (Ann Arbor: The University of Michigan Press, 1958), p. 114.   [3] *intentaron* attempted

aprendizaje[4] de las lenguas aborígenes. No cedieron,[5] en cambio en su, decisión de convertir a los naturales al catolicismo.

Escuela primaria hubo desde 1505 en la ciudad de Santo Domingo. Las escuelas eran generalmente conventuales, pero hubo además algunas
5 municipales y particulares. En ellas se enseñaban la lectura, escritura, aritmética, y religión. En muchas poblaciones no existía escuela primaria de ninguna clase, y entonces los hijos de españoles recibían instrucción particular en sus propias casas, de sus padres o de maestros particulares llamados "leccionistas". Los maestros de escuela generalmente carecían
10 de título profesional.

No existió propiamente enseñanza secundaria, en el sentido actual de la palabra. Este tipo de estudios se cumplía después de la escuela primaria en colegios especiales, y consistía en latín, gramática, retórica, filosofía natural, y filosofía moral. Los autores más estudiados eran Aristóteles,[6]
15 San Agustín, y Santo Tomás. Las ciencias naturales se estudiaban por Plinio el Antiguo.[7] El sistema disciplinario era rígido y se imponían castigos corporales. Las obligaciones religiosas de los alumnos eran estrictas.

Uno de los más famosos colegios coloniales fue el de San Francisco de México, en la ciudad capital, fundado por el fraile Pedro de Gante, para
20 la enseñanza del latín, música, pintura, escultura, oficios, y religión. Está considerada como la primera escuela industrial del continente, pues fue fundada en 1523. Tenía más de mil niños y también se dictaban clases para adultos.

Otro colegio célebre fue el de Santa Cruz de Tlaltelolco (México),
25 fundado por el obispo Fray Juan de Zumárraga. Se constituyó en un centro de enseñanza de las humanidades, estudios latinos, y de clásicos españoles, donde los aztecas aprendían a hacer versos en latín. Fray Zumárraga inició además la enseñanza de niñas y fundó varios colegios.

El obispo de Michoacán, Vasco de Quiroga, desarrolló una obra
30 pedagógica asombrosa.[8] Fundó los famosos "hospitales", que eran propiamente ciudades o poblados, donde se trabajaba en forma comunitaria para beneficiar a los indios, pobres, huérfanos, viudas, ciegos, y demás desvalidos.[9] En cada poblado se practicaba exclusivamente un arte u oficio: tejidos de algodón, plumas, oro, cobre, plata, pintura, escultura,

---

[4] *aprendizaje* learning
[5] *no cedieron* they did not give up   [6] *Aristóteles* Aristotle
[7] *Plinio el Antiguo* Pliny the Elder (*a Roman who wrote about natural history and science as it existed in Antiquity. He died in 79 A.D.*)
[8] *asombrosa* astonishing   [9] *desvalidos* handicapped

Patio de la actual Universidad de San Marcos, en Lima (Perú), fundada en 1553, y considerada la más antigua del continente

etc. No se permitía el ocio[10] y los hijos aprendían el oficio de los padres. Entre estos poblados había una fuerte corriente de intercambio.

LAS UNIVERSIDADES

Las universidades se crearon para vencer la ignorancia. Algunas habían sido colegios que llegaron a un nivel satisfactorio de estudios, y otras se iniciaron directamente como universidades.

La primera fue la Universidad de Santo Tomás de Aquino,[11] en la ciudad de Santo Domingo, que en 1538 adquirió ese carácter después de haber sido un colegio de dominicos. En 1540 se fundó allí mismo la Universidad de Santiago de la Paz, también sobre la base de un colegio anterior.

En 1551 se decidió fundar universades en las dos capitales más importantes del imperio: la de México y la de San Marcos de Lima.

[10] *ocio* idleness   [11] *Tomás de Aquino* Thomas Aquinas

Esta última no sufrió interrupción en su vida y es considerada por algunos historiadores como la más antigua del continente.[12]

Aunque las universidades tenían por modelo a las españolas de Salamanca y de Alcalá de Henares, sus planes de estudio no eran exacta-
5   mente iguales. Se enseñaban, en general, artes (humanidades), teología, derecho (canónico y civil), y medicina. Además, algunas tenían cátedras de lenguas aborígenes. Más tarde, también se enseñaron matemáticas y física en algunos centros.

Se otorgaban los grados de bachiller, maestro (o licenciado), y
10   doctor. El título de bachiller exigía por lo menos tres cursos de seis meses cada uno. El método de enseñanza consistía en la conferencia del profesor, que el alumno debía recoger en sus cuadernos. Había exámenes finales. El grado de doctor se otorgaba después de un pomposo y solemne examen, seguido de juramento por parte del estudiante graduado.
15   Los jesuitas fueron el alma de la universidad iberoamericana.

LA IMPRENTA

La imprenta fue introducida por primera vez en México (1536), y hacia mediados del siglo XVI había siete impresores en esa ciudad que se dedicaban a imprimir catecismos, libros religiosos, gramáticas de lenguas aborígenes, diccionarios, y también algunas obras técnicas y
20   científicas. En épocas sucesivas se introdujo la imprenta en otros países iberoamericanos.

En algunos países su introducción fue tardía porque resultaba más barato imprimir los libros en España. Esta es la razón por la cual muchas obras de autores hispanoamericanos aparecieron en Europa.
25   La imprenta sirvió sobre todo para la obra de catequesis,[13] y además, para necesidades del gobierno. Muy conocido es el caso de la obra clásica del Padre Nieremberg, *Diferencias entre lo temporal y lo eterno*, que fué traducida al guaraní en el Paraguay, donde se imprimió en el siglo XVIII, para su difusión entre los indígenas de las misiones. Otras obras
30   de la época impresas en América, fueron panegíricos, tratados jurídicos y

---

[12] Founding of other universities, according to the Mexican historian Carlos Pereyra: *16th century*: Santo Domingo, 1538; México, 1553; Lima, 1553; Santa Fe de Bogotá, 1575. *17th century*: Córdoba del Tucumán, 1613; Charcas (Chuquisaca o Sucre, Bolivia), 1623; Guatemala, 1675, as the continuation of a secondary school founded in 1551; Cuzco, 1692. *18th century*: Caracas, 1721; Santiago de Chile, 1738; La Habana, 1782; Quito, 1791.
[13] *catequesis* a brief and simple explanation of doctrine

teológicos, certámenes[14] literarios, catecismos, hojas volantes,[15] bandos[16] del gobierno, y gacetas.

EL PERIODISMO

En América el periodismo hizo su aparición poco después de haber sido creado en Europa. Se inició bajo la forma de hojas volantes, sin fecha fija, con resúmenes de las principales noticias del mundo, y avisos   5 sobre comercio, flotas, etc.

La *Gaceta de México* comenzó su aparición regular en 1722 y luego hubo otras gacetas en Guatemala, Lima, Buenos Aires, y otras ciudades. La *Gaceta de Lima* apareció en 1743, y *El Telégrafo Mercantil*, primer periódico editado en Buenos Aires, apareció en 1801, bajo la dirección de   10 Francisco Antonio Cabello y Mesa, que ya había publicado otro periódico en Lima. Anteriormente, había habido también una "gaceta".

LOS LIBROS

En España existían desde tiempos antiguos leyes rigurosas sobre la impresión, introducción y venta de libros, que en síntesis se reducían a disponer previamente de una licencia real. Esta vigilancia se había   15 establecido con el doble propósito de evitar la difusión de doctrinas heréticas y de desalentar[17] la literatura deshonesta.[18] Muchos libros heréticos fueron quemados en hogueras de la Inquisición.

En las Indias se prohibió introducir, vender o imprimir libro alguno que tratara sobre asuntos del Nuevo Mundo, sin la autorización previa   20 del Consejo de Indias y las autoridades eclesiásticas. Los autores americanos debían enviar sus manuscritos a España, y muchas veces no llegaba la esperada aprobación. Costearse el viaje hasta allí, resultaba muy caro.

Carlos V prohibió en 1543 que las novelas y obras de imaginación circularan en América, para que ningún español o indio leyera libros de   25 materias profanas y fabulosas, o historias fingidas, por ser un peligro espiritual. La Casa de Contratación debía revisar[19] los cajones en España, antes de su despacho a las Indias, para evitar violaciones a esta resolución. Dentro de esta prohibición, caía naturalmente, el *Quijote*, que, sin em-

---

[14] *certámenes* contests
[15] *hojas volantes* broadsides
[16] *bandos* proclamations
[17] *desalentar* discourage   [18] *deshonesta* lewd   [19] *revisar* check

bargo, entró en América poco después de su publicación en España, lo mismo que otras obras novelescas.[20]

Muchos manuscritos de la época colonial se perdieron en naufragios o quedaron sepultados entre el polvo de los archivos españoles o americanos. No obstante, la tarea intelectual era activísima. Gran número de obras literarias de esa época han sido descubiertas en nuestros tiempos.[21]

[20] In his work *Books of the Brave* (Cambridge: Harvard University Press, 1949), Leonard A. Irving, on the basis of his examination of bills of lading and other documents of the period, makes it clear that the law was not rigorously applied, and that works of fiction did circulate in the New World.

[21] Ricardo Rojas, for example, found in Argentina the manuscript to Luis Tejeda's (1604–1680) *Libro de varios tratados y noticias*; Joaquín García Icazbalceta of Mexico found fragments of *Mundo y conquista* by Francisco de Terrazas (?–c. 1604); Juan María Gutiérrez of Argentina found two acts of a drama, *Siripo*, an 18th-century work.

Portada de un libro impreso en México en 1559

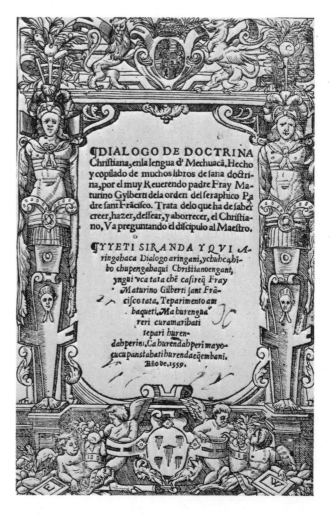

Ejemplo de la imprenta temprana (1543), Juan de Zumarraga, México

LAS BIBLIOTECAS

Las ciudades importantes tuvieron muy buenas bibliotecas, algunas[22] con varios millares de libros. Las universidades, colegios, y algunos eruditos, reunieron riquísimas colecciones que han sobrevivido hasta tiempos modernos y han permitido reconstruir con precisión los intereses culturales de los hombres de la colonia.

En el siglo XVIII comenzaron a circular por América los libros de los autores liberales: Bacon, Descartes, Leibniz, Locke, Rousseau,

5

[22] The Library of the University of Mexico had some 10,000 volumes; Fray Alonso de Veracruz gave his fine personal library to the Colegio San Pablo of México; Saturnino Segurola had a library in Buenos Aires. The historian José Torre Revello gives abundant data about book holdings in his work *El libro, la imprenta y el periodismo en América*.

Montesquieu y hasta Voltaire. Se leían obras en español y portugués, y además en latín, italiano, y francés.

LA CIENCIA

El interés por la ciencia fue menor, pero la contribución española a la geografía y la cartografía de la época merece especial consideración:
5   gran parte de las cartas marinas fueron confeccionadas por hombres al servicio de España, como Juan de la Cosa, el primero de los grandes cartógrafos, y acompañante de Colón en su primer viaje.

Los estudios de etnografía y lenguas fueron también cultivados, en especial por los jesuitas. Esta orden sobresalió debido a que, por su
10   carácter internacional, hizo venir a América a sacerdotes sabios de otros países, particularmente en el siglo XVIII.

Se estableció un Jardín Botánico en México, un Museo de Historia Natural en Guatemala, un Observatorio Astronómico en Bogotá, y una Escuela de Náutica en Buenos Aires. En Bogotá y en México hubo
15   importantes hombres de ciencia.

RELIGIÓN

En ningún aspecto fue más decisivo el impacto cultural que en el religioso.

La tarea de llevar a la mentalidad indígena el pensamiento religioso cristiano fue sumamente difícil, como la describe el ensayista venezolano
20   Mariano Picón-Salas: "...abolir la vieja religión de sangre; aprender el idioma de los conquistados; crear en un pueblo guerrero y tan ferozmente jerárquico como el azteca un sentimiento cristiano de la vida; vencer la hostil desconfianza contra el español; utilizar bajo un nuevo sistema las artes y oficios de la raza vencida; buscar en las lenguas aborígenes
25   palabras y símbolos que sirvan para simplificar los complicados misterios de la fe".[23] Se idearon métodos visuales para explicar, se crearon palabras, se inventaron símbolos, y se aplicaron procedimientos para memorizar.

San Francisco Solano convertía a los indios de Santiago de Estero (Argentina) con un violín, y Fray Toribio de Benavente recorría las
30   tierras de México a Nicaragua, durante más de cuarenta años, creando conventos, enseñando doctrina, escribiendo libros, defendiendo a los indios contra los conquistadores. Llegó a cambiarse el nombre español

---

[23] Mariano Picón-Salas, *De la conquista a la independencia* (México-Buenos Aires: Fondo de Cultura Económica, 3rd edition, 1958), p. 69.

"Adoradero" de los indios de las montañas de Chichicastenango, en Guatemala. Este indio ruega a sus dioses primitivos por lluvia, aunque también practica el culto católico.

por el indígena de *Motolinía*,[24] para identificarse con los indios. Muchos religiosos murieron en el martirio, y la Iglesia Católica ha beatificado y canonizado a varios de ellos.[25]

LAS MISIONES

Los misioneros recorrieron prácticamente toda América creando misiones y pueblos. Sobresalieron en esta tarea los jesuitas, y luego los franciscanos. Actuaron también muchas otras órdenes. 5

En las misiones se agrupaba a los indios, se les enseñaba la religión, y se les organizaba para la vida civilizada y el trabajo en común. Hubo grupos de misiones en México (Sinaloa, Sonora, Chihuahua, y Coahuila),

[24] *Motolinía* This word also occurs in the form *Motolinia.* Fray Toribio walked barefoot, and the Indians used the word, which to them meant *poor,* to refer to him.

[25] Among them: St. Francis Solano (1549–1610), St. Toribio de Mogrovejo (1534–1606), and St. Rose of Lima, who is considered to be the patroness of Spanish America.

Restos de las misiones del Caroní, Venezuela

en Venezuela (Caracas, Orinoco, y Cumaná), en Colombia (Meta y Casanare), en Ecuador, Perú, Guayanas, Chile, Bolivia y Paraguay.[26] Las más famosas fueron las del Paraguay, creadas en 1639 por los jesuitas en tierras de los guaraníes, las cuales llegaron a convertirse en verdaderas comunidades, casi independientes, dentro del imperio español. En 1767, el rey español Carlos III expulsó a los jesuitas de España y sus colonias, y los del Brasil y Portugal fueron expulsados por José I y su ministro Pombal en 1760.[27]

[26] There were also Spanish missions in what are now parts of the United States: Arizona, New Mexico, Texas, Florida, California. The Franciscan Fray Junípero Serra founded a chain of missions along California's Camino Real from San Diego northward.

[27] The expulsion of the Jesuits is a very controversial historical happening. In general, it may be that the monarchs feared the Jesuits would establish small empires of their own within the colonies. In Paraguay the Jesuits had more power than the civil authorities. There may well have been additional ideological reasons for the expulsion.

EL PATRONATO REAL

La Iglesia Católica había concedido a los reyes de España la facultad de ocupar los territorios descubiertos y convertir a los naturales al catolicismo, y poco después, el derecho de Patronato Real. Por este derecho, los monarcas españoles se convertían en administradores de ciertos asuntos eclesiásticos: creaban obispados, nombraban o quitaban prelados,[28] levantaban templos y monasterios, cobraban los diezmos[29] y rentas[30] eclesiásticas para sostener las obras religiosas, y debían dar primero su aprobación para que las bulas y otros documentos pontificios circularan en sus dominios.

5

28 *prelados* prelates, important ecclesiastical officers
29 *diezmos* tithes 30 *rentas* income

Aunque de esta manera la corona española ejercía poderes de la Iglesia en sus territorios, hubo relativamente pocos conflictos con el Papado.

LA INQUISICIÓN

La inquisición existía en España, Portugal y otros países europeos antes
5   del descubrimiento de América, con el objeto de mantener la pureza de la fe. Luego se crearon tres Tribunales de Fe en el Nuevo Mundo: Lima (1570), ciudad de México (1591), y Cartagena (1610).

Estos Tribunales actuaban contra herejes, blasfemos, bígamos, brujos, hechiceros, y otros individuos que pudieran poner en peligro la
10 unidad religiosa. Los indios no caían dentro de su jurisdicción, porque se los consideraba nuevos en la religión y carentes de suficiente responsabilidad en materia religiosa.

Si el culpable pedía perdón, se le absolvía. Dos veces podía ser absuelto un culpable. Las penas corporales no las aplicaban los religiosos,
15 sino la autoridad judicial civil. En general, se puede decir que la Inquisición fue menos activa en América que en Europa.[31]

[31] According to A. Curtis Wilgus and Raul d'Eça, on page 102 of their *Latin American History* (New York: Barnes and Noble, 1963), the Inquisition probably did not effect the execution of over 100 persons in its 277 years of operation in the New World.

CUESTIONARIO

1. ¿A qué se denomina "conquista espiritual de América"? 2. ¿Cómo fue la enseñanza primaria en tiempos de la colonia? 3. ¿Qué era un colegio? 4. ¿Cuáles fueron algunos de los famosos colegios? 5. ¿Cuál es la universidad más antigua del continente? 6. ¿Qué carreras universitarias existían? 7. ¿Qué grados otorgaba la universidad colonial? 8. ¿Qué clase de obras se imprimían preferentemente en el Nuevo Mundo? 9. ¿Cómo se inició el periodismo en Iberoamérica? 10. ¿Qué restricciones existían en la circulación de libros? 11. ¿Cuándo comenzaron a circular las obras de los autores liberales europeos en el Nuevo Mundo? 12. ¿Tuvo gran desarrollo la ciencia en Iberoamérica? 13. ¿En qué consistía la dificultad para transmitir la religión a los indios? 14. ¿Qué fueron las misiones? 15. ¿Dónde se establecieron las misiones? 16. ¿Quiénes expulsaron a los jesuitas de su imperio? 17. ¿En qué consiste el sistema del Patronato Real? 18. ¿Por qué podían cobrar los reyes españoles rentas eclesiásticas? 19. ¿En qué ciudades del Nuevo Mundo hispánico existieron Tribunales de la Inquisición? 20. ¿Quiénes podían ser juzgados por la Inquisición?

TEMAS ESPECIALES DE COMPOSICIÓN Y CONVERSACIÓN

   I. La conquista espiritual del Nuevo Mundo.
  II. La educación en Iberoamérica, en la época colonial.
 III. La publicación y circulación de libros en el Nuevo Mundo.
 IV. Las universidades coloniales.
  V. La evangelización del Nuevo Mundo.

CAPÍTULO XI

Las letras y las artes en la colonia

LOS CRONISTAS DE INDIAS

La literatura colonial nace con los relatos que los descubridores, exploradores, conquistadores, misioneros y colonizadores escriben sobre las nuevas tierras, las civilizaciones indígenas, y las expediciones militares y marítimas.

5   A estos primeros autores se los conoce con el nombre de *cronistas*. Fueron actores o testigos contemporáneos de los acontecimientos que relatan.

Cristóbal Colón está considerado como el primer cronista de Indias, ya que dejó escrito un *Diario de viaje* sobre su aventura en el nuevo 10   continente.[1]

Fray Bartolomé de las Casas, el fraile dominico que llegó a ser obispo de Chiapas (México) y que fue calificado de Apóstol de las Indias, compuso una historia, y la famosa *Brevísima relación de la destrucción de las Indias.* Esta obra es el primer ensayo de las letras hispanoamericanas.

15   Los conquistadores solían informar a los reyes sobre sus actividades en América, en cartas que se denominaban *cartas de relación.* Escritas personalmente por el conquistador o por su secretario, no siempre eran

---

[1] Columbus's diary was published later in Bartolomé de Las Casas, *Historia de las Indias.* He also wrote letters, one of them, during the return crossing of his first trip, to Rafael Sánchez, the Royal Treasurer. The letter was translated into Latin and published in Barcelona in 1493. It is the first published work about the New World.

completamente veraces, en vista del carácter burocrático que tenían,[2] ni tampoco tenían valor literario en algunas ocasiones. No obstante,[3] forman parte de la literatura colonial.

Hernán Cortés, el conquistador de México, escribió cinco *Cartas de relación* al rey Carlos V, entre 1519 y 1526, que más tarde fueron publicadas. [5] Son documentos interesantes por las revelaciones que hacen, y permiten apreciar el complejo mundo espiritual de un hombre de educación universitaria y gran genio político y militar, frente a un pueblo desconcertado y heroico, al que debe hacer la guerra para dominar.

La más notable y colorida de las crónicas de México es la escrita por [10] Bernal Díaz del Castillo (1492–1584), un soldado del propio ejército de Cortés, que recibió una encomienda de indios en Guatemala por sus servicios militares. En estilo rudo, pero con abundancia de pormenores, escribe la *Verdadera historia de la conquista de la Nueva España*, para demostrar el carácter heroico de la lucha, y el papel preponderante que tuvieron los [15] soldados en esas jornadas.

Los documentos escritos por los misioneros y otros españoles que recorrieron los nuevos territorios son sumamente interesantes.[4]

LOS HISTORIADORES

Los historiadores ya no son hombres de guerra o misioneros que han vivido directamente la experiencia de la conquista o la catequización. [20] Son generalmente cronistas oficiales de la corona española, o historiadores de profesión, españoles o americanos, que escriben sobre los acontecimientos que han leído en otras obras y documentos, o han escuchado de boca de hombres que han estado en el Nuevo Mundo.

En general, sus obras son monumentales y están escritas en un estilo [25] pulido. Carecen del atractivo de la prosa ruda y apasionada de los primeros cronistas.[5]

[2] Many of the *conquistadores* were operating originally beyond the pale of the law. Hernán Cortés had sailed from Cuba counter to the wishes of Governor Velázquez. Francisco Orellana, the discoverer of the Amazon River, had defected from an expedition led by Gonzalo Pizarro. Reports by many of the *conquistadores* tended to be apologistic rather than completely factual.

[3] *no obstante* notwithstanding

[4] Some of these works are: Fray Toribio de Benavente, *Historia de los indios de Nueva España*; Alvar Núñez Cabeza de Vaca, *Naufragios*.

[5] Francisco López de Gómara, *Historia de los indios de Nueva España*. (As far as is known, López de Gómara was never in America, but he was the chaplain to the Cortés family and had access to their documents.) Antonio de Solís, *Historia de la conquista de México*. (Solís, who did not know the New World personally, was the royal historian for the Indies.) Other historians, who did spend time in America, are: Gonzalo Fernández de Oviedo, *Historia general y natural de las Indias*; José de Acosta, *Historia natural y moral de las Indias*; Juan Suárez de Peralta, a

EL INCA GARCILASO DE LA VEGA

Entre todos los cronistas e historiadores sobresale el Inca Garcilaso de la Vega,[6] hijo de un conquistador español de familia noble y de una princesa inca, prima de Atahualpa, el jefe que Pizarro mandó ejecutar. Aprendió el español y el latín en su ciudad natal, el Cuzco, de maestros
5 españoles, y el quechua en su hogar, donde escuchó de boca de sus parientes y amigos, las viejas historias de sus antepasados indígenas.

Al morir su padre, fue a España, pero fue recibido con frialdad por sus parientes españoles. Entró en el ejército y después de participar en algunas campañas militares, se retiró para dedicar el resto de sus días
10 al estudio de las humanidades y la filosofía.

Su principal obra se titula *Comentarios reales*, y en ellos describe la antigua civilización incaica, elogia a su raza, se enorgullece de su condición mestiza, y refiere las luchas en el Perú. Escrita casi de memoria, no es una obra histórica en sentido estricto, sino más bien la primera obra de
15 ficción del Nuevo Mundo, realizada con verdadero gusto artístico y digresiones imaginativas.

LA ÉPICA: ALONSO DE ERCILLA

Muchos soldados españoles fueron también hombres de letras, educados en la época del Renacimiento, en que belleza y acción, religiosidad y vitalismo, eran valores que se cultivaban simultáneamente.
20 Uno de ellos, Alonso de Ercilla,[7] fue un gentilhombre que, deslumbrado por los relatos de la gran aventura americana, se vino al Perú y luego se incorporó a una expedición despachada para combatir a los araucanos, empresa en la que ya había fracasado Almagro, y que Valdivia no había logrado completar. Ercilla guerreó con tremendo valor, y en los
25 momentos de ocio, se puso a escribir un largo poema heroico sobre estas luchas, utilizando los pedazos de papel, cartas, o cueros que encontraba. En un momento, estuvo a punto de ser ajusticiado por su jefe, que lo

---

Mexican, *Tratado del descubrimiento y conquista*. Some of the historians were *mestizos*, and so could view the events from a double point of view. Among these were: Fernando de Alva Ixtlilxóchitl, *Historia chichimeca*; Hernando de Alvarado Tezozómoc, *Crónica mexicana*.

[6] El Inca Garcilaso de la Vega (1539–1616); *Comentarios reales* (Part I, 1609; Part II, *Historia general del Perú*, 1617); *La Florida del Inca* (1605).
[7] Alonso de Ercilla y Zúñiga (1533–1594), *La araucana* (Part I, 1569; Part II, 1578; Part III, 1589).

Alonso de Ercilla

creyó envuelto en una supuesta rebeldía, pero le fue conmutada la pena, y retornó a España, donde completó su famosa epopeya *La araucana*.

El poema describe la naturaleza de Chile, las costumbres de los araucanos, los combates de la conquista, pero sobre todo, retrata[8] magníficamente a los jefes indígenas: Caupolicán, Colocolo, Lautaro y   5 Rengo, y describe las batallas con una maestría casi homérica.

Ercilla logró, con gran dignidad de su parte, su propósito de señalar el valor y las proezas de aquellos españoles sin desmerecer la valentía y el señorío bélico de los hombres del Arauco.[9]

EL BARROCO

A mediados del siglo XVII, la conquista está ya terminada, y los   10 descendientes de los viejos conquistadores gozan de una situación social espléndida. La sociedad adquiere un tono aristocrático en las grandes ciudades, y crecen en número las tertulias literarias, los certámenes poéticos, las representaciones dramáticas, los estudios académicos, y otras manifestaciones de la vida artística.   15

[8] *retrata* portrays
[9] Some other epic poems of the period are: Pedro de Oña, *El Arauco domado*; Martín del Barco Centenera, *Argentina y conquista del Río de la Plata*.

Dos ciudades se distinguen por su cultura: México y Lima. Muchos artistas españoles vienen con sus costumbres, modos de vida y gustos artísticos. El hablar con elegancia se convierte en una exigencia social, se levantan templos y palacios magníficos, y se pintan cuadros en cantidad
5 extraordinaria.

El comercio de libros con España es intenso a pesar de las limitaciones, y circulan las obras de escritores europeos, aun las de ficción, como el *Quijote*. De todos los autores españoles, los más admirados son el poeta Luis de Góngora y los dramaturgos Lope de Vega, y Calderón de la
10 Barca.

La literatura hispanoamericana se inclina hacia el barroco,[10] que se caracteriza por la sutileza de las ideas, el vocabulario rebuscado,[11] las alusiones mitológicas, las metáforas complicadas, y el virtuosismo[12] del estilo. A este tipo de literatura se le llama también *gongorismo*, por refe-
15 rencia a Góngora, o *culteranismo*, porque es arte de gente culta.

SOR JUANA INÉS DE LA CRUZ

Hubo muchos escritores barrocos[13] en la época, pero la figura más importante de ese período, y al mismo tiempo de toda la literatura colonial hispanoamericana, fue una mujer, Sor Juana Inés de la Cruz.[14]

Dotada[15] por naturaleza de una gran belleza física y una inteligencia
20 excepcional, aprendió a leer y escribir a los tres años de edad, y más tarde aprendió también el latín en veinte lecciones. Su curiosidad la llevó a estudiar varias ciencias, y el virrey de México, enterado[16] de la precocidad de la niña, la incorporó a la corte, donde vivió mimada[17] y festejada. En una ocasión, deslumbró a un grupo de catedráticos de la
25 universidad, que la sometieron a un interrogatorio académico. Solía cortarse el cabello y se fijaba obligaciones de estudio para cuando le creciera. De esta manera, regulaba sus progresos. Tuvo enormes dificultades para ingresar en la universidad, debido a que no se admitían

---

10 *barroco* baroque, heavily ornamented   11 *rebuscado* affected, unnatural
12 *virtuosismo* virtuosity
13 Among them are: Juan Espinosa Medrano (El Lunarejo) of Lima, *Apología en favor de Góngora;* Carlos de Sigüenza y Góngora, of México, *Triunfo parténico.*
14 Sor Juana Inés de la Cruz (1651–1659), *Respuesta a Sor Filotea de la Cruz; El divino Narciso; Los empeños de una casa;* and a substantial number of religious and secular poems.
15 *dotada* endowed   16 *enterado* informed   17 *mimado* petted

entonces mujeres, y quiso disfrazarse[18] de hombre para entrar en ella.
Pero hastiada de[19] la vida mundana y superficial de la corte, se hizo
monja. En el convento, se encerraba en su celda, rodeada de libros y de
aparatos científicos. Pero un día se desprendió también de ellos, dio el
dinero de la venta para los pobres, y se consagró totalmente a su vocación   5
religiosa. Murió durante una epidemia.

Escribió autos sacramentales,[20] comedias, poesía lírica, y obras en
prosa. En su *Respuesta a Sor Filotea de la Cruz*, nos ha dejado un magnífico

[18] *disfrazarse* to disguise herself   [19] *hastiada de* bored with
[20] *autos sacramentales* short religious plays

trozo de autobiografía. Sor Juana ha sido la mujer más extraordinaria que produjo Hispanoamérica en la cultura colonial, y ha sido calificada de "décima musa".

EL TEATRO

El teatro en el siglo XVI tenía principalmente finalidades religiosas.
5   En los atrios[21] de las iglesias se representaban pasajes de la Biblia, vidas de santos, y obras alegóricas, con el objeto de evangelizar al pueblo. En los colegios religosos eran habituales también las representaciones.

En los dos siglos siguientes, continuó esta costumbre, pero se agregaron obras de los autores españoles más famosos, y algunas de autores
10 nativos, en teatros estables que se construyeron. Las obras eran unas veces de carácter culto, y otras popular.

El más importante dramaturgo de la época es Juan Ruiz de Alarcón,[22] mexicano de nacimiento que se trasladó a España, donde logró escribir y triunfar frente a los grandes maestros del Siglo de Oro.

LA ARQUITECTURA

15 Después de la antigua Roma, España figura en la historia de la arquitectura como uno de los pueblos más constructores.

En la América hispánica, la arquitectura siguió los mismos estilos que en la Península: gótico (decadente), mudéjar,[23] plateresco,[24] neoclásico (grecorromano), y barroco, aunque no todos fueron cultivados en
20 el mismo grado. Muchas veces, en un mismo palacio o templo están combinados elementos de varios estilos.

El barroco se distingue por la excesiva ornamentación, y es el arte más característico de Iberoamérica. Las mejores obras arquitectónicas, o por lo menos las mejor logradas, están construidas en este estilo. Es el arte
25 que mejor arraigó en el ambiente americano, en que ya existía una antigua tradición ornamental desde los tiempos precolombinos, y había abundancia de piedra blanda, y riquezas capaces de atender los enormes gastos de este tipo de construcción. Alcanzó su máximo desarrollo en los siglos XVII y XVIII.

---

[21] *atrios* entrance courts
[22] Juan Ruiz de Alarcón (c.1580–1639), *Las paredes oyen, La verdad sospechosa,* and other plays. Other dramatic authors of lesser importance were the Mexican Fernán González Eslava and the Peruvian Pedro de Peralta Barnuevo.
[23] *mudéjar* Spanish Moorish type
[24] *plateresco* plateresque (a type of ornate architectural ornamentation)

Puente de la ciudad de Cali, Colombia, de evidente estilo morisco o mudéjar

El Palacio de Torre Tagle, en Lima. Es el más valioso exponente de la arquitectura privada en el Perú, y se comenzó a construir en 1715. Se combinan en él los estilos churrigueresco y mudéjar.

La Catedral de Arequipa, Perú, de estilo neoclásico

ABAJO:

Iglesia de San Francisco Acatepec, cerca de Cholula, México, gran exponente de estilo barroco mexicano. El barroco mexicano solía usar estatuas exteriores en hornacinas, flanqueando la puertas, columnas muy labradas, y azulejos de color

Estos estilos llegaron al continente, pero una vez allí, sufrieron modificaciones, adaptaciones o combinaciones, sobre todo en los países con tradición arquitectónica. México, Lima y Quito fueron los principales centros de este arte.

La influencia indígena se puede apreciar sobre todo en los motivos ornamentales (pumas, monos, colibríes,[25] garzas,[26] papagayos,[27] mazorcas de maíz,[28] cocos,[29] margaritas,[30] etc.) y en la predilección por la simetría en los edificios.

[25] *colibríes* hummingbirds   [26] *garzas* cranes   [27] *papagayos* parrots
[28] *mazorcas de maíz* ears of corn   [29] *cocos* coconuts   [30] *margaritas* daisies

El palacio de la Perricholi, en Lima, de estilo renancentista

El arte hispanoamericano se inicia en la ciudad de Santo Domingo con la arquitectura religiosa, civil y militar. La iglesia de San Nicolás de Bari es la primera construida en el continente (1503–1508). Luego se construyeron el convento de los dominicos, donde funcionó en 1538 la primera

5   universidad del continente, y la catedral, que es también la más antigua de América. En Santo Domingo se construyó además la Torre del Homenaje, primer edificio militar del continente (1503), y el Alcázar de Colón, o Casa del Almirante, especie de castillo-fortaleza donde se instaló el hijo del descubridor, Diego Colón, cuando llegó con su mujer.

10 En la Capitanía General de Cuba sólo la arquitectura militar alcanzó importancia, pues la isla era centro de reunión de los galeones españoles y, por lo tanto, objeto preferido de los ataques de los piratas y bucaneros. Las obras de defensa están aún en pie y levantan sus moles [31] grandiosas en la costa, como el Castillo de los Tres Reyes (llamado luego

15 El Morro) y la fortaleza de La Cabaña. En Puerto Rico sobresale la fortaleza de San Felipe del Morro.

En los actuales territorios de Venezuela, Colombia, Chile, Paraguay, Uruguay, y Argentina, la arquitectura no logró gran importancia, debido a la pobreza de los lugares, la falta de suficiente mano de obra indígena,

20 y al menor interés de España por esas regiones en tiempos de la conquista y colonización. En general, se construyeron obras de segunda o tercera importancia, y casi circunstancialmente.

En Panamá se encuentran las ruinas de la primera ciudad construida en territorio continental, Panamá la Vieja, que sucumbió ante el ataque

25 del pirata Henry Morgan (1671).

En Guatemala sobreviven los restos de la vieja capital, llamada ahora Antigua Guatemala o simplemente Antigua, que fue en sus tiempos la más bella ciudad hispanoamericana entre Lima y México. En Colombia, las fortificaciones del puerto de Cartagena fueron las más poderosas de

30 toda América. En Paraguay, Argentina, y Brasil quedan los restos de las antiguas misiones jesuíticas, abandonadas con la expulsión de los padres de la Compañía. Tienen gran interés arquitectónico, y fueron en su época más de treinta pueblos, con tipos especiales de construcción, cuyo gobierno civil y religioso ejercían los sacerdotes.

35 En México, la arquitectura se caracterizó por el empleo insistente de la cúpula, muy a menudo recubierta de azulejos brillantes, lo cual daba a la ciudad cierto aspecto oriental. Estas cúpulas eran generalmente de base octogonal, con aberturas entre las columnas de sostén.

---

[31] *moles* bulk

Las catedrales de México y de Puebla son los dos monumentos más grandiosos de toda la arquitectura colonial mexicana. Sus planos fueron hechos en España, por el maestro real de arquitectura, y remitidos por Felipe II, si bien luego [32] sufrieron algunas modificaciones.

De todos los estilos empleados en América, el barroco, y su exageración o ultrabarroco, fueron los que mejores obras produjeron. [33]

LA ESCULTURA: LA ESCUELA DE QUITO

La escultura en México colonial fue religiosa y casi siempre anónima. Hasta el siglo XVIII, época de la aparición de los buenos escultores, tuvo una evolución limitada. En Puebla hubo una importante escuela de escultura, dedicada a la producción de imágenes religiosas. Manuel Tolsá es el primer escultor notable que produce México, y a él se debe la famosa estatua ecuestre de Carlos IV, llamada vulgarmente "el caballito de Troya", una de las mejores obras escultóricas de la América colonial. Se encuentra actualmente en la ciudad de México.

En la Antigua Guatemala fue también importante la escultura, y allí se fabricaban imágenes religiosas para México. Los escultores guatemaltecos fueron famosos por la perfección de los colores.

Pero la gran escuela de escultura de toda la América colonial fue la Escuela de Quito. Una fabulosa cantidad de cajones con esculturas se exportaron por el puerto de Guayaquil a otros países, al punto que existen obras quiteñas en casi todos los puntos de Hispanoamérica. La escultura quiteña deriva de la española. Adoptó los tipos de imágenes creados por los maestros de la Península. Su material preferido fue la madera policromada, con colores no brillantes. Los escultores doraban y plateaban las imágenes, y practicaron la técnica del estofado. [34] El Padre Carlos, de mediados del siglo XVII, fue el primer gran escultor de Quito. Fue un sacerdote cuyo arte se caracterizó por la perfección de las formas y la expresión de las figuras.

---

[32] *si bien luego* although later

[33] Pedro Enríquez Ureña, on p. 49 of his *Historia de la cultura en América Hispánica* (México-Buenos Aires: Fondo de Cultura Económica, 5th edition, 1961), says that, according to a European critic, four of the best eight examples of Baroque architecture in the world are in America: "el Sagrario de la Catedral de México, el Colegio de los Jesuitas en Tepotzotlán, el Convento de Santa Rosa en Querétaro y la Iglesia de San Sebastián de Prisca, en Taxco".

[34] *estofado* painting on the gold foil covering the wooden sculpture

Iglesia de San Francisco, en Quito, fundada en 1534 y terminada en 1650. Sufrió daños en terremotos y fue restaurada, a veces en estilos diferentes al original. Por sus revestimientos interiores de madera, sus altares magníficamente tallados, las imágenes de los santos en tamaño natural, y las pinturas al óleo, es una de las más ricas obras del arte colonial hispánico.

LOS ESCULTORES CASPICARA Y ZANGURIMA

En el siglo XVII sobresalieron dos grandes escultores quiteños: Caspicara y Zangurima.

El indio Manuel Chili, llamado Caspicara, llegó a colocarse a la altura del Padre Carlos, entre los escultores coloniales. Se especializó también en la talla policromada, y fue uno de los pocos artistas que realizó grupos escultóricos.

Gaspar Zangurima, llamado también Llauqui (zurdo), por usar la mano izquierda, fundó una escuela en su ciudad natal, Quito, y por su arte forma con los dos anteriores la gran trilogía de los maestros quiteños.

LA PINTURA

En pintura hubo más escuelas que en escultura. En México se conocieron dos, la de la capital y la de Puebla. La pintura mexicana se

"La Adoración de los Reyes Magos", Baltasar de Echave (1580-1660)

caracteriza en general por los colores agradables, la delicadeza del dibujo, cierta morbidez[35] en las figuras, y la forma de pintar las telas y vestimentas.

Los más grandes pintores mexicanos fueron Baltasar de Echave, el Viejo, que hizo escuela en el siglo XVII y formó discípulos; Sebastián de Arteaga, uno de los más famosos; José Xuares, llamado el Apeles mexicano, que con Arteaga marcan la culminación de la pintura mexicana del XVII, y Baltasar de Echave, el Mozo.

MIGUEL CABRERA Y JOSÉ IBARRA

En el siglo siguiente, dos figuras sobresalen en México: Miguel Cabrera (?–1768), el más famoso de todos los pintores del siglo, y José Ibarra (1688–1756), llamado el Murillo mexicano por su parecido físico con el pintor peninsular, y su decisión de imitar a ese maestro.

LA ESCUELA DE QUITO: MIGUEL DE SANTIAGO

Una vez más, lo mismo que en escultura, Quito significa la más alta expresión de la pintura colonial hispanoamericana.

La gran figura de la pintura quiteña es Miguel de Santiago (?–1673), conocido como el Apeles de América, que junto con su sobrino y discípulo, Nicolás Javier de Goríbar, señalan el apogeo[36] de la pintura quiteña.

La vida de Santiago es rica en anécdotas, y tiene fama de haber sido casi un genio atormentado de una especie de locura artística.

Goríbar, separado del taller[37] de Santiago, se puso bajo la protección de los jesuitas, y trabajó en muchos cuadros murales religiosos con figuras de profetas y reyes de Judá en tamaño natural.

ARTES MENORES

En Hispanoamérica se practicaron también las denominadas artes menores: la miniatura en libros de himnos, la pintura con incrustaciones de nácar.[38] La orfebrería,[39] la herrería[40] artística, el grabado,[41] la platería, la ebanistería,[42] y la cerámica fueron cultivadas con bastante frecuencia. En muchos casos, siguieron realizándose obras de artesanía de tradición indígena.

[35] *morbidez* softness of tint
[36] *apogeo* highest point
[37] *taller* studio
[38] *nácar* mother-of-pearl
[39] *orfebrería* gold or silver work
[40] *herrería* iron working
[41] *grabado* engraving
[42] *ebanistería* cabinetwork

CUESTIONARIO

1. ¿Quién es el primer cronista de Indias? 2. ¿Qué es una *carta de relación*?
3. ¿Quién fue Bernal Díaz del Castillo? 4. ¿Quiénes fueron los padres del Inca
Garcilaso de la Vega? 5. ¿Donde vivió el Inca Garcilaso y qué hizo en España?
6. ¿De qué trata su obra *Comentarios reales*? 7. ¿Cuál es el asunto de *La araucana*
de Alonso de Ercilla? 8. ¿Qué se entiende por literatura barroca? 9. ¿Cómo fue
la vida de Sor Juana Inés de la Cruz? 10. ¿Cómo fue el teatro en la época
colonial? 11. ¿En qué consistía el teatro religioso? 12. ¿Cuál fue el más
importante dramaturgo de la época? 13. ¿Cuáles son las características del
arte barroco en arquitectura? 14. ¿En qué ciudad de la América hispánica
se inició la arquitectura religiosa, civil y militar? 15. ¿Dónde logró la arquitectura sus mejores obras? 16. ¿Qué características tenía la escultura de la
Escuela de Quito? 17. ¿Quiénes fueron Caspicara y Zangurima? 18. ¿Quiénes
fueron Miguel Cabrera y José Ibarra? 19. ¿Cuál fue la gran figura de la pintura
quiteña? 20. ¿Qué artes menores se cultivaron en la América española?

TEMAS ESPECIALES DE COMPOSICIÓN Y CONVERSACIÓN

I. Los cronistas e historiadores de Indias.
II. La literatura barroca y Sor Juana Inés de la Cruz.
III. La arquitectura barroca en Hispanoamérica.
IV. La escultura en la época colonial.
V. La pintura en la época colonial.

CAPÍTULO XII

ΙEL BRASIL COLONIAL

EL DESCUBRIMIENTO

El Brasil fue descubierto en el año 1500 por el navegante Pedro Alvares Cabral, que había salido de Portugal para repetir el viaje de Vasco de Gama a las Indias, en busca de oro y especias. Desembarcó en Porto Seguro, al sur del estado actual de Bahía, y dio a la tierra el nombre
5 de Vera Cruz. Ésta quedaba bajo el dominio de Portugal, en virtud del Tratado de Tordesillas.

Al año siguiente, Américo Vespucci visita la región y comprueba que no es una isla, como lo había creído y dicho en una carta al rey el cronista de la expedición. Vespucci recorre casi todo el litoral. Al poco tiempo, se
10 descubre en las nuevas tierras la existencia del palo tintóreo *brasil*, y se comienza a llamar a esta región "tierra del palo brasil" o simplemente Brasil.

Conocida la noticia en Europa, comerciantes y corsarios se acercan repetidamente a las costas e inician el comercio con los indios, a los cuales
15 compran la preciosa madera. Portugal, que hasta entonces no había concedido importancia a esta región, y que se había preocupado sólo por las ricas posesiones del Oriente, se interesa ahora por su colonización.

Al llegar, los portugueses se encuentran con un hermoso y fértil país, poblado de muchos grupos indígenas. Los tupís o tupí-guaraníes habitaban
20 todo el litoral, pero con motivo de la colonización, emigran hacia el río Amazonas y zonas vecinas. Los *ges*—que en época de la colonia se llamaban *tapuias*—son los que toman más contacto con los portugueses. Los arahuacos habitaban las Guayanas, y algunas tribus caribes del norte, parece que se extendieron por las Antillas. La lengua más hablada era el tupí.

LA COLONIZACIÓN Y LAS CAPITANÍAS GENERALES

El Brasil comenzó a ser famoso por las leyendas, que hablaban de sus papagayos de vivos colores, el oro, las piedras preciosas, y otras riquezas. Poco a poco comienzan a llegar los primeros colonos, pero siempre en forma desordenada.

El rey de Portugal, inquieto por los riesgos de su colonia, resuelve 5 enviar entonces a Martín Alfonso de Souza, en 1530, al frente de una flota, para eliminar a los franceses, fundar poblaciones, y refirmar[1] así el dominio portugués.

En 1534, el rey de Portugal intentó acelerar la colonización, y dividió para ello el país en quince capitanías generales, hereditarias, y las entregó 10 a personas de su confianza, llamadas *donatarios*.[2] Estos eran verdaderos poseedores de la tierra, tenían poderes de señores feudales y prerrogativas equivalentes a las del propio rey en cada uno de sus dominios. Designaban jueces, nombraban autoridades administrativas, cobraban impuestos, y gozaban del privilegio de esclavizar a los indios, y de monopolizar las 15 industrias.

Las capitanías progresaron poco, con excepción de la de Pernambuco, en el norte, y la de San Vicente, en el sur, cuyo donatario Martín Alfonso de Souza se instaló allí y fundó la ciudad de San Vicente, cerca de la cual se formó el puerto de Santos. 20

BAHÍA, CAPITAL DEL BRASIL COLONIAL

Esta excesiva descentralización resultó inconveniente para la administración y la lucha contra los piratas.

En 1548, el rey compró al "donatario" la capitanía general de Bahía, situada más o menos a igual distancia de los puntos extremos del país, y erigió en ese lugar la sede[3] del gobierno central para todo el Brasil, que 25 entregó en 1549 al gobernador general Tomé de Souza. Éste llegó al Brasil con varios centenares de soldados, prisioneros liberados, y seis frailes jesuitas, que fueron los primeros educadores.

Tomé de Souza llegó a la Bahía de Todos los Santos y fundó allí la ciudad de Salvador (Bahía), que fue la capital de la colonia hasta 1736, 30 cuando la reemplazó[4] Río de Janeiro.

Los dos centros principales de colonización fueron Pernambuco y San Vicente. Se establecieron factorías[5] para el intercambio de productos, se

---

[1] *refirmar* to support   [2] *donatarios* donees   [3] *sede* seat
[4] *reemplazó* was replaced by   [5] *factorías* trading posts

Patio de una antigua iglesia de Bahía, Brasil

fundaron los primeros colegios para educar a los indios, distinguiéndose en esta obra, el padre José Anchieta, protector de los indígenas, quien echó las bases de la unidad social y espiritual.

La caña de azúcar ya se había importado, y en poco tiempo el Brasil tenía unos 120 ingenios[6] y exportaba a Europa enormes cantidades de azúcar. 5

EL MESTIZAJE

Como los primeros hombres que vinieron al Brasil lo hicieron sin sus esposas, debido a los peligros, se produjo en seguida la unión de portugueses e indias.

Los indios, por su parte, se negaban a trabajar para los colonos, y 10 huían al interior del país. Entonces trajeron esclavos negros de África, los cuales podían efectuar los trabajos agrícolas por su resistencia al clima tropical. En general, se habla de que entraron en el Brasil, hasta el siglo XIX, unos seis millones de esclavos negros, y al respecto, el historiador Renato de Mendonça afirma que "antes de ser una democracia política, 15 Brasil fue una democracia social".[7] Hubo más uniones de blancos y negros que de blancos e indios. Los mestizos nacidos de europeo e indio se llamaron *mamelucos*.

Franceses, holandeses y españoles tuvieron interés en las tierras del Brasil. 20

LA FRANCIA ANTÁRTICA

Un aventurero francés, Nicolás Durand de Villegagnon, obtuvo poder del rey de Francia y del almirante Coligny para fundar en el Brasil la *France Antarctique*, cuya sede inicial sería un islote[8] de la bahía de Guanabara. En la nueva posesión, habría amplia tolerancia religiosa para calvinistas y luteranos, y no existiría persecución religiosa. 25

Villegagnon llegó con unos cien hombres en 1555 a la bahía de Río de Janeiro, ocupó una isla,[9] y erigió un fuerte. Instaláronse allí, y se dedicaron a la explotación del palo brasil y otros productos de la tierra. Pero el gobernador general del Brasil, Mem de Sá, salió con una flota de Bahía, y después de varios días de ataque, expulsó a los franceses, quienes se 30 refugiaron en el interior del país, se reagruparon con los indios *tamoios*, y

---

[6] *ingenios* sugar mills
[7] Renato de Mendonça, *Breve historia del Brasil* (Madrid: Ediciones Cultura Hispánica, 1956), p. 11.   [8] *islote* small, barren island   [9] Sergipe

recuperaron el fuerte. Fueron nuevamente vencidos y expulsados del fuerte en 1567.[10]

Una nueva tentativa realizaron los hombres de Francia hacia fines del siglo XVII, en que ocuparon la región de Maranhão y fundaron la ciudad de San Luis, en homenaje[11] al rey de Francia. En 1615, fueron arrojados definitivamente del Brasil.

EL BRASIL HOLANDÉS

Los holandeses, deseosos siempre de atacar a los reyes de España y Portugal, desembarcaron en Bahía (1624) y tomaron la ciudad: declararon la libertad de religión y la de los esclavos que reconocieran al nuevo gobierno, pero estos holandeses fueron expulsados al año siguiente.

Algunos años más tarde, desembarcaron al norte y tomaron Pernambuco (1631). Ocuparon luego el norte del país, por más de veinte años. Designaron como gobernador general de los nuevos dominios al príncipe de la casa de Orange, Juan Mauricio de Nassau, quien puso al lugar el nombre de Nueva Holanda. En 1654 fueron expulsados definitivamente.

BRASIL, COLONIA ESPAÑOLA

En 1580 el rey de España, Felipe II, heredó la corona de Portugal, y durante sesenta años, los dos países formaron un sólo territorio. El Brasil, en consecuencia, pasó a ser español. Desaparecieron por el momento las rivalidades entre los dos imperios, y los brasileños pudieron extenderse por el interior del territorio, más allá de la línea de Tordesillas.

Comenzaron a producirse entonces *entradas*, esto es, expediciones al interior en busca de indios para el trabajo de los campos.

Cuando en 1640, Portugal volvió a ser independiente de España, el Brasil volvió a ser portugués. Los territorios que los portugueses y brasileños habían ocupado durante la expansión al oeste fueron reconocidos por España como territorio portugués en el siglo siguiente.[12]

LA EXPANSIÓN AL INTERIOR Y LOS "BANDEIRANTES"

Pero la verdadera expansión hacia el interior ocurrió en el siglo XVIII. En 1695 se había encontrado oro en el territorio llamado después Minas

---

[10] In the meantime, Estacio de Sá, a nephew of the governor general, had arrived from Europe. He founded Río de Janeiro in 1565.   [11] *en homenaje* in honor
[12] Treaty of Madrid (1750) and Treaty of San Ildefonso (1777)

Gerais (*minas generales*), y luego se encontraron diamantes y esmeraldas, y otras piedras preciosas.[13]

Se organizaron entonces grupos de *bandeirantes*,[14] que constituían verdaderas organizaciones o ejércitos de exploradores, con sus jefes y banderas, que se internaban por los territorios despoblados en busca de oro y otras riquezas. Llevaban cuanto necesitaban, animales de transporte y carga, alimentos, ganado; se orientaban con brújulas y por medio de las estrellas; acampaban durante meses en lugares adecuados, sembraban maíz, luchaban con los indios, cazaban, formaban aldeas.

Los *bandeirantes* fueron los auténticos promotores de la conquista del propio país, y prestaron un servicio valioso a la nación, a pesar de su ansia de riquezas. Los principales grupos salieron de San Pablo, llegaron hasta Minas Gerais, y de allí, por el río San Francisco, se internaron hasta el noroeste, y a través de la selva, con rumbo sudoeste, hacia Mato Grosso y Paraguay.

TIRADENTES Y LA "INCONFIDENCIA MINEIRA"

En la primera mitad del siglo XVIII, los asuntos coloniales de Portugal fueron confiados al marqués de Pombal, que realizó una política de ilustración, promoción del bienestar social, y desarrollo económico.

Sin embargo, los gobernadores locales, lejos de la vigilancia real, cometían a veces abusos. Poco a poco, pues, fue despertándose un sentimiento de liberación nacional.

El primer intento revolucionario fue encabezado por el alférez Joaquim José da Silva Xavier, conocido por el sobrenombre de Tiradentes (*sacamuelas*),[15] debido a su ocasional oficio de dentista. Existía ya una fricción entre el habitante originario de Europa, y el natural del Brasil.

Los choques fueron más intensos en Minas Gerais, debido a que el rey cobraba el quinto, o sea la quinta parte del oro producido en la colonia. El movimiento revolucionario se llamó *Inconfidencia Mineira* (1789), y colaboraron en él artistas, poetas, humanistas, sacerdotes, y algunos miembros del ejército. Fue un movimiento de minorías cultas, por la liberación nacional.[16]

---

[13] In addition to gold, which has been extracted in large quantity, and precious stones, the region also possesses one-seventh of the known iron deposits in the world.

[14] *bandeirantes* Portuguese word meaning *flag bearers*   [15] *sacamuelas* "toothpuller"

[16] José Alvares Maciel, a student, tried to interest Thomas Jefferson in this revolution in order to enlist his aid.

Monumento conmemorativo de todas las importantes fechas de la historia del Brasil, erigido en San Vincente (Santos)

Pero la revolución fue delatada por un traidor y fracasó. El proceso contra los rebeldes duró dos largos años, y Tiradentes fue ahorcado.[17]

LA CULTURA COLONIAL Y LAS LETRAS

En sus comienzos, la cultura brasileña no se diferenció prácticamente de la portuguesa, cuyos modelos seguía e imitaba. Los jesuitas ocupan un
5 lugar preponderante en la cultura colonial: fueron distinguidos educadores y fundaron colegios o residencias, donde enseñaban las primeras letras y humanidades según los autores clásicos. Ayudaron a crear una literatura nacional, paisajista[18] y gongorina, y al mismo tiempo, hicieron conocer en el resto del mundo las maravillas naturales del Brasil.

[17] *ahorcado* hanged   [18] *paisajista* pertaining to the landscape

Entre los jesuitas, merece especial consideración la figura del padre José de Anchieta (1530–1597), que fue defensor de los indios contra sus explotadores. Compuso himnos, una gramática, diálogos, canciones, autos, y oraciones, en español, portugués, latín, y tupí. Fue además, un reputado filólogo y conocedor de los idiomas nativos. El padre Anchieta 5 vivió según el ejemplo de San Francisco de Asís, entre sufrimientos, privaciones, y amor al prójimo, y aunque su obra careció de vuelo literario, y fue publicada tardíamente,[19] puede ser considerado como el creador de la literatura nacional brasileña.

Un poco más tarde, sobresale como orador el padre Antonio Vieira 10 (1608–1697), cuyos sermones marcan una época en la elocuencia brasileña.

De todas las figuras literarias del siglo, el poeta más famoso es Gregorio de Matos Guerra (1633–1692), que se ganó el sobrenombre de *Boca del Infierno* por sus obras cáusticas y satíricas. Llegó a componer poesías sumamente eróticas, que hacía conocer en reuniones de amigos. 15 Buscó su inspiración en la vida bohemia y en los ambientes corrompidos[20] de la sociedad. Censuró a mercaderes fraudulentos, falsos intelectuales, damas adúlteras, clérigos oportunistas, y cuanto personaje ridículo encontró. Esta actitud le causó dificultades. Pero compuso también poesías sacras y líricas, y hacia el final de su vida, viejo y enfermo, se 20 reconcilió con la iglesia, y buscó en la religión motivos de inspiración.

En el siglo XVIII, los autores aparecen agrupados en "arcadias" o academias: practican la poesía culta, de tipo barroco, e imitan preferentemente a Góngora, español, y Marini, italiano.

En el teatro se recuerda a Antonio José da Silva (1705–1739), que 25 escribió poemas y comedias burlescas contra la sociedad de su tiempo. Terminó sus días víctima de una conjuración de sus enemigos, que le urdieron un complot[21] para que fuera juzgado por la Inquisición. Se le apodaba[22] "el judío".

El poema *Caramurú*, de Fray José de Santa Rita Durão (1722?–1784) 30 es una imitación del famoso Camões. Relata en versos épicos el descubrimiento de Bahía, las luchas contra los holandeses, y las leyendas de la colonización.

José Basilio da Gama (1740?–1795) compuso también un poema, *Uruguay*, en el cual narra la guerra de los españoles y portugueses contra 35 los pueblos de las Misiones jesuíticas.

---

[19] *tardíamente* belatedly   [20] *ambientes corrompidos* corrupt surroundings
[21] *le urdieron un complot* caught him in a trap   [22] *se le apodaba* he was nicknamed

Iglesia de San Francisco, en Salvador (Bahía), Brasil

LAS ARTES

El arte colonial brasileño se distingue, esencialmente, por la arquitectura religiosa. En su mayor parte, las iglesias y conventos reproducen el estilo barroco portugués, pero son más simples, y con decoración menos recargada.[23] En la ornamentación interior se aplicó con frecuencia el oro, y en la exterior, el azulejo.

Uno de los más bellos ejemplos de este tipo de arquitectura es la iglesia de San Francisco de Asís, de Ouro Preto, considerada por los críticos de arte como una obra perfecta y sin rival.

[23] *recargada* ornate

Iglesia de San Francisco de Asís, Ouro Preto, Brasil

Escultura de
Antonio Francisco
da Costa Lisboa,
el "Aleijadinho"

El estado de Minas Gerais es uno de los más ricos en relación con el pasado histórico, religioso, y artístico del país. Uno de los mayores atractivos está en las iglesias de su vieja capital, Ouro Preto. En Río de Janeiro, Bahía, Recife, Olinda, y la ya citada Ouro Preto, se encuentran
5   los mejores y más ricos templos coloniales.

EL "ALEIJADINHO"

El más genial de los artistas de la época colonial fue Antonio Francisco da Costa Lisboa (1730–1814).

Fue hijo de un arquitecto portugués y una esclava negra, iletrado,[24] pero de una capacidad sin igual para la arquitectura y la escultura.
10   Desde niño se consagró a estas artes. Hacia la mitad de su vida, una grave enfermedad le arruinó los pies y las manos, obligándole a arrastrarse por el suelo. Un esclavo le colocaba los instrumentos de su oficio en las

[24] *iletrado* illiterate

manos, y Lisboa trabajaba así. Por causa de tal deformidad, se le apodó *Aleijadinho* (el lisiado, tullido).[25]

Nunca salió de su estado natal, Minas Gerais, y su nombre está ligado a casi todas las iglesias del lugar. Trabajó para muchísimas iglesias de pequeñas ciudades, como Ouro Preto y Sabará. Algunas fueron obra completa suya. En otras hizo esculturas en madera o piedra. Lo mejor de su obra está en la iglesia del Buen Jesús de Mattosinhos, en Congonhas do Campo.

Talló y construyó púlpitos, fuentes, imágenes, puertas, paneles, muebles, y sobre todo, impresionantes estatuas colosales, como la de los profetas y las figuras de la Pasión, con que se adornaban las iglesias.

Antonio Francisco Lisboa está considerado como el más grande escultor de América del siglo XVIII, y la leyenda dice que murió de una enfermedad parecida a la lepra.[26]

[25] *lisiado, tullido* crippled   [26] *lepra* leprosy

CUESTIONARIO

1. ¿Cómo se produjo el descubrimiento del Brasil y por qué se puso ese nombre a las nuevas tierras? 2. ¿Qué aborígenes habitaban el país en época del descubrimiento? 3. ¿Quiénes eran los *donatarios*? 4. ¿Cuál fue la antigua capital del Brasil? 5. ¿Qué países extranjeros tuvieron interés en la colonia portuguesa? 6. ¿Qué fue la Nueva Holanda? 7. ¿Quién expulsó a los franceses del Brasil? 8. ¿En qué años estuvo el Brasil bajo el dominio español? 9. ¿Que sucedió con la línea de Tordesillas en tiempos del dominio español? 10. ¿Cuál es el origen del nombre Minas Gerais? 11. ¿Quiénes fueron los *bandeirantes*? 12. ¿Qué hizo Tiradentes, el primer mártir de la independencia del Brasil? 13. ¿Quién fue el Padre Anchieta? 14. ¿A quién se llamó "Boca del Infierno" en la colonia? 15. ¿Qué eran las "arcadias" del siglo XVIII? 16. ¿Cuáles fueron dos famosos poemas de ese mismo siglo? 17. ¿A qué iglesia considera la crítica como obra arquitectónica perfecta en el Brasil? 18. ¿Cuál es uno de los estados más ricos en obras artísticas? 19. ¿Cómo se llamaba el *Aleijadinho*? 20. ¿Qué realizó este artista?

TEMAS ESPECIALES DE COMPOSICIÓN Y CONVERSACIÓN

I. El descubrimiento y la colonización del Brasil.
II. El mestizaje en el Brasil.
III. Los "bandeirantes" y la expansión hacia el interior.
IV. La literatura colonial en el Brasil.
V. El "Aleijadinho" y la arquitectura colonial brasileña.

CAPÍTULO XIII

La INDEPENDENCIA Y LA ANARQUÍA

AMÉRICA A FINES DEL SIGLO XVIII

Hacia el año 1806, después de más de trescientos años de dominación, España había agotado su capacidad de regir el vasto imperio. La autoridad de los reyes, virreyes y gobernadores había perdido prestigio y los pueblos de América habían llegado a convencerse de que nada más podía esperarse de la madre patria, pues el ciclo español estaba terminado.

Los criollos, y particularmente las minorías cultas, que habían viajado y estudiado, no aceptaban ya el sistema hispánico, al que consideraban anticuado e injusto para sus propios pueblos: restricción y monopolio comercial, impuestos excesivos, gobernantes incapaces, desprecio por los derechos de las municipalidades, pobreza general, especulación y mala administración, diferencias de clases, explotación de los indios y negros, represión sangrienta de las rebeliones, atraso cultural, censura de las ideas, falta de libertad de imprenta, vigilancia del estado sobre la enseñanza, los libros y las traducciones, rigidez de algunas autoridades eclesiásticas, en una palabra, todas las desgracias propias de una situación colonial.

No existía propiamente un sentimiento antiespañol, pues en su mayor parte, todos tenían algo hispánico en su sangre, su religión, su lengua, su tradición, o su visión de la vida, pero sí había un profundo resentimiento contra el sistema imperial.

LAS REFORMAS DE LOS BORBONES

Los reyes de la Casa de Borbón, que habían sucedido a los de la Casa de Austria en la corona española a partir de 1701, habían intro-

ducido sustanciales modificaciones en el sistema colonial, principalmente
Carlos III, el más progresista de todos ellos, que reinó de 1759 a 1788.

Estos reyes abolieron el sistema de flotas, autorizaron a varios puertos
de España y América para el comercio, crearon los virreinatos de Nueva
Granada y del Río de la Plata, concedieron patentes[1] a compañías
comerciales para el tráfico con América,[2] quitaron a los comerciantes de
Sevilla el monopolio del comercio con América, estimularon las industrias
que no competían con las españolas, promovieron la ganadería y agricultura, y rebajaron los impuestos.

Las más importantes de sus reformas fueron la ampliación de milicias
permanentes en las colonias para la defensa del territorio, la abolición
de las odiadas encomiendas, la expulsión de los jesuitas, y la creación del
sistema de intendencias.[3]

Los intendentes tuvieron variadas funciones según los lugares, pero
en general, debían vigilar a los administradores locales y entender en[4]
asuntos de justicia, sobre todo en lo referente a la explotación de los indios,
cumplimiento en el pago de impuestos, contrabando, reformas sociales,
y desarrollo de la economía. Prácticamente, fueron una limitación al
poder de los gobernantes y funcionarios, y un freno a la corrupción
administrativa.

Sin embargo, las reformas no significaron un alivio para las colonias,
sino un mejor sistema de administración y gobierno, tendente a afianzar[5]
el poder real, frente al de los virreyes y municipios, y a obtener un
rendimiento[6] económico más efectivo.

LAS PRIMERAS REBELIONES

En Caracas se produjo en 1749 un alzamiento contra el monopolio
comercial de la Compañía Guipuzcoana, y Juan Francisco de León, el
caudillo, fue ajusticiado. En Chile y Nueva Granada hubo también
revueltas para protestar contra los impuestos.

En el Paraguay, con motivo de una disputa entre el gobernador y el
cabildo de Asunción, don José de Antequera se proclamó caudillo del
pueblo paraguayo, organizó milicias y dio batallas, hasta que fue vencido
y ejecutado en 1731. Un sucesor siguió su ejemplo y formó el partido de

---

[1] *patentes* privileges, rights
[2] Some of the companies were: the Guipuzcoan of Venezuela, the Barcelona Company, the
Company of the Philippines.
[3] *intendencias* districts under the jurisdiction of an economic supervisor
[4] *entender en* to deal with   [5] *afianzar* to strengthen   [6] *rendimiento* yield

los "comuneros" o luchadores por el bien de la comunidad, quienes sostenían el principio de que la autoridad común, o sea del pueblo, era superior a la del mismo rey. Hubo también sublevaciones de comuneros en Nueva Granada (1778–1782).

5   Hubo otras varias rebeliones y alzamientos, pero la más violenta fue la dirigida por José Gabriel Condorcanqui (un descendiente de incas llamado Tupac Amarú), cacique de varias aldeas del valle de Vilcamayo. Indignado por los abusos de unos corregidores con respecto a los indígenas, acaudilló a 6.000 indios de guerra, ejecutó en la plaza pública a uno de los

10   corregidores, y marchó con sus hombres contra el Cuzco (1780–1781). Derrotado en el camino, volvió a reunir 50.000 indios, pero una represión sangrienta terminó con muchos miles de ellos, y Tupac Amarú fue despedazado[7] vivo por las autoridades españolas.

LA EXPULSIÓN DE LOS JESUITAS

    El rey Carlos III decretó en 1767 la expulsión de los jesuitas de todos

15   los dominios. El conde de Aranda, ministro del rey, preparó minuciosas órdenes secretas a los virreyes y gobernadores, y los religiosos fueron obligados a salir, sin previo aviso, en días y horas estrictamente señalados, de todos los colegios, universidades, conventos, etc., sin permitírseles llevar más que un breviario y los objetos de uso personal. Fueron em-

20   barcados en tropel[8] a Italia, y sus instalaciones ocupadas. Los bienes de los jesuitas pasaron al gobierno y a las fundaciones de enseñanza.

    La expulsión de los jesuitas indignó a la opinión pública, que no comprendía las causas del atropello,[9] y fue necesario emplear la fuerza para reprimir motines de apoyo en México, Perú, Chile, y Buenos Aires.

25   De esta manera, la corona española rompió los vínculos que por siglos había mantenido con la iglesia y los sacerdotes americanos, y al mismo tiempo, las autoridades comenzaron a perder el respeto y la obediencia que hasta entonces habían tenido.

LAS NUEVAS IDEAS

    Muchos de los criollos habían conocido las nuevas ideas filosóficas y

30   económicas del siglo XVIII europeo.

    El concepto de Juan Jacobo Rousseau de que el pueblo es el único soberano, y que solamente el pueblo puede delegar el gobierno en las

---

[7] *despedazado* torn to pieces   [8] *en tropel* in a great rush
[9] *atropello* outrage

autoridades, entusiasmó a los intelectuales criollos, y el libro de Rousseau donde se exponía esta doctrina, el *Contrato Social*, circuló clandestinamente por América.

Antonio Nariño, un patriota colombiano que leyó la *Declaración de los derechos del hombre*, promulgada por la Revolución Francesa (1789), ⁵ tradujo el libro al español, y lo imprimió a escondidas[10] en Bogotá. Pagó con el destierro y la cárcel su audacia.

Las ideas económicas tuvieron gran importancia en el proceso de la emancipación. Manuel Belgrano, argentino, estudió economía en España a allí tomó contacto con el pensamiento del francés François Quesnay, ¹⁰ según el cual la libre iniciativa individual (*Laissez faire, laissez passer*)[11] permite lograr los mejores rendimientos económicos. En 1796 propuso al virrey establecer una escuela mercantil, y otra de náutica, para enseñar las leyes del intercambio.

Mariano Moreno, otro patriota de Buenos Aires, solicitó al virrey en ¹⁵ 1809 que abriera el puerto de la ciudad al comercio inglés, y en 1810, tradujo el *Contrato Social* de Rousseau.

Un poco más tarde, influyeron también las ideas de los economistas liberales ingleses, Adam Smith, John Stuart Mill y David Ricardo, para quienes el interés, o ganancia[12] personal es el fundamento de toda activi- ²⁰ dad económica, y la libre competencia el mejor medio de obtener el bienestar general. También gravitaron las ideas de los mercantilistas, que sostienen que la riqueza de las naciones se logra con un comercio favorable, y la existencia de grandes industrias manufactureras.

En realidad, la política económica de España no era un error ²⁵ absurdo y caprichoso, pues la teoría del monopolio era el concepto general aceptado en la época, en que todavía no habían aparecido las ideas liberales, y lo practicaban también Inglaterra y los demás países con colonias.

Por otra parte, el sistema monárquico y colonial había sufrido dos ³⁰ profundos reveses: la independencia de los Estados Unidos de Norte- américa (1776) y la Revolución Francesa (1789). A la vieja teoría de la monarquía absoluta de origen divino, se oponía la de la república de origen popular de Rousseau, Montesquieu, Thomas Jefferson, y Thomas Paine. La idea del monopolio económico del gobierno se oponía a la de la ³⁵ competencia y la libre iniciativa privada.

---

[10] *a escondidas* secretly

[11] *laissez faire* A French expression meaning literally "let do," that is, let business act without governmental control.

[12] *ganancia* earnings, profit

FRANCISCO DE MIRANDA, EL PRECURSOR

La mayor parte del imperio español se desmoronó[13] en trece años y medio. Francisco de Miranda (1756–1816), venezolano, es el precursor de la independencia hispanoamericana.

Fue un caso[14] extraordinario de aventurero y militar, místico de la libertad, y soldado calculador, que como oficial del ejército español había participado en la guerra de la independencia norteamericana contra los ingleses, y en la Revolución Francesa. En 1797 fundó en Londres una asociación, la Logia Americana, cuyos miembros se comprometían a trabajar por la independencia americana y hacían profesión de fe democrática.[15] Fue también Miranda la persona que relacionó con comunicaciones escritas y secretas los proyectos revolucionarios de varios patriotas de América.

En 1806 intentó liberar a su país. Partió con unos 200 hombres del puerto de Nueva York. Desembarcó en Coro (Venezuela), pero fracasó por no encontrar allí la colaboración necesaria. Regresó a Inglaterra y preparó con Simón Bolívar la revolución de su país, pero a poco de regresar a Venezuela en 1810, fue apresado y entregado a los realistas, quienes lo enviaron preso a España. Murió en una cárcel de Cádiz.

LA INDEPENDENCIA

El momento decisivo llegó cuando Napoleón Bonaparte invadió a España y Portugal (1807). Los reyes de Portugal se trasladan entonces con su corte al Brasil, y continúan allí la monarquía, pero el rey de España, Fernando VII, abdica y Napoleón nombra rey a su hermano José.

Ante estos acontecimientos, los criollos se niegan a obedecer al usurpador y deliberan en "cabildos abiertos", con la participación del pueblo. Los delegados napoleónicos a Venezuela, Nueva Granada y Río de la Plata son rechazados en su demanda de reconocimiento de soberanía.

En realidad, los patricios criollos, aparte de la solidaridad natural con la madre patria, esperaban el momento oportuno para romper su dependencia de los reyes de España. Los criollos moderados pensaban en monarquías independientes,[16] para las que llamarían a los Borbones

---

[13] *se desmoronó* crumbled away   [14] *caso* example

[15] Bolívar, San Martín, O'Higgins, Monteagudo, Moreno, Nariño, and Servando Teresa de Mier, as well as many other patriots, belonged to the American Lodge. There were other such secret lodges in America.

[16] There was some thought of offering a throne to Princess Joaquina Carlota, the sister of Fernando VII of Spain, and the wife of the prince regent (later King Juan) of Portugal and Brazil. The plans failed.

Retrato
de Francisco
de Miranda
en la cárcel
de Cádiz
por Arturo
Michelena

El antiguo Cabildo de Buenos Aires, donde se proclamó la libertad de las Provincias
Unidas del Río de la Plata, en 1810. Construido hace pocos años en el centro de la
ciudad, sobre planos y datos de la época colonial

destituidos, pero los criollos liberales, favorecían la formación de juntas[17] de gobierno americanas, semejantes a las de España, las que actuando en nombre de Fernando VII, tendrían el gobierno efectivo.[18] En el fondo, ambos grupos tenían la secreta intención de aplacar por el momento a los
5 virreyes de América, para declarar luego la independencia absoluta, como en realidad sucedió. Se formaron así juntas en varios países.

Para esto, los criollos sostenían la teoría jurídica de que América estaba unida a la corona de España, y no a la nación española, y que por lo tanto,[19] estando ausente o prisionero el monarca, el poder debía
10 volver al pueblo. Empezaron así las guerras de la independencia.

SIMÓN BOLÍVAR

Simón Bolívar (1783–1830) nació en Caracas, de una familia rica. Se educó en España y fue oficial del ejército de ese país. Viajó por Europa y los Estados Unidos, y en 1810 regresó a su país para luchar por la libertad.
15 Era un hombre audaz y heroico, de una inteligencia brillante, que soñaba con una América hispánica libre y confederada. Declaró la "guerra a muerte" a los realistas, y en espectaculares campañas y batallas libertó a Venezuela y Colombia. Fue nombrado "Libertador" de su país y presidente de la Gran Colombia.
20 Su lugarteniente,[20] el general Antonio José de Sucre, con tropas colombianas, venezolanas y refuerzos argentinos enviados por San Martín, derrotó[21] a los españoles en Ecuador. Luego, con Bolívar concluyó la guerra en el Perú, iniciada por San Martín, y libertaron al Alto Perú (Bolivia).

JOSÉ DE SAN MARTÍN

25 José de San Martín (1778–1850) es el libertador de Chile y el Perú. Nació en Yapeyú, Argentina, y desde niño se radicó con sus padres en España, donde siguió la carrera de las armas. Intervino como oficial del ejército español en la guerra napoleónica y en campañas de Africa.

En 1812 regresó a la Argentina con otros patriotas para luchar por la
30 independencia. En Mendoza organizó el "Ejército de Los Andes",

---

[17] *juntas* councils
[18] Years later the moderate elements of the years of the struggle for independence became the conservatives. The liberals continued to maintain a point of view opposed to that of the conservatives.   [19] *por lo tanto* therefore
[20] *lugarteniente* lieutenant general, second in command   [21] *derrotó* defeated

Retrato
de Simón Bolívar
en el Palacio Blanco
de Caracas,
Venezuela
por Luis Gyory

cruzó la cordillera y libertó a Chile con el apoyo del general chileno Bernardo O'Higgins. Más tarde subió por mar hasta Perú y venció a los españoles en varios combates. Entró victorioso en Lima (1821), y fue proclamado "Protector" del Perú.

Al año siguiente se reunió con Bolívar en Guayaquil, Ecuador, en una conferencia secreta, y dejó el mando de sus tropas a cargo de Bolívar, quien completó con Sucre la campaña libertadora. San Martín, que no quiso participar en las nacientes discordias internas de los países americanos, se retiró a Francia, donde vivió el resto de sus días.

5

Retrato de José de San
Martín por Bouchot

Miguel Hidalgo
y Costillo

MIGUEL HIDALGO

La independencia de México fue proclamada por el padre Miguel Hidalgo y Castilla (1753–1811), cura de Dolores, quien estaba descontento con la política española y deseaba reformas sociales. Organizó una masa popular, atacó y tomó ciudades, y marchó sobre México, pero no se atrevió a entrar, hasta que finalmente fue vencido por las fuerzas reales. Mientras se retiraba con sus amigos para buscar ayuda en los Estados Unidos, fue apresado y conducido a Chihuahua, donde se le aplicó la pena capital. En Guadalajara había organizado un gobierno, y abolido la esclavitud, además de repartir tierras a los indios.

Varios hombres modestos tomaron su bandera y siguieron la lucha. El más notable de ellos fue otro cura, el padre José María Morelos y Pavón, quien, dotado de mejores condiciones para el mando, hizo algunas buenas campañas. Bajo su influencia se abrió un congreso en Chilpancingo, que declaró la independencia del país (1813). Dos años más tarde Morelos fue vencido y ejecutado por los realistas.

LA FORMACIÓN DE LAS NUEVAS NACIONES

En 1824 las luchas de la independencia habían terminado en la mayor parte de Hispanoamérica. Cuba y Puerto Rico siguieron en poder de los españoles hasta 1898.

Las Provincias Unidas del Río de la Plata proclaman su independencia en 1816, pero el Paraguay se niega a formar parte de ellas, y se independiza (1813). El Uruguay, después de varias vicisitudes, y de una ocupación temporaria por los brasileños, consigue la independencia definitiva en 1828. Bolivia se independiza en 1825.

O'Higgins había declarado independiente a Chile (1817), y San Martín al Perú (1821). Santo Domingo se había independizado en 1821.

Venezuela, Colombia y Ecuador, que habían formado la Gran Colombia (1821) bajo la presidencia de Bolívar, se separan entre 1829 y 1830. Panamá se separará de Colombia en 1903.

Después de la independencia de México (1813), los países que habían formado la antigua Capitanía General de Guatemala se independizan en 1821; constituyen las Provincias Unidas de Centro América (1823), pero pronto se desmembran en El Salvador, Nicaragua, Costa Rica, Guatemala y Honduras (1838–1841).

En el centro, el Panteón Nacional de Caracas, donde se encuentran los restos del Libertador Simón Bolívar y otros héroes venezolanos

Arco de la Federación,
en Caracas, Venezuela

ANARQUÍA Y CAUDILLISMO

En los momentos mismos de las luchas por la independencia, los criollos diferían en sus ideas sobre la organización de los países. Concluidas las guerras y consolidada la soberanía, sobreviene un complicado período de luchas civiles, que duran unos treinta años aproximadamente.
5   Surgen los caudillos, los dictadores militares y civiles, las guerras internas, las revoluciones, y algunos conflictos internacionales.

En México, un antiguo oficial del ejército realista, Agustín de Iturbide, se hace proclamar emperador (1822–1823), pero es obligado a abdicar por el general Antonio López de Santa Ana, que tendrá una
10 activa participación en la política mexicana durante muchos años. El estado de Texas se separa de México (1845), y se produce más tarde la guerra entre ese país y los Estados Unidos (1846–1848), en la que México pierde casi la mitad de su territorio. En la Argentina, el dictador Juan

Manuel de Rosas gobierna despóticamente durante más de veinte años, y en el Paraguay, el dictador José Gaspar Rodríguez de Francia lo hace durante veintiséis. En Guatemala José Carrera gobierna casi treinta.

El fenómeno del caudillismo y las dictaduras en la América hispánica es un capítulo triste de su historia.[22] Se entremezclan ambiciones perso- 5
nales, diferencias ideológicas, ideas religiosas, fanatismo temperamental, interferencias extranjeras, primitivismo político, y sobre todo, falta de preparación para la vida cívica en común, tal vez como consecuencia de una brusca transición del sistema colonial al sistema independiente.

[22] This period lasted throughout the 19th century and has continued into the 20th.

CUESTIONARIO

1. ¿Por qué no aceptaban los criollos el régimen colonial a fines del siglo XVIII? 2. ¿Hubo propiamente un sentimiento antiespañol en la época? 3. ¿Qué reformas se hicieron en la América hispánica en el siglo XVIII? 4. ¿Qué funciones tenían los intendentes? 5. ¿Qué fue la rebelión de los "comuneros" en el Paraguay? 6. ¿Quién fue Tupac Amarú y qué hizo en el Perú? 7. ¿Qué consecuencias tuvo la expulsión de los jesuitas del imperio español? 8. ¿Cuáles fueron las nuevas ideas que entusiasmaron a los patriotas criollos? 9. ¿Qué sostiene la teoría de Juan Jacobo Rousseau acerca de la soberanía? 10. ¿Qué ideas económicas se opusieron al sistema del monopolio español? 11. ¿Quién fue Francisco de Miranda? 12. ¿Qué sucedió en España y Portugal en 1807? 13. ¿Qué actitud adoptaron los patriotas criollos frente al rey usurpador José Bonaparte? 14. ¿Qué fueron los "cabildos abiertos"? 15. ¿Qué teoría sostenían los criollos para formar juntas de gobierno en sus países? 16. ¿Qué obra cumplió Simón Bolívar? 17. ¿Qué hizo José de San Martín? 18. ¿Quiénes fueron colaboradores en las campañas militares de ambos generales? 19. ¿Quién declaró la independencia en México? 20. ¿Conservaron los países nuevos la misma organización administrativa que tuvieron en tiempos de la colonia? 21. ¿Cuánto duró el período de la anarquía que siguió a la independencia?

TEMAS ESPECIALES DE COMPOSICIÓN Y CONVERSACIÓN

I. Las reformas en la América hispánica durante el siglo XVIII.
II. Las rebeliones precursoras de la independencia.
III. La ideología de la revolución hispanoamericana.
IV. Los libertadores de la América hispánica.
V. La formación de las nuevas naciones y el caudillismo.

CAPÍTULO XIV

NEOCLASICISMO Y ROMANTICISMO

LA LITERATURA DE LA REVOLUCIÓN

Los hombres de la revolución habían estudiado en la universidad colonial y, por lo tanto, su cultura era particularmente humanística. La literatura, latín, retórica, lógica, filosofía, historia, derecho y teología habían sido la base de su educación y, en casos excepcionales, algunas disciplinas científicas, como las matemáticas, la física y la economía.

Estos patriotas apoyaron las luchas militares con una abundante literatura, y una vez conquistada la independencia, continuaron en la tarea de consolidarla mediante la difusión de sus ideas a través del periodismo. Se crearon periódicos por todo el continente, de duración efímera[1] casi todos, que prolongaron las viejas "gacetas" de la época colonial, pero esta vez con las nuevas ideas.

Entre los prosistas de la revolución, sobresale Mariano Moreno (1779–1811), fundador de la *Gaceta de Buenos Aires*, primer periódico de opinión y doctrina en el Río de la Plata, que publicó artículos sobre el sufragio universal, la libertad de imprenta, igualdad de los hombres, cultura popular, desarrollo de la industria y el comercio, y otros temas del repertorio revolucionario.[2]

---

[1] *efímera* ephemeral, short-lived

[2] Among many other journalists of the period were: Bernardo Monteagudo, *Mártir o libre* (Buenos Aires, 1812); Camilo Henríquez, *La aurora de Chile* (1812); Francisco José de Caldas and Joaquín Camacho, *El diario político de Santa Fe de Bogotá* (1810); Rafael María Coss, *El ilustrador nacional* (México, 1812); José J. Fernández de Lizardi, *El pensador mexicano* (1812).

Sucedió a Moreno en la dirección del periódico, Bernardo Monteagudo, un político argentino de gran fogosidad[3] y exaltación, que acompañó a San Martín, O'Higgins y Bolívar, y editó periódicos en Buenos Aires, Chile y Perú. Es una singular figura del movimiento de liberación hispanoamericano, de ideas aristocráticas, furia revolucionaria, y arrogancia periodística. 5

Simón Bolívar, el Libertador, fue también un buen prosista, dueño de un estilo elegante y claro. En sus cartas y discursos ha dejado un valioso testimonio sobre la realidad de Hispanoamérica, con sus virtudes y carencias, y una conocida profecía sobre el futuro.de estos países. 10

Aunque el periodismo fue la actividad literaria más inmediata y directa, la prosa revolucionaria es riquísima en memorias, autobiografías, cartas, discursos, artículos, ensayos, panfletos y traducciones.

Hubo también una poesía revolucionaria, aunque de valor estético limitado. Celebraba los triunfos de las armas americanas, ensalzaba[4] a 15 los héroes de la guerra, promovía el entusiasmo nacional y atacaba a España, sus hombres y sus actos.[5]

Esta poesía se ha recogido en "cancioneros"[6] y algunas de las composiciones son anónimas, mientras que otras aparecen firmadas. Algunas piezas están compuestas, además, en lenguaje popular. 20

Bartolomé Hidalgo, uruguayo de nacimiento, inicia la literatura gauchesca[7] del Río de la Plata con los llamados *cielitos*[8] o canciones breves con estribillo,[9] sobre motivos heroicos, y con los *diálogos* patrióticos en verso.

En general, el estilo de la poesía revolucionaria es inflamado y 25 retórico.

LA POESÍA NEOCLÁSICA

Al lado de la poesía patriótica de circunstancia, existió una poesía culta que venía desde fines del siglo anterior e imitaba el neoclasicismo español y europeo.

---

[3] *fogosidad* fire, spirit   [4] *ensalzaba* praised

[5] The national anthems of the various countries were composed during this period.

[6] *cancioneros* collections of verse   [7] *gauchesca* gauchesque

[8] The gauchos or "cowboys" of the pampas were fond of poetry. Among the gauchos the *cielo* had a love theme. Bartolomé Hidalgo, the link between the anonymous, oral poetry of the gauchos and the literature dealing with the gaucho written at a later date by known authors, used the *cielo* to express patriotic sentiments.   [9] *estribillo* refrain

Se inspiraba en los modelos de Cadalso, Cienfuegos y, en especial, de Meléndez Valdés en lo amatorio, y de Quintana en lo civil y patriótico. Los poetas criollos hacían también traducciones de los latinos, Horacio preferentemente, y de algunos italianos, franceses e ingleses.

5   El neoclasicismo, en literatura, correspondía al movimiento filosófico de la Ilustración, que dió importancia capital a la razón y se interesó por el progreso de los pueblos, el gobierno de las minorías ilustradas, el sentimentalismo y la educación popular, y los demás temas del Siglo XVIII.

10   Las figuras sobresalientes de la época son José Joaquín de Olmedo (1780–1847), ecuatoriano, que compuso una famosa oda en elogio de Bolívar—al parecer a pedido del[10] propio libertador—, titulada *La victoria de Junín*, y que está considerada una de las mejores composiciones poéticas producidas en Hispanoamérica; y José María Heredia (1803–
15   1839), cubano, de una gran educación humanística, autor de dos celebradas odas, *En el teocalli de Cholula*, en que contempla con nostálgica emoción los restos de la cultura azteca, y *Niágara*, excelente descripción de esas cataratas.[11]

ANDRÉS BELLO

El hombre de mayor cultura y talento de ese período fue el venezolano
20   Andrés Bello (1781–1865), que está considerado uno de los más grandes maestros que ha dado hasta el presente Hispanoamérica.

Desde joven se consagró al estudio de las humanidades y en esa tarea persistió toda su vida. Viajó a Londres[12] como agente de la revolución, y permaneció allí unos veinte años, durante los cuales trabajó como
25   maestro particular, realizó estudios e investigaciones literarias, y escribió algunas de sus obras. Regresó a Chile invitado por el gobierno, y en ese país realizó una inmensa labor intelectual: fue profesor universitario y organizador de la Universidad de Chile, consejero gubernamental y autor principal del Código Civil.[13]

30   En literatura fue un ardiente defensor del clasicismo, y por estas ideas, sostuvo una polémica[14] con el argentino Domingo Faustino Sarmiento, exilado entonces en ese país, quien defendía la libertad romántica en el arte.

---

[10] *a pedido del* at the request of
[11] Other poets of the period are: Andrés Quintana Roo (1787–1851) of Mexico; Esteban de Luca (1786–1856) and Juan Cruz Varela (1794–1839) of Argentina.
[12] *Londres* London
[13] *Código Civil* Civil Law
[14] *polémica* literary controversy

Retrato de
Andrés Bello
por Monvoisin

La obra de Bello es casi enciclopédica: filosofía, derecho, gramática, métrica, historia y crítica literaria, poesía, filología, educación e historia. Defendió con energía la pureza y unidad en Hispanoamérica de la lengua española, y su obra *Gramática de la lengua castellana*, que anotó el colombiano Rufino José Cuervo, es la más autorizada de las gramáticas escritas hasta nuestros tiempos, con excepción de la compuesta por la Real Academia Española.   5

En poesía, escribió silvas,[15] la mejor de las cuales es la *Silva a la agricultura en la zona tórrida*, en la que describe con estilo magistral[16] los productos de América. Hizo una traducción libre de una pieza de Víctor   10

[15] *silvas* poems (composed in lines of 11 and 7 syllables)   [16] *magistral* masterly

Hugo, *La oración por todos*, que goza de merecida fama. Tradujo además al español obras de autores latinos, ingleses, italianos, franceses y alemanes.

LA NOVELA: LIZARDI

En la colonia y durante los primeros tiempos de la independencia no hubo propiamente novelas. Los antecedentes de la novela hispanoamericana
5 son algunos relatos de viajes y aventuras del siglo XVIII.

El creador de la novela hispanoamericana es el mexicano José Joaquín Fernández de Lizardi (1776–1827), que usaba el seudónimo[17] de "El Pensador Mexicano". Fue un hombre de clase media, con una educación universitaria incompleta e ideas liberales iluministas. Fundó
10 un periódico desde donde difundía[18] sus ideas revolucionarias y reformistas, aunque con cierta cautela,[19] por las circunstancias políticas de México.

[17] *seudónimo* pen name, pseudonym   [18] *difundía* spread   [19] *cautela* caution

José Joaquín Fernández
de Lizardi

Como sus ideas eran censuradas,[20] se dedicó a escribir novelas, en las cuales exponía su pensamiento, en forma de sermones o diálogos entre los personajes, acerca de la iglesia, la educación, los prejuicios de la sociedad y los vicios de su época.

Compuso varias novelas, pero su obra maestra es *El Periquillo Sarniento* (1816), escrita al modo de la novela picaresca[21] española, en la que el protagonista narra en forma autobiográfica su miserable vida en el colegio, hospital, cárcel y casas de juego,[22] con malas compañías y mujeres de la vida.[23] Sus ideas son una mezcla de catolicismo y liberalismo.

EL ROMANTICISMO

El romanticismo fue el movimiento literario de más larga duración en las letras hispanoamericanas. Entró en el sur de Hispanoamérica, por Buenos Aires, con el poeta Esteban Echeverría (1805–1851) y se prolongó durante dos generaciones. En sus momentos iniciales, el romanticismo imitó a los grandes maestros franceses, Víctor Hugo, Chateaubriand, Lamartine y Musset; a los ingleses Walter Scott, Byron y Shelley; a los alemanes Goethe, Schiller y Heine, y a los italianos Leopardi y Manzoni. Pero más tarde, siguió también a los españoles Zorrilla, Bécquer, Espronceda, Larra y el duque de Rivas.

El romanticismo hispanoamericano adoptó los mismos temas del europeo: la naturaleza, la vida solitaria, el amor pasional, el individualismo exaltado, la libertad política, la religiosidad cristiana y la historia.

Sin embargo, aportó algunas novedades. Dio más énfasis al indio y al mestizo como personajes literarios,[24] introdujo la geografía americana en las obras, y utilizó la historia local como argumento. Además, el romanticismo rompió con la tradición idiomática española, incorporando abiertamente en sus obras el vocabulario regional de cada país.

LA IDEA DE UNA CULTURA AMERICANA

Aun escritores muy clasicistas, como era Andrés Bello, habían sostenido anteriormente la necesidad de crear una cultura americana: "¿Estamos condenados todavía a repetir servilmente las lecciones de la ciencia

---

[20] *censuradas* censured
[21] *picaresca* picaresque (a type of literature in which the central character is a rogue)
[22] *casas de juego* gambling houses   [23] *mujeres de la vida* prostitutes
[24] There is a certain ambivalence in the treatment of the Indian. At times Spanish American literature treats the Indian as the "noble savage" of a Rousseau or a Chateaubriand. At times, as in the case of Echeverría's *La cautiva* or Hernández' *La vuelta de Martín Fierro*, it treats him as a threat to civilization.

europea, sin atrevernos a discutirlas, a ilustrarlas con aplicaciones locales,
a darles una estampa de nacionalidad?''—se preguntaba el maestro
venezolano en su discurso del aniversario de la Universidad de Chile, en
1848.[25]

5   En otra oportunidad, reclamaba el ensanchamiento del idioma
español: "Juzgo importante la conservación de la lengua de nuestros
padres en su posible pureza... pero no es un purismo supersticioso lo que
me atrevo a recomendarles. El adelantamiento prodigioso de todas las
ciencias y las artes, la difusión de la cultura intelectual, y las revoluciones
10   políticas piden cada día nuevos signos para expresar las nuevas ideas".[26]

Esta misma idea de crear una cultura americana la predicaron otros
ilustres hombres de la época, como Juan María Gutiérrez, Domingo F.
Sarmiento, Esteban Echeverría e Ignacio Manuel Altamirano.

EL AMERICANISMO LITERARIO

La concepción del americanismo literario es también propia del
15   romanticismo, aunque con anterioridad otros autores, como Heredia y
Olmedo, lo habían practicado.

En esta época es cuando se formula la teoría de que las naciones
hispanoamericanas deben independizarse también de España en lo
espiritual para completar la obra iniciada con la independencia política.
20   En esta idea había realmente la finalidad de crear una literatura original,
pero guardaba también en el fondo un poco de liberalismo ideológico y
otro de susceptibilidad política. Es en esa época cuando comienza a
hablarse de "mexicanidad", "argentinidad", "peruanidad", o sea de
culturas propias de cada país.

25   Esteban Echeverría es la más alta expresión de la rebelión literaria
contra España. Sostenía que no reconocía superioridad literaria a España
sobre la joven América; que los americanos no están dispuestos a buscar
en España ni en nada español el principio inspirador de la literatura, y
que el único legado[27] que los americanos pueden aceptar de buen grado
30   es el idioma, porque es realmente valioso, pero siempre con la condición
de mejorarlo y transformarlo progresivamente.

La tesis del americanismo literario tuvo diversa fortuna según los
países y las épocas, pero subsiste hasta los tiempos actuales, despojada[28]

---

[25] Enrique Anderson Imbert y Eugenio Florit, *Literatura hispanoamericana: Antología e introducción histórica* (New York: Holt, Rinehart and Winston, Inc., 1960), p. 212.
[26] Prologue to Bello's *Gramática de la lengua castellana destinada al uso de los americanos* (XVII edición; París: R. Roger y F. Chernoviz, 1914), p. vii.
[27] *legado* legacy
[28] *despojada* divested

ya del contenido antiespañol que tuvo en el siglo pasado. El llamado "criollismo" literario de nuestros días, es una prolongación de aquella idea romántica.

ESTEBAN ECHEVERRÍA

El iniciador del romanticismo en la Argentina había llevado una vida desordenada en su juventud y no concluyó sus estudios. Viajó a París y allí estudió durante cinco años a los filósofos, historiadores y escritores del momento, y a los clásicos españoles, para aprender a fondo la lengua. Volvió a Buenos Aires con la firme convicción de aportar algo nuevo a las letras de su patria.

Publicó entonces un poemita en folleto,[29] *Elvira o La novia del Plata* (1832), primera obra completamente romántica de América, y con posterioridad otros volúmenes poéticos. Fundó con Juan María Gutiérrez y Juan Bautista Alberdi la denominada Asociación de Mayo, sociedad

[29] *folleto* pamphlet

Esteban Echeverría

patriótico-literaria cuyo *Credo* redactó. Suprimida [30] por el tirano Rosas la Sociedad, y perseguidos sus miembros, Echeverría y otros escritores emigraron al Uruguay. Allí editó el antiguo *Credo* con el título de *Dogma socialista*.[31]

5   Compuso además el primer cuento de la literatura argentina, *El matadero*,[32] sobre las atrocidades de los sectarios [33] de Rosas, y un poema, *La cautiva*, de neta[34] inspiración romántica.

EL LIBERALISMO

El movimiento romántico introdujo en América una nueva ideología, el liberalismo, que vino a sustituir a la filosofía de la Ilustración cultivada 10   por los hombres de la independencia.

Participaron de las ideas liberales muchos estadistas,[35] escritores y pensadores de la época, y en cierto sentido, el pensamiento liberal se opuso a las ideas conservadoras o tradicionalistas. Las diferencias entre liberales románticos y conservadores hispanistas se proyectaron del plano 15   intelectual al político y al religioso; y bajo distintas denominaciones o manifestaciones, perduran hasta la actualidad.

El liberalismo romántico sostenía en Hispanoamérica el espíritu de emancipación frente a la tradición hispánica y colonial.

En materia política, era democrático y republicano, al estilo de los 20   revolucionarios franceses y de los escritores del socialismo utópico del siglo pasado, principalmente Henri de Saint-Simon.

En filosofía no aceptaba ningún sistema en particular, y se apoyaba en el eclecticismo espiritualista de Víctor Cousin y el pragmatismo idealista, consistentes en la libertad del sentimiento religioso, el amor y el respeto 25   entre los hombres y los pueblos, el repudio de la demagogia y la tiranía, y la defensa del derecho. En religión, predicaba un cristianismo sin dogmas y rechazaba [36] el influjo de la Iglesia Católica en la vida social y política.[37]

---

[30] *suprimida* suppressed   [31] *socialista* pertaining to society
[32] *matadero* slaughterhouse   [33] *sectarios* followers
[34] *neta* pure   [35] *estadistas* statesmen
[36] *rechazaba* rejected
[37] The Uruguayan essayist Alberto Zum Felde, in his *Índice crítico de la literatura hispanoamericana* (México: Guarania, 1954), says: "With Romantic liberalism there was initiated in America the ideological and social struggle against the Catholic Church which was to reach later, under positivism, its most active and sharpest period." (p. 97).

CUESTIONARIO

1. ¿Qué clase de obras se conocen bajo el nombre de "literatura de la revolución"? 2. ¿En qué consistía la poesía revolucionaria? 3. ¿Con qué autor y cuándo nace la poesía escrita gauchesca del Río de la Plata? 4. ¿En qué poetas españoles se inspiraron principalmente los poetas neoclásicos de América? 5. ¿Cuáles son los dos más famosos autores del neoclasicismo? 6. ¿Quién fue Andrés Bello? 7. ¿Qué valor tiene su *Gramática de la lengua castellana*? 8. ¿Quién fue José Joaquín Fernández de Lizardi? 9. ¿Qué asunto desarrolla en *El Periquillo Sarniento*? 10. ¿Cuáles fueron los temas preferidos por el romanticismo hispanoamericano? 11. ¿Qué novedades introdujeron los autores hispano-americanos románticos? 12. ¿En qué consiste la idea de una cultura americana? 13. ¿Qué es el americanismo literario? 14. ¿Qué significan las palabras "mexicanidad", "argentinidad" y "peruanidad"? 15. ¿Qué ideas sostenía Esteban Echeverría sobre España y América? 16. ¿Qué suerte tuvo la teoría del americanismo literario? 17. ¿Qué obras escribió Esteban Echeverría? 18. ¿Qué sostiene el liberalismo en materia de política? 19. ¿En qué consiste el liberalismo religioso? 20. ¿Qué efectos tuvo la idea liberal en la historia de Hispanoamérica?

TEMAS ESPECIALES DE COMPOSICIÓN Y CONVERSACIÓN

I. El neoclasicismo literario.
II. Andrés Bello.
III. El romanticismo hispanoamericano.
IV. La cultura americana y el americanismo literario.
V. El liberalismo.

CAPÍTULO XV

La organización
y la consolidación

LOS DICTADORES

Hacia mediados del siglo XIX, aproximadamente, las naciones hispanoamericanas entran en un período de organización interna, que durará unos cincuenta años.[1] La anarquía, el caudillismo y las luchas civiles han causado muchos daños y sufrimientos, y el desarrollo se ha
5   atrasado.

Los dictadores, sin embargo, no desaparecen del todo. Han caído ya Juan Manuel de Rosas (1852) en la Argentina, y José Gaspar Rodríguez de Francia (1840) en el Paraguay. El general Antonio López de Santa Ana, que fue varias veces presidente, revolucionario, héroe militar y
10 dictador perpetuo (1822–1855), se retira de México. En Guatemala, Rafael Carrera perdura hasta unos años más tarde (1865).

---

[1] A great cultural and educational movement took place during these years. Schools such as the Escuela Nacional Preparatoria in Mexico, the Escuela Normal in Puerto Rico, and the Colegios Nacionales in Argentina were founded. Academies of the Language were established: Mexico, 1875; Colombia, 1871; Venezuela, 1883. Large newspapers such as *La Nación* (1870) and *La Prensa* (1869) of Buenos Aires made their appearance as did periodicals of social or literary importance: Francisco Zarco's *La ilustración mexicana* (1851); *La semana* (Santiago de Chile, 1859); *El mosaico* (Bogotá, 1858). Among the learned men of letters were the Colombians Rufino José Cuervo (1844–1911) and Miguel Antonio Caro (1843–1909). In the field of history some of the principal authors were the Mexican Joaquín García Icazbalceta (1825–1894), the Chilean José Toribio Medina (1852–1930) and the Argentinian Bartolomé Mitre (1821–1906).

Pero surgen otros tan despóticos como los anteriores. Mariano Melgarejo, un mestizo inculto, realiza un gobierno desastroso para Bolivia (1864–1883). En el Ecuador toma el poder Gabriel García Moreno y gobierna en forma autoritaria (1861–1875), imponiendo en todo el país una disciplina conventual. El Paraguay cae en manos de la familia López por un cuarto de siglo: Carlos Antonio López (1844–1862) y luego su hijo, el general Francisco Solano López (1862–1870), que envuelve a su país en una guerra absurda.

En dos países, Argentina y México, se producen los dos acontecimientos nacionales más importantes.

LA ORGANIZACIÓN NACIONAL EN LA ARGENTINA

Cuatro excelentes presidentes se suceden unos 10 años después de la caída de Rosas; tres de ellos hombres de gran cultura y escritores; y el otro, un sagaz militar y político. Bartolomé Mitre, presidente desde 1862 hasta 1868; Domingo Faustino Sarmiento (1868–1874), Nicolás Avellaneda (1874–1880), y el general Julio A. Roca (1880–1886).

Con ellos, el país se organiza rápidamente y adopta la fisonomía de una nación moderna. Se promulga la constitución de 1853, que perdura hasta hoy con leves reformas; se termina la Campaña del Desierto, reconquistando la Patagonia que hasta entonces había estado dominada por los indios; se convierte a la ciudad de Buenos Aires en territorio federal y capital del país; se establecen los ferrocarriles; se tienden[2] los caminos, y comienza el proceso de la explotación agrícola y ganadera en gran escala; se inicia el tránsito[3] hacia la economía preindustrial; se crean escuelas primarias y secundarias por toda la nación; se establece la enseñanza oficial primaria, gratuita, laica[4] y obligatoria; se abren las puertas del país a la inmigración en masa, y torrentes de extranjeros llegan de Europa; se secularizan los cementerios y se establece el matrimonio civil al lado del religioso; se redactan los códigos[5] y comienza la etapa[6] del optimismo en el pueblo. A este período (1853–1886) se lo denomina "Organización Nacional".

LA REFORMA EN MÉXICO

En los países de Iberoamérica, liberales y conservadores se han enfrentado continuamente a causa de sus ideas, y en algunos casos han

---

[2] *se tienden* are built   [3] *tránsito* transition
[4] *laica* lay (not under religious auspices)
[5] *se redactan los códigos* codes of law are drawn up   [6] *etapa* stage, phase

Benito Juárez

llegado a la guerra civil. México y Guatemala son los dos países donde el enfrentamiento con la Iglesia Católica ha sido más violento.

En el primero de los países, Benito Juárez, un liberal de sangre india, fue el inspirador y ejecutor de la llamada Reforma de 1859. Años antes, la lucha contra la Iglesia había comenzado limitando la jurisdicción de las cortes militares y eclesiásticas (1855), y suprimiendo la Compañía de Jesús (1856). En virtud de la llamada Ley Lerdo de Tejada (1856) se obligó a la Iglesia a vender todas las tierras y bienes no dedicados al culto; se establecieron los cementerios civiles, y se fijaron los donativos[7] para los bautismos y matrimonios.

En 1857 México adoptó su nueva constitución, que rigió[8] hasta 1917. Fue un importante paso hacia adelante en el progreso del país. Dicho documento garantizaba la libertad de palabra y de prensa; prohibía el monopolio y la confiscación de los bienes; abolía los títulos hereditarios; establecía la forma republicana de gobierno, y separaba la Iglesia del Estado. Asumió la presidencia el doctor Juárez.

Estalló entonces una guerra civil entre liberales y conservadores, conocida por el nombre de la "Guerra de Tres Años" o "Guerra de la Reforma" (1858–1860), que fue ganada por Benito Juárez y sus hombres.

[7] *donativos* donations, fees   [8] *rigió* was in force

En 1859, en medio de la conflagración, Juárez dictó las Leyes de Reforma, o decretos anticlericales, por las cuales se nacionalizaban los bienes de la Iglesia no vendidos todavía de acuerdo con la Ley Lerdo; se disolvían las órdenes monásticas religiosas; se establecía el matrimonio como contrato civil y el registro de los nacimientos, matrimonios y muertes; se proclamaba la libertad de cultos,[9] y se reglamentaban las festividades religiosas. 5

EL EMPERADOR MAXIMILIANO

El presidente Juárez resolvió suspender en 1861 el pago de las deudas públicas debido a la mala situación financiera del país. Inglaterra, Francia y España decidieron entonces efectuar una acción conjunta e intervenir en México para defender sus intereses. A poco de la ocupación del puerto de 10 Veracruz, las tropas inglesas y españolas se retiraron, al darse cuenta de las intenciones imperialistas de Francia, cuyo emperador, Napoleón III, de acuerdo con elementos conservadores de México, pensaba establecer un imperio en ese país, bajo algún Habsburgo.

[9] *libertad de cultos* freedom of worship

El emperador Maximiliano

Después de algunas acciones bélicas y de la entrada de las tropas enemigas en la ciudad de México, fue impuesto en 1864 como emperador el archiduque Maximiliano de Austria, descendiente de Carlos V. El régimen concluyó pocos años después con la derrota de Maximiliano frente a las fuerzas de Juárez. Maximiliano fue ejecutado en 1867, mientras su infeliz esposa Carlota enloquecía[10] en Europa, adonde había ido en busca de apoyo para su marido.

PORFIRIO DÍAZ

Juárez y Lerdo de Tejada ocupan sucesivamente la presidencia del país, pero en 1876, el general Porfirio Díaz, héroe de la lucha contra los franceses, derrota a las fuerzas gubernamentales y es reconocido como nuevo presidente por el Congreso.

Comenzó así la era de Porfirio Díaz, que duró hasta 1911, salvo[11] cuatro años de interrupción. Se caracterizó el régimen de Díaz por el

[10] *enloquecía* was going crazy   [11] *salvo* except

Porfirio Díaz

adelanto material de México, el impulso a los ferrocarriles, el ingreso de capitales extranjeros, el establecimiento de plantas textiles, metalúrgicas y mineras, la lucha sin cuartel contra los bandidos por medio de una policía fuerte—los *rurales*—y un gobierno autocrático. La Reforma fue olvidada y las clases privilegiadas fueron protegidas contra los intereses   5 de las clases populares: el sistema de tenencia de las tierras[12] no se modificó y los latifundios[13] se consolidaron.

En 1910 estalló la Revolución Mexicana que derrotó pronto a Porfirio Díaz. Luego se restablecieron la libertad y el sistema republicano.

LA GUERRA DE LA TRIPLE ALIANZA

Después de asumir el gobierno de su país, el general Francisco   10 Solano López organizó en el Paraguay un poderoso ejército y declaró (1864) que no estaba dispuesto a tolerar la intromisión brasileña en los asuntos del Uruguay. El Paraguay pidió entonces permiso al gobierno argentino para cruzar por el norte de su territorio y atacar al Brasil (1865), pero la solicitud le fue denegada.[14] Se declaró entonces la guerra   15 entre Brasil, Uruguay y Argentina (que habían firmado un tratado de alianza) por un lado, y el Paraguay por otro.

Después de luchas cruentas[15] y penosas (1865–1870), en las que los paraguayos lucharon heroicamente, el general López fue atacado y muerto[16] en Cerro Corá, el último bastión paraguayo, con lo cual ter-   20 minó la lucha. El Paraguay perdió entonces parte de su territorio.

LA GUERRA DEL PACÍFICO

El territorio boliviano llegaba el siglo pasado hasta el océano Pacífico, por su parte sudoeste o provincia de Antofagasta. Allí se habían descubierto riquísimas minas de nitrato, y el gobierno de Bolivia, a pesar de un tratado anterior con Chile, estableció un impuesto sobre la exportación   25 de ese producto. Los concesionarios,[17] en su mayoría chilenos, pidieron protección a las autoridades chilenas, las que enviaron tropas a ocupar la región.

El Perú, que tenía un tratado de alianza con Bolivia, interpuso sus buenos oficios, pero Chile los rechazó y exigió[18] la anulación del tratado.   30

---

[12] *tenencia de las tierras* landholdings   [13] *latifundios* large, landed estates
[14] *denegada* denied   [15] *cruentas* bloody   [16] *muerto* killed
[17] *concesionarios* concessionaires   [18] *exigió* demanded

El Perú rechazó a su vez la exigencia y Chile declaró la guerra a ambos países. Ganó la guerra (1879–1883) Chile, después que sus tropas entraron en la ciudad de Lima.

Como consecuencia del conflicto, Bolivia perdió los territorios que le
5 daban una salida al mar.

LOS GRANDES PENSADORES Y MAESTROS

En la segunda mitad del siglo XIX dan a conocer sus obras grandes pensadores y ensayistas. No son filósofos en un sentido estricto, creadores de sistemas, sino hombres de inteligencia que analizan temas sociológicos, educativos, morales y políticos. Son maestros continentales, pues sus
10 pensamientos son aplicables a toda la América hispánica.

Entre los más ilustres se destacan: Domingo Faustino Sarmiento (1811–1888), Juan Montalvo (1832–1889), Eugenio María de Hostos (1839–1903), Justo Sierra (1848–1912), Enrique José Varona (1849–1933) y Manuel González Prada (1844–1918).

DOMINGO FAUSTINO SARMIENTO

15 Nació en la provincia de San Juan (Argentina) y perteneció a una familia muy modesta. Desde niño mostró gran precocidad y talento, pero no pudo realizar estudios sistemáticos y universitarios. Fue el prototipo del autodidacta.[19] Por sus ideas liberales y por su oposición a Rosas vivió exilado en Chile, donde fue periodista, maestro y organizador de la
20 Escuela Normal de Preceptores de Santiago. De esta época data su famosa polémica con Bello.

Estuvo en Europa y en los Estados Unidos, para estudiar sus sistemas de educación, y después de la caída de Rosas ocupó importantes cargos en su país. Fue diputado, senador, ministro y gobernador en su provincia
25 natal; embajador argentino en los Estados Unidos, presidente de la nación y, por último, director de educación de su país. Pero antes había sido también empleado de comercio, maestro rural, minero y soldado. La Universidad de Michigan le llegó a conferir el grado de Doctor *honoris Causa*. Hacia el final de su vida, cansado y enfermo, se retiró al Paraguay,
30 donde murió.

Las obras completas de Sarmiento comprenden 52 volúmenes, de distinta calidad y contenido. Ninguna de ellas es estrictamente literaria, pues Sarmiento no fue un artista puro: escribía para expresar su opinión, enseñar, defenderse, o atacar. Poseía un estilo sin igual, impetuoso,

---

[19] *autodidacta* self-educated man

Domingo
Faustino
Sarmiento

desordenado, vivo y demoledor,[20] que le valió el calificativo de "gaucho en literatura". A pesar de ser a veces incorrecto, es el más grande prosista de la Argentina.

El más famoso de sus libros es *Facundo o Civilización y barbarie*, que se publicó en Chile en forma periodística. Contiene un violento ataque a la dictadura de Rosas y sus caudillos,[21] y un agudo análisis de la sociedad argentina de aquellos tiempos. Es un libro extraño, "sin pies ni cabeza", según la definición del propio Sarmiento, pero escrito con incomparable maestría y fuerza. En *Recuerdos de provincia* escribe su autobiografía y se defiende de sus enemigos.

Las ideas de Sarmiento fueron las de un liberal. Consideraba a la vida gauchesca como un impedimento para el progreso de la nación; exigía una educación popular como medio de sacar a su país del atraso colonial y de la barbarie de los caudillos; mostraba el ejemplo de Europa y de los Estados Unidos como modelos para seguir en la organización del

[20] *demoledor* demolishing   [21] *caudillos* leaders

país, y aconsejaba desarrollar la industria, el comercio, el arte y las ciencias. Sostenía, además, que la barbarie era propia del gaucho y la vida campesina, mientras que la civilización del país tenía su centro en la ciudad de Buenos Aires.

5   En el libro *Conflictos y armonías de las razas en América*, expone' sus teorías sobre la mezcla de razas y culturas, y se muestra favorable al tipo de colonización anglosajona.

Su concepto político se resume sintéticamente en la frase: "Gobernar es educar".

JUAN MONTALVO

10   Nació en Ecuador y murió en París. Tuvo una educación esmerada[22] y su vida fue una continua lucha contra las dictaduras y el clero católico. Pagó las consecuencias de sus ideas con el exilio prolongado. Viajó por Europa, donde residió muchos años, y por América. Publicó gran cantidad de obras y folletos, y editó algunas revistas y periódicos.

15   Juan Montalvo atacó duramente al clericalismo, y censuró la intolerancia religiosa y el fanatismo, a pesar de que respetaba la religión y creía en los dogmas y en los misterios de la Iglesia Católica.

Creía en el despotismo ilustrado o gobierno de las minorías cultas, sin intervención popular. Su ideología es una extraña combinación de
20   catolicismo, liberalismo, anticlericalismo, conservadorismo, republicanismo, y moralismo. Fue un extraordinario estilista—acaso el mejor de su época—, pero careció de mesura.[23]

Escribió *Siete tratados*, su obra maestra, que es una serie de ensayos libres sobre diversas materias: historia, mitología, sociología, estética,
25   escritos en un estilo desbordante, pero a veces brillante.

Una obra notable de su habilidad como escritor es *Capítulos que se le olvidaron a Cervantes*, en la cual continúa el famoso libro *Don Quijote* e imita su estilo. Está escrita en un lenguaje excelente, pero no llega a alcanzar el nivel de la gracia, profundidad y espontaneidad del maestro
30   español.

EUGENIO MARÍA DE HOSTOS

Nacido en Puerto Rico, hizo sus estudios universitarios en España, pero salió del país disgustado por la actitud del gobierno español con respecto a Puerto Rico. Llevó una vida de peregrino intelectual por casi

---

[22] *esmerada* careful, thorough   [23] *mesura* restraint

todos los países de América, publicando artículos, dictando conferencias, escribiendo libros y enseñando.

Su obsesión política fue la independencia de las Antillas, y por ella hizo una fructífera[24] propaganda, buscando el apoyo de otros gobiernos. Su obra cultural es vastísima: fundó escuelas, redactó programas de estudios, escribió textos, fue director de colegios, fundó asociaciones de profesores, editó libros de derecho, y participó en academias. Sus libros abarcan la educación, arte, política, leyes, y crítica.

Sostuvo que el porvenir de América está en la fusión de las razas y que el mestizo es la esperanza del progreso. Consideraba que España había fracasado en su obra colonial por el olvido del indígena, la malversación[25] de las riquezas, la división de clases, el despotismo, la incapacidad para lograr formas democráticas de gobierno, y la desproporción excesiva entre ricos y pobres.

El libro que mejor lo representa es *Moral Social*. En otro de sus volúmenes, *Sociología*, hace un análisis de lo que él llama "sociopatía", o sea enfermedades sociales de Hispanoamérica. Estas enfermedades sociales son de origen político, económico, ético e intelectual, y se manifiestan en los malos políticos, los malos militares y los revolucionarios. Participó profundamente de la idea positivista de fin de siglo y creyó firmemente en la ley de progreso humano. Fue el precursor del pensamiento de Mariátegui y de González Prada. Se ha llamado a Hostos la "conciencia moral del continente".

JUSTO SIERRA

En México, el gran maestro de la época es Justo Sierra. Ocupó cargos importantes en la magistratura y educación, y organizó la Universidad Nacional de ese país. Fue orador, jurisconsulto, historiador, educador, cuentista y poeta. Alentó[26] toda obra cultural desde su posición de secretario de educación del gabinete[27] de Porfirio Díaz, y se caracterizó por su amor al prójimo y su insaciable curiosidad intelectual. Sus mejores obras son las históricas, escritas con cierto lirismo, y los discursos.

ENRIQUE JOSÉ VARONA

Este pensador cubano perteneció al movimiento positivista y utilitarista de fin de siglo. Fue un relativista que no participaba de las ideas metafísicas y religiosas. Sintió una gran repulsa[28] por los hombres

---

[24] *fructífera* fruitful   [25] *malversación* misuse   [26] *Alentó* Encouraged
[27] *gabinete* cabinet   [28] *repulsa* dislike

públicos deshonestos y corruptos, y denunció algunos vicios públicos, como la verbosidad, el afán de dinero, la mentira, y el juego. A pesar de su escepticismo, fue un ejemplo de probidad intelectual y de conducta personal. Su colección de ensayos y artículos, *Desde mi belvedere*, es una obra maestra en su género, lo mismo que *Violetas y ortigas*.

Enseñó durante muchos años en la Universidad de La Habana. Está reconocido como el gran maestro de su país.

MANUEL GONZÁLEZ PRADA

Este escritor peruano cultivó la prosa y el verso. Aunque perteneció a una familia aristocrática, repudió a las oligarquías de su país y salió en defensa del indio.

Fue un terrible polemista, de la estatura de Sarmiento y Montalvo por su energía y decisión, pero su prédica fue revolucionaria y violenta, y más social que política. Arremetió contra[29] todas las mentiras y conven-

---

[29] *Arremetió contra* He attacked

Manuel González P

ciones del siglo, en defensa del indio, del pobre, y de la pureza de las costumbres, públicas y privadas.

Después de la derrota del Perú en la Guerra del Pacífico, la violencia de los ataques de González Prada se agitó al grito de "Los viejos a la tumba, los jóvenes a la obra". Fue anticatólico y revolucionario, y la 5 furia de sus ataques le valió el exilio y grandes enemistades.

Fue un gran poeta, sumamente original y gran conocedor de las literaturas y lenguas extranjeras. Se le considera un precursor del modernismo y un renovador literario; y en política, el antecesor del movimiento de Mariátegui, y el padre espiritual del movimiento aprista [30] en el Perú. 10

[30] The letters A.P.R.A. stand for *Alianza Popular Revolucionaria Americana*. This movement is often referred to as *aprismo*. For an explanation of its aims, see p. 209.

CUESTIONARIO

1. ¿Quiénes fueron los autores de la Organización Nacional en la Argentina? 2. ¿En qué consistió ese movimiento? 3. ¿Quién fué el autor de la Reforma en México? 4. ¿Qué disposiciones liberales contenía la Constitución Mexicana de 1857? 5. ¿Qué provisiones contenían los Leyes de Reforma? 6. ¿Quién fue el emperador Maximiliano de México? 7. ¿Cómo llegó al poder? 8. ¿Cuándo subió Porfirio Díaz al poder? 9. ¿Por qué se caracterizó su gobierno? 10. ¿Qué fue la Guerra de la Triple Alianza? 11. ¿Qué fue la Guerra del Pacífico? 12. ¿Quiénes son los grandes pensadores de la segunda mitad del siglo XIX en Hispanoamérica? 13. ¿De qué trata el libro *Facundo*? 14. ¿Cuáles fueron las ideas principales de Sarmiento? ¿Qué pensaba Sarmiento en cuestión de civilización y barbarie? 15. ¿Cuáles fueron las ideas de Juan Montalvo? 16. ¿De qué tratan sus *Siete tratados*? 17. ¿Qué valor tiene el libro de Montalvo, *Capítulos que se le olvidaron a Cervantes*? 18. ¿Cuáles son las "sociopatías" de que habla Eugenio María de Hostos? 19. ¿Quién fue el gran maestro de Cuba? 20. ¿Qué ideas predicó Manuel González Prada?

TEMAS ESPECIALES DE COMPOSICIÓN Y CONVERSACIÓN

I. La Reforma y la Guerra de Tres Años en México.
II. La Organización Nacional en la Argentina.
III. Domingo Faustino Sarmiento y su obra.
IV. Las ideas de Eugenio María de Hostos.
V. Manuel González Prada y su defensa de los indios en Perú.

EL TRÁNSITO AL SIGLO XX Y EL MODERNISMO

CUBA Y LA GUERRA DE LOS ESTADOS UNIDOS Y ESPAÑA

Cuba no había logrado separarse de España en tiempos de las guerras de la independencia. Hacia mediados del siglo XIX, sin embargo, comenzaron a manifestarse indicios de revolución, pero varios intentos fueron sofocados.[1] España efectuó reformas liberales, sin satisfacer a los 5 cubanos, que en 1895 hicieron una revolución con resultados negativos. José Martí, escritor y patriota, tuvo una importante participación en ella y murió en una de las batallas.

Pronto los Estados Unidos se vieron envueltos en la cuestión. Un barco de guerra, el "Maine", que había sido enviado al puerto de La 10 Habana para proteger los intereses y la vida de los ciudadanos norteamericanos, explotó en el puerto. El Congreso de los Estados Unidos declaró dos meses después que el pueblo cubano tenía pleno derecho a ser libre e independiente. España tomó tal manifestación como una declaración de guerra: se rompieron las relaciones diplomáticas y estalló la 15 guerra (1898).

La flota española fue vencida y las fuerzas norteamericanas tomaron la ciudad de Santiago. Al poco tiempo, se firmó un tratado de paz entre los Estados Unidos y España (1898), por el cual España renunciaba a su soberanía sobre Cuba, Puerto Rico y las Filipinas. Se estableció en Cuba 20 un gobierno militar norteamericano, que convocó una convención constituyente y estableció la República.

[1] *sofocados* quelled

LA ENMIENDA PLATT

En la nueva constitución se incorporaron las disposiciones de la Enmienda[2] Platt, la cual autorizaba a los Estados Unidos a intervenir en la isla para garantizar su independencia, y cedía al país del norte la bahía de Guantánamo y la bahía Honda. Más tarde, los Estados Unidos abandonaron la bahía Honda y en 1936 se firmó un nuevo tratado por el cual se anulaba la Enmienda Platt y el derecho a intervenir en Cuba.

LOS ESTADOS UNIDOS Y LA AMÉRICA LATINA

A fines del siglo XIX, las relaciones entre los Estados Unidos y la América Latina llegan a un punto de máxima tirantez.[3] La intervención del país del norte en los asuntos de México y otras repúblicas, la anexión de Puerto Rico y las Filipinas, el derecho a intervenir en Cuba, el apoyo a la separación de Panamá de Colombia (1903) y los derechos adquiridos en la zona del Canal de Panamá, así como las declaraciones del presidente Theodore Roosevelt sobre el ejercicio de un poder policial sobre los demás países americanos, crean un ambiente inamistoso[4] entre Hispanoamérica y el llamado "coloso del Norte". Esta política, llamada con varios nombres—*Manifest Destiny, Big Stick Policy,* o *Dollar Diplomacy*—, provoca la reacción de varios escritores y políticos de Hispanoamérica, entre ellos Rubén Darío, José Santos Chocano, Rufino Blanco Fombona, José Enrique Rodó, y Manuel Ugarte.

Hacia 1910, sin embargo, los Estados Unidos renuncian a esta política y comienza una nueva era en las relaciones interamericanas, cuyas repercusiones posteriores serán la política del Buen Vecino (1933) del presidente Franklin D. Roosevelt, y el Plan de Alianza para el Progreso (1961) del presidente John F. Kennedy.

EL SISTEMA PANAMERICANO

En 1889–1890 se reunió en la ciudad de Washington la Primera Conferencia Internacional de Estados Americanos, a iniciativa de los Estados Unidos. Se adoptaron diversas resoluciones, entre ellas la creación de la Unión Internacional de Repúblicas Americanas, llamada luego Unión Panamericana, con sede en la ciudad de Washington. Este fue el origen de todo el vasto sistema panamericano denominado actualmente Organización de los Estados Americanos (O.E.A.), que tiene diversas

---

[2] *enmienda* amendment   [3] *tirantez* strain   [4] *inamistoso* unfriendly

Edificio de la Unión Panamericana, en Washington, D.C.

organizaciones, comisiones, conferencias y reuniones para debatir y tratar los asuntos concernientes a las 21 repúblicas de América.

LOS MOVIMIENTOS LITERARIOS

Alrededor de 1880, la literatura hispanoamericana es activísima y se producen muchas obras importantes. Conviven en esos momentos diversos
5   movimientos: unos representan las últimas manifestaciones del siglo XIX, como el segundo romanticismo, la literatura gauchesca, y el realismo; otros inician las nuevas corrientes que durarán hasta los primeros años del siglo XX, como el modernismo y el criollismo. Este último movimiento logra sus mejores expresiones en el siglo siguiente.

EL SEGUNDO ROMANTICISMO

Mientras el romanticismo desaparece en Europa a mediados del siglo XIX, en Hispanoamérica dura una generación más, al lado de otras escuelas. A esta segunda época romántica se la llama *segundo romanticismo* o *posromanticismo*. Fue menos exuberante, vibrante y truculenta que en su etapa inicial, pero se mantuvo siempre dentro de las convenciones [5] estéticas de la escuela.

Después de 1850 aparecen las dos más importantes novelas románticas, *Amalia*, de José Mármol, y *María*, de Jorge Isaacs.

José Mármol (1817–1871) fue un escritor argentino, que anduvo proscripto durante la tiranía de Rosas. Es el autor de famosos apóstrofes [10] contra el tirano, considerados por la crítica como de los más violentos que se han escrito en lengua alguna. Compuso dramas y la novela *Amalia*, escrita totalmente en Montevideo durante el destierro. En ella narra las aventuras amorosas y patrióticas de una bella viuda aristocrática, Amalia, con el joven Eduardo Belgrano, un revolucionario, en el ambiente político [15] de la tiranía y las matanzas de "La Mazorca", la brutal institución policial creada por el tirano Rosas.

Jorge Isaacs (1837–1895) fue un escritor colombiano que llevó una difícil vida de revolucionario, empleado de gobierno, diputado, cónsul en el exterior, periodista, y comerciante fracasado. [20]

Lentamente, y acosado por estrecheces,[5] compuso su novela *María*, la más alta expresión de la novela amatoria romántica. Trata de los amores idílicos en el valle del Cauca (Colombia) entre Efraín y María, en medio de un ambiente provinciano y de suaves costumbres patriarcales. El joven es enviado a Europa por su padre a estudiar, pero cuando regresa [25] en busca de su novia, se entera de que ella ha muerto. *María* fue la novela más leída del siglo pasado.[6]

RICARDO PALMA

La figura más grande del romanticismo en su segunda etapa es Ricardo Palma (1833–1919), quien publicó diez volúmenes de *Tradiciones peruanas* a lo largo de veintiocho años, creando así un género literario sin [30] antecedentes en la literatura hispánica.

---

[5] *acosado por estrecheces* harassed by poverty

[6] Other important Romantic writers: Manuel Acuña (1849–1873), Mexican; Olegario Víctor Andrade (1839–1882), Argentine; Gregorio Gutiérrez González (1826–1872) and Rafael Pombo (1833–1912), Colombians; Antonio Pérez Bonalde (1846–1892), Venezuelan; Gertrudis Gómez de Avellaneda (1814–1873), Cuban.

Ricardo Palma

La "tradición" es un relato corto y ágil, de fondo histórico o legendario, escrito con humor e ironía, sobre el Perú de varias épocas, especialmente la colonial.

Palma vivió casi toda su vida en Lima, dedicado a la literatura, el
5   periodismo y la política. Fue director de la Biblioteca Nacional de esa ciudad, cuya reconstrucción dirigió después de la Guerra del Pacífico.[7]

LA LITERATURA GAUCHESCA

La literatura gauchesca es un género literario sin antecedentes en Hispanoamérica, y exclusivo de los países del Plata: Argentina y Uruguay.

Nació como una derivación de la poesía espontánea de los payadores
10   gauchos, que eran cantores de la Pampa. Se acompañaban en sus cantos con la guitarra, y tenían a veces torneos[8] de improvisación poética o

[7] The war between Chile and Peru (1879–1883).
[8] *torneos* tourneys, contests

Monumento a la carreta, Montevideo, Uruguay

contrapuntos, denominados "payadas". Fueron una especie de trovadores gauchos, cuyas piezas principales eran los *cielitos, vidalitas* y otras composiciones.

   Por derivación de esa poesía gaucha, muchos poetas cultos iniciaron la poesía gauchesca, que imitaba el lenguaje de los gauchos, sus sentimientos, ideas y sentido de la vida. Los protagonistas de los poemas gauchescos son gauchos pampeanos.[9] El género alcanzó su culminación hacia 1875 y se continuó hasta nuestra época, en novelas, poesías y obras de teatro.[10]

JOSÉ HERNÁNDEZ Y EL "MARTÍN FIERRO"

   José Hernández (1834–1886) vivió en la provincia de Buenos Aires y en el interior del país, entre gauchos, donde aprendió a conocerlos y amarlos. No hizo estudios académicos, pero estaba dotado de[11] una aguda inteligencia y de una memoria portentosa.[12]

[9] *pampeanos* of the pampas
[10] Among the guachesque writers are: Hilario Ascasubi (1807–1875), *Santos Vega o los mellizos de La Flor*; Estanislao del Campo (1834–1880), *Fausto*; Rafael Obligado (1851–1920), *Santos Vega*; Ricardo Güiraldes (1886–1927), *Don Segundo Sombra*.
[11] *dotado de* endowed with   [12] *portentosa* extraordinary

Escribió el poema *Martín Fierro* en dos partes (1872 y 1879), en defensa de los gauchos, cuya situación social era injusta en la época. El protagonista, el gaucho Martín Fierro, es víctima de la maldad de las autoridades políticas y policiales, y para ahorrarse[13] injusticias, se pasa a vivir con los indios. Cuando vuelve a su tierra, ha perdido todo, pero ha conocido la dura experiencia de todo gaucho, que es paria[14] en su propia tierra y víctima de "males que conocen todos, pero que naides[15] contó".

El poema tuvo tanto éxito, que se vendieron docenas de miles de ejemplares cuando salió a luz, en ediciones populares y baratas. El *Martín Fierro* está considerado como la obra maestra de la literatura argentina.

EL REALISMO

Algunos escritores románticos orientaron sus obras hacia temas costumbristas, y escribieron novelas y cuentos en los que los personajes ya no aparecían idealizados, y los argumentos se tomaban de la vida real. Así nació el realismo en las letras hispanoamericanas.

Esta escuela se interesó por la vida contemporánea en las ciudades; la perdición de hombres y mujeres en el vicio; la especulación financiera en la bolsa;[16] las revoluciones; la corrupción política; la explotación de los trabajadores en las minas, los campos y las fábricas; la ridiculez de las costumbres pueblerinas,[17] y otras manifestaciones de la realidad inmediata.

Se destacó en esta escuela, el chileno Alberto Blest Gana (1830–1920), cuya obra *Martín Rivas*, que trata de la vida triste de un estudiante soñador en las miserias políticas y sociales de Santiago, se considera como la primera obra realista aparecida en Hispanoamérica. Superior a Blest Gana es el colombiano Tomás Carrasquilla (1858–1940), cuya novela *La marquesa de Yolombó* es una obra maestra del realismo costumbrista. Narra la vida de una mujer inteligente, creyente y audaz, que es designada marquesa por su obra progresista en el interior de Colombia, pero termina víctima de un aventurero que se casa con ella por interés, y luego la abandona.

Un excelente cuentista realista fue el chileno Baldomero Lillo (1867–1923), que en sus libros *Sub terra* y *Sub sole* describió la tremenda crueldad con que eran tratados los mineros de su país. Otros autores

---

[13] *ahorrarse* to spare himself   [14] *paria* outcast   [15] *naides* Gauchesque word for *nadie*
[16] *bolsa* stock exchange   [17] *pueblerinas* small town

llevaron el realismo hasta sus últimas posibilidades, y se incorporaron a la escuela naturalista de Zola, mucho más cruda que el realismo.[18]

EL MODERNISMO

Puede considerarse que la época modernista se inicia en 1888, fecha en que Rubén Darío publica en Chile su libro *Azul*. Sin embargo, este movimiento literario, de tan gran repercusión, se había venido 5 formando[19] desde unos años antes, con las obras de los llamados precursores.[20]

El más meritorio lugar entre estos precursores corresponde al cubano José Martí (1853-1895), patriota de la independencia, prosista y poeta. Murió en el suelo patrio, en una batalla contra los españoles. Es un 10 héroe y mártir nacional, y al mismo tiempo, uno de los más grandes escritores de Hispanoamérica.

Cultivó por igual el periodismo, el ensayo, la crítica y la poesía. Su prosa es de una claridad, sencillez y elegancia magníficas. Desde muy joven comenzó a escribir versos, y su poética se caracteriza por la simplicidad y 15 delicadeza, el tono nostálgico y sentimental, y la sinceridad. Dedicó un volumen a su hijo, *Ismaelillo*. Otros dos se titulan *Versos libres* y *Versos sencillos*. Como un caso poco frecuente en las letras, publicó una revista para niños, *La edad de oro*.

El modernismo es el primer movimiento literario que nace en 20 América y se transmite a España. Es una escuela cosmopolita, que adopta temas y técnicas de distintos países. La literatura se convierte en un oficio de la aristocracia intelectual, los denominados artistas de la "torre de marfil".

Se da más importancia al matiz[21] que a la expresión directa; se 25 hacen versos de gran musicalidad antes que de contenido profundo; se traen a la literatura animales, paisajes, cosas "raras" y exóticas; se toma

---

[18] Other writers of realism are: the Argentine Roberto J. Payró (1867-1928), who described the political ills of his country; the Uruguayan Javier de Viana (1868-1926), who described the rural scene; the Mexican *costumbristas* José López Portillo (1850-1923); José T. Cuéllar (1830-1894), and Angel del Campo (1868-1908); the Argentine *costumbristas* Lucio V. Mansilla (1831-1913) and Lucio V. López (1848-1894); the naturalists Clorinda Matto de Turner (1854-1909) of Peru, Federico Gamboa (1864-1939) of Mexico, and Eugenio Cambaceres (1843-1888) of Argentina.

[19] *se había venido formando* had been in the process of formation

[20] Manuel Gutiérrez Nájera (México, 1859-1895); Julián del Casal (Cuba, 1863-1893); José Asunción Silva (Colombia, 1865-1896). [21] *matiz* nuance

al esplín[22] como el estado de ánimo típico y favorito; se expresan en verso
o en prosa los nuevos problemas del mundo hispanoamericano; se crean
vocablos[23] nuevos, se toman palabras de lenguas extranjeras, se rescatan[24]
del olvido términos arcaicos y fuera de uso. La sorpresa y la originalidad
5   interesaron mucho a los nuevos artistas.

RUBÉN DARÍO

El gran maestro del modernismo, y al mismo tiempo el poeta más
grande que ha dado Hispanoamérica, es el nicaragüense Félix Rubén
García, conocido por el nombre artístico de Rubén Darío (1867–1916).

Nació de familia humilde y leyó mucho desde niño. No tuvo una
10 educación formal, aunque su precocidad extraordinaria le permitió
formarse una sólida conciencia artística. Estuvo en varios países de
América y de Europa, como corresponsal periodístico o diplomático. En
Buenos Aires fue el inspirador de un gran número de artistas, y con
Leopoldo Lugones y Ricardo Jaimes Freyre, encabezó la renovación
15 literaria. En España logró la amistad y la admiración de Valle Inclán,
Unamuno, Baroja, los Machado y Castelar. Recibió honores y distinciones
en vida, que lo compensaron de su existencia pobre y bohemia. Murió en
su patria, víctima del alcoholismo.

Rubén Darío fué el poeta que más contribuyó a la renovación de las
20 letras hispanoamericanas, en temas y formas. Su arte delicado, aristocrático, aunque sin gran profundidad de pensamiento, alcanzó su más alto
grado en el citado *Azul*, en *Prosas profanas* y en *Cantos de vida y esperanza*.[25]

JOSÉ ENRIQUE RODÓ

En prosa, el escritor modernista más famoso es el uruguayo José
Enrique Rodó (1872–1917). Fue un hombre consagrado a su vocación
25 intelectual, y al margen de su cargo de profesor en la Universidad de
Montevideo, participó en la vida política de su país. Murió en Italia,
mientras efectuaba un viaje.

---

[22] *esplín* melancholy   [23] *vocablos* words   [24] *rescatan* rescue

[25] Among the numerous modernist writers of Spanish America are: *poets* such as Leopoldo
Lugones (Argentina, 1874–1938), Ricardo Jaimes Freyre (Bolivia, 1868–1933), Guillermo
Valencia (Colombia, 1873–1943), José Santos Chocano (Peru, 1875–1934), Manuel González
Prada (Peru, 1844–1914), Julio Herrera y Reissig (Uruguay, 1875–1910); *essayists* such as
Rufino Blanco Fombona (Venezuela, 1874–1944); *novelists* such as Carlos Reyles (Uruguay,
1868–1938) and Manuel Díaz Rodríguez (Venezuela, 1868–1927). The best of the modernist
novels is *La gloria de don Ramiro* by Enrique Larreta (Argentina, 1875–1961).

Rubén Darío

José Enrique Rodo

Su obra capital es *Ariel*, que presenta un diálogo entre el maestro Próspero y sus discípulos. Propone el autor a los jóvenes de América un nuevo modelo de vida, construido sobre la base de la caridad cristiana y la armonía estética griega. Defiende el ocio noble que permite el desarrollo
5	del espíritu (Ariel) y se muestra contrario al materialismo (Calibán). Reprueba la excesiva especialización profesional, y cree que es necesario lograr una sociedad justa y noble, que termine con el instinto brutal y la ignorancia, y para ello propone, como régimen político ideal, a la democracia dirigida por una minoría selecta e inteligente. Considera excesivamente
10	materialista el tipo de civilización de los Estados Unidos, y no quiere que la juventud de Hispanoamérica adopte el modelo de este país.

Rodó supo como pocos unir el pensamiento con las formas artísticas. Sus ideas han perdido algo de actualidad con el tiempo, pero su prosa se conserva como modelo de claridad y elegancia. *Ariel* apareció en 1900 y el
15	libro fue adoptado como breviario por gran número de jóvenes hispanoamericanos.

HORACIO QUIROGA

Nacido en Uruguay y fallecido en Buenos Aires, Horacio Quiroga (1878–1937) está considerado como el mejor cuentista de toda la literatura

Horacio Quiroga

hispanoamericana. Pasó gran parte de su vida en las selvas de Misiones (Argentina) y sus relatos se refieren a ese mundo natural, salvaje y poblado de animales. Están escritos con una técnica variada y hábil, en que se mezclan el misterio y la muerte, al modo de Poe y Kipling, sus maestros principales. Su obra más famosa es *Cuentos de amor, de locura y de* 5 *muerte*.

CUESTIONARIO

1. ¿Cómo se produjo la independencia de Cuba? 2. ¿Qué motivos tuvo la guerra entre los Estados Unidos y Cuba? 3. ¿Qué es la Enmienda Platt? 4. ¿Cuál fue la época de más tirantez internacional entre los Estados Unidos y la América Latina? 5. ¿Qué es el sistema interamericano? 6. ¿Qué países integran la Organización de Estados Americanos? 7. ¿Qué movimientos literarios se dan simultáneamente alrededor de 1880? 8. ¿A qué se llama segundo romanticismo o posromanticismo? 9. ¿Cuál fue el autor romántico más importante de la época? 10. ¿Qué es la literatura gauchesca? 11. ¿De qué trata el poema gauchesco *Martín Fierro*? 12. ¿A qué se llama realismo en literatura? 13. ¿Quiénes fueron los principales escritores de la escuela realista? 14. ¿Qué es el modernismo y qué temas prefiere? 15. ¿Qué escritor es el más importante precursor del modernismo? 16. ¿Quién fue Rubén Darío? 17. ¿Qué libros de poesía son los más importantes dentro de su obra? 18. ¿Quién es el mayor prosista de la escuela modernista? 19. ¿Cuál es el contenido del libro *Ariel*? 20. ¿En qué se caracterizan los cuentos de Horacio Quiroga?

TEMAS ESPECIALES DE COMPOSICIÓN Y CONVERSACIÓN

I. El panamericanismo.
II. La literatura gauchesca.
III. La guerra de los Estados Unidos y España.
IV. El modernismo y Rubén Darío.
V. El libro *Ariel* y las ideas de Rodó.

CAPÍTULO XVII

EL SIGLO XX

PANORAMA POLÍTICO

En el siglo XX se producen cambios muy importantes en los países de Iberoamérica.

Las clases pobres comienzan una lucha activa por la reivindicación de sus derechos; los dirigentes políticos se muestran, en general, impotentes
5   para resolver los urgentes problemas nacionales, y los nuevos dictadores implantan formas científicas de opresión, copiadas de los regímenes totalitarios de Europa.

Algunos gobernantes democráticos adoptan una diplomacia internacional dualista, con el objeto de calmar las presiones internas, superar[1]
10   los compromisos de la guerra fría, u obtener apoyo financiero para las necesidades nacionales. Otros gobernantes, en cambio, se definen abiertamente por la extrema derecha o la extrema izquierda.

Varias revoluciones terminan con los dictadores, que se fugan al extranjero amparándose[2] en el derecho de asilo, pero el mal no se extirpa
15   del todo. Normalmente, a la caída de cada dictador se produce un largo período de confusión y luchas internas, para restablecer las normas democráticas.

Los dos acontecimientos locales de mayor trascendencia son la Revolución Mexicana y la Guerra del Chaco. En las dos guerras mundiales,
20   ningún país iberoamericano se suma a Alemania y sus aliados.

---

[1] *superar* overcome   [2] *amparándose* protecting themselves

La situación económica y financiera se agrava después de la segunda guerra, por la baja de los precios de las materias primas,[3] el aumento de la población, las reclamaciones[4] populares, la baja productividad, las restricciones del comercio internacional, la falta de capitales e inversiones suficientes, y los conflictos internos. Actualmente, el país que demuestra más estabilidad es México.

LA REVOLUCIÓN MEXICANA

El gobierno de Porfirio Díaz, progresista en algunos sentidos, se había mostrado indiferente a las necesidades de las clases pobres del país y había gobernado durante más de treinta años con espíritu autocrático y conservador.

Habiendo prometido en 1908 elecciones libres para el año siguiente, encarceló[5] al candidato de la oposición, Francisco I. Madero, un gran idealista y hacendado rico del norte del país. Estalló entonces la revolución, en 1910, que forzó a Díaz a renunciar y abandonar el país. Madero entró en la ciudad de México y fue reconocido como presidente.[6]

Se produjo luego una larga y compleja lucha entre los jefes del movimiento: Victoriano Huerta, "Pancho" Villa, Emiliano Zapata, Alvaro Obregón, Venustiano Carranza, y otros, por diferencias en cuanto a la política, que no terminaron hasta 1920, año en que el nuevo régimen logró su estabilidad.

En medio de las luchas se promulgó en 1917 la nueva constitución del país, en la cual se introducen reformas notables: declara de propiedad exclusiva de la nación las minas y yacimientos[7] de petróleo y combustibles; la nación tiene la propiedad de todas las tierras y las aguas del territorio nacional, pero transmite el dominio de ellas a los particulares para constituir la propiedad privada; incorpora los derechos del trabajador: el derecho de huelga,[8] y la participación de los obreros en las ganacias de las empresas; establece el carácter socialista de la enseñanza oficial; reconoce la propiedad privada, pero con limitaciones según el interés público; implanta el fraccionamiento de los latifundios, y el fomento de

---

[3] *materias primas* raw materials   [4] *reclamaciones* demands   [5] *encarceló* jailed
[6] The Revolution supported a single term for the presidency, universal suffrage, and, above all, redistribution of the land.
[7] *yacimientos* mineral deposits   [8] *huelga* strike

la pequeña propiedad. Es una constitución liberal, republicana y democrática, con algunos aspectos socialistas.[9]

LA GUERRA DEL CHACO

Bolivia y Paraguay habían tenido desde tiempo atrás diferencias acerca de la línea limítrofe a través del Chaco, una inhospitalaria y selvática región casi inexplorada, pero con reservas de petróleo.

Los gobiernos de ambos países, por defensa y para sentar antecedentes en sus derechos, fueron construyendo fortines y avanzadas[10] en la región. Se produjeron entonces algunos choques entre fuerzas contrarias (1932), que hicieron estallar la guerra en 1933.

Fue una lucha terrible y prolongada, en medio de las inclemencias naturales de la región, en que los soldados de ambos países murieron con heroísmo, hasta agotar[11] prácticamente las posibilidades económicas, financieras y humanas. Cuando en 1935, el Paraguay había ocupado gran parte de la zona disputada, la intervención amistosa de otras naciones amigas del continente consiguió detener la lucha. El tratado de paz se firmó en 1938, en Buenos Aires.

LAS DOS GUERRAS MUNDIALES

En la Primera Guerra Mundial (1914-1918) y en la Segunda Guerra Mundial (1939-1945), los países iberoamericanos se colocaron al lado de las democracias, bajo variadas formas de colaboración: algunos se unieron a los aliados en la lucha; otros rompieron relaciones con los enemigos de la democracia, y unos pocos fueron neutrales, aunque esta neutralidad no fue nunca hostil a los países democráticos. En la primera guerra, fueron neutrales Argentina, Chile, Paraguay, Colombia, Venezuela, El Salvador y México; y en la segunda, hacia fines del conflicto, todos los países iberoamericanos habían declarado la guerra a los potencias del Eje.

Todos los países latinoamericanos forman parte de las Naciones Unidas.

---

[9] Subsequent governments continued the implementation of Revolutionary ideals. During the presidency of General Lázaro Cárdenas (1934-1940), for example, the Six-Year Plan was put into operation in order to accelerate the socialization of the country and to improve the standard of living. The number of schools was increased, public works were constructed, a large quantity of land was redistributed, the Confederation of Mexican Workers was sponsored by the government, and the oil industry was nationalized.

[10] *avanzadas* outposts   [11] *agotar* exhausting

EL MOVIMIENTO INDIGENISTA

Manuel González Prada (1844-1918) había iniciado este movimiento, que tuvo luego varios continuadores.

José Carlos Mariátegui (1895-1930), un joven peruano de clase humilde y educado en el marxismo, formó con varios amigos, a su regreso de un viaje de estudios por Europa, el grupo "Amauta", hacia 1925. Este grupo editó una revista con el mismo nombre y realizó una activa prédica ideológica, consistente en la aplicación de los principios marxistas a la situación peruana.

Mariátegui atacó el colonialismo hispánico, la mentalidad feudalista en la organización social, los latifundios, la escuela literaria intelectualista sin contenido nacional, la literatura españolizante. Sostuvo que la única solución del problema peruano era la reforma agraria a fondo, y el cambio de las estructuras políticas y sociales, para sacar al indio de su condición de sumisión y miseria.

Otro peruano, Víctor Raúl Haya de la Torre (1895-   ), funda en 1924 la Alianza Popular Revolucionaria Americana (A.P.R.A.),[12] que sostiene la necesidad de rescatar al indio de su situación actual, reforzar la democracia, implantar un sistema de seguridad social, dividir los latifundios, lograr una mejor participación del país en las ganancias de las minas y de las industrias petroleras y agrícolas, y unificar económica y políticamente a la América Latina.

Haya de la Torre sufrió cárcel, persecuciones y exilio por sus ideas, y es uno de los principales defensores del nombre de *Indoamérica* para este continente.

EL PERONISMO

El movimiento organizado en la Argentina por Juan D. Perón se llamó peronismo o *justicialismo*[13] (1943-1955). El principal apoyo político lo concentró en su esposa, María Eva Duarte, que centralizó las obras de beneficencia, y en la Confederación General del Trabajo, que agremiaba[14] obligatoriamente a los obreros y empleados del país. Los partidarios del régimen se denominaron también *descamisados*.[15]

---

[12] The Alliance is frequently referred to as *Apra*, and the beliefs it supports are called *aprismo*.
[13] *justicialismo* This was the term used by Perón and his followers to describe their political, social, and economic theory.   [14] *agremiaba* unionized
[15] *descamisados* "Have-nots" (*without a shirt*, literally).

Juan y Eva Perón saludan a los trabajadores desde el balcón de la Casa Rosada,
Buenos Aires, 1950.

Perón contó en su primera presidencia (1946–1952) con una gran
parte del pueblo en su favor, y efectuó un profundo cambio social y
económico, basado en la protección de los trabajadores y las clases
pobres, la industrialización, y la nacionalización de la economía.

5 Su gobierno cayó luego en el desorden administrativo, la persecución
de los partidos democráticos y las minorías intelectuales, y el ataque a la
Iglesia Católica. En los últimos tiempos se desprestigió por varios motivos,
entre ellos el contrato con la "California Oil Company" para la
explotación del petróleo en el sur del país, y el incendio de templos

10 católicos. Después de repetidos intentos frustrados, las fuerzas armadas y el
pueblo democrático se unieron en la Revolución Libertadora, que expulsó
al dictador del poder en 1955.

En teoría, el peronismo sostenía la "tercera posición" internacional
entre los Estados Unidos y Rusia, la libre determinación de los pueblos, la

humanización del capital, la educación humanística y cristiana, la igualdad social, el pequeño capital privado y familiar, y la protección de los trabajadores. Hacia el final de su gobierno, Perón anunció su decisión de organizar un estado sindicalista con milicias populares. Su lema[16] fue: "Una nación socialmente justa, económicamente libre y política-   5 mente soberana".

EL MOVIMIENTO NACIONALISTA REVOLUCIONARIO DE BOLIVIA

Desde 1952 gobierna en Bolivia el Movimiento Nacionalista Revolucionario (M.N.R.), surgido de una revolución al principio y confirmado después en elecciones públicas. En dicho país, la historia y la política han sido determinados en gran parte por las minas de oro y plata, en los siglos   10 anteriores, y de estaño[17] en el actual, así como por la existencia de un sesenta por ciento de población indígena, que ha vivido en condiciones de notoria inferioridad.

Después de la Guerra del Chaco, hacia 1940 aproximadamente, comienza a organizarse un movimiento político y social, que asume el   15 poder después de una revolución, dirigido por Víctor Paz Estenssoro.

Una vez en el gobierno, el Movimiento Nacionalista Revolucionario nacionaliza las minas que estaban en poder de tres grandes compañías —llamadas "la rosca"[18] en el lenguaje popular—, redistribuye las tierras mediante un plan de reforma agraria, y otorga derechos cívicos a los   20 indios. Se efectúan también otras reformas en materia social.

La Revolución Boliviana está considerada como el segundo intento serio efectuado en Iberoamérica, después de la Revolución Mexicana, para modificar la estructura social y económica.

LA REFORMA UNIVERSITARIA

En 1918 se inició en la Universidad de Córdoba (Argentina) el   25 movimiento conocido por el nombre de Reforma Universitaria, que se propagó en seguida por varios países hispanoamericanos. Uno de los teóricos del movimiento fue el doctor Gabriel del Mazo (1898–   ).

El hecho se manifestó al principio en una serie de disturbios estudiantiles. La Reforma Universitaria buscaba eliminar a los malos profesores,   30 democratizar la universidad para permitir el estudio a jóvenes pobres, y

---

[16] *lema* slogan   [17] *estaño* tin
[18] "*la rosca*" Term used in Bolivia to describe in a popular way a system, resembling interlocking trusts, which controls the tin industry. Literally, the word means "coil".

evitar el estancamiento[19] académico. Para ello, sostenía la necesidad de que los estudiantes participaran en el gobierno de la universidad, en la designación de profesores y autoridades, y en los asuntos pedagógicos, y reclamaba la enseñanza gratuita.[20]

5   La Reforma, implantada ya en la Argentina, sostiene que la universidad debe tener una triple función: cultural, o sea humanización de los estudios; profesional, o formación de profesionales; y científica, o investigación. Además, debe ser un instrumento del país y su pueblo, y no una institución separada de la realidad nacional. Tiene que defender el 10 patrimonio cultural, ayudar al país a resolver sus problemas, levantar el nivel de vida de la comunidad, realizar tareas de "extensión universitaria", y convertirse en una verdadera comunidad de profesores y alumnos.

[19] *estancamiento* stagnation   [20] *enseñanza gratuita* tuition-free instruction

Los países
iberoamer
fomentan
mantenim
de sus
tradicione
Festival
de charro
en la ciud
de México

El pato,
antiguo deporte
tradicional
de los gauchos
argentinos

EL NACIONALISMO

El sentimiento y las ideas nacionalistas son fuertes en Iberoamérica y se han manifestado en la historia bajo formas variadas. Hay nacionalismo político, económico, racial y cultural, que adoptan distintas manifestaciones según los tiempos y países. Antihispanismo, antiyankismo, antisemitismo, anglofobia, xenofobia, indigenismo, socialismo, neutralismo, anticapitalismo, antiimperialismo, antiintervencionismo, economía dirigida, y arte nacional, son algunas de estas manifestaciones.

En algunas ocasiones surge el nacionalismo por algún hecho histórico concreto, y en otras aparece como un estímulo psicológico provocado para avivar[21] la conciencia nacional; unas veces constituye una defensa

[21] *avivar* awaken

ante peligros externos, y otras es un pretexto para agitadores sociales o dictadores políticos; en unos casos procura lograr formas artísticas o literarias originales, y en otros es un medio para promover el desarrollo económico del país.

LUCHA CONTRA EL ANALFABETISMO

5   En Iberoamérica los gobiernos realizan una intensa campaña para terminar con el analfabetismo. Según las estadísticas compiladas por la

Corrida de toros en México

Unión Panamericana,[22] entre 1947 y 1961, existían unos 92.000.000 de personas de 15 años y más de edad, de las cuales 36.000.000 eran analfabetas.[23] El mayor porcentaje de alfabetismo correspondía por esos años a la Argentina (86,4), Chile (83,6), Costa Rica (79,4), Panamá (78,3) y Cuba (77, 9). El menor porcentaje correspondía a Bolivia (32,1) y Guatemala (29,4), por la abundancia de población indígena.

EDUCACIÓN E INSTRUCCIÓN PÚBLICA

Entre 1956 y 1961 había en Iberoamérica unas 11.000 escuelas preprimarias, 197.000 primarias, 17.000 secundarias y 270 universitarias.

En 1959 estaban matriculados aproximadamente 3.500.000 jóvenes en la enseñanza secundaria y unos 500.000 en la universitaria. En las

[22] *América en cifras—1961.* All the statistical data in this chapter is from this source. Inasmuch as census figures for each of the countries were not available for the same year to the compilers of the work, the years covered range from 1947 to 1961. In some cases the figures were approximations. Figures for Haiti were not included in the publication.

Figures for the United States are: Elementary schools, 105,023; secondary schools, 29,810; collegiate, 2,008; 5.8% of the national income is expended on education services; active working population, 59,000,000; salaried workers, 75.8%; agriculture and fishing, 11.6%; factories, 25.9%; commerce, 20.8%. There were 6,845 hospitals, 1 doctor for each 780 inhabitants (excluding 11,638 doctors inactive in 1961, the year on which figures for the U.S. are based), and 9.1 hospital beds for each 1,000 inhabitants. There were 350,041 kilometers of railroad track, 5,706,240 kilometers of paved roads, and 70,572,000 automobiles; telephones, 40.46 for each 100 persons; foreign trade, $37,021,000,000.

[23] Excluding Peru and Uruguay

Facultad de Medicina, de la Universidad de Costa Rica, en San Jóse, la ciudad

Escuela de Derecho, de la Universidad de Chile, en Santiago

universidades la carrera preferida era medicina, y luego derecho, ciencias sociales, educación, ingeniería, humanidades, bellas artes y agronomía.[24]

El porcentaje de presupuesto[25] nacional destinado a financiar o subvencionar[26] la enseñanza, varía según los países, pero oscilaba, en esos años, entre el 8,5, en Argentina, y el 27,2, en Costa Rica. Estos porcentajes equivalían, respectivamente, al 1,2 y al 3,9 del ingreso nacional. Había 14 bibliotecas nacionales y 331 universitarias.

En Iberoamérica se editaron unos 16.045 títulos anuales, entre 1955 y 1961. De estos libros nuevos, 5.337 aparecieron en Brasil (año

[24] *agronomía* scientific agriculture   [25] *presupuesto* budget   [26] *subvencionar* to subsidize

1959), 4.603 en Argentina (1960), 1.964 en México (1960), y 1.518 en Chile (1960).

LA ENSEÑANZA

El sistema educativo de Iberoamérica sigue en general el modelo europeo. Comienza en la escuela maternal [27] o en el jardín de infantes, [28] y se continúa en la escuela primaria, que dura seis o siete años. 5

La enseñanza secundaria se imparte en el bachillerato, [29] de cinco o seis años, que habilita para el ingreso en las universidades. Los planes son de tendencia enciclopedista. Otros establecimientos de segunda enseñanza, lo constituyen las Escuelas de comercio, industriales, y de artes u oficios. [30]

La enseñanza universitaria dura de cinco a siete años, según la 10 universidad y la carrera, [31] al término de los cuales se obtiene el título de doctor en medicina, leyes, ciencias económicas, filosofía y letras, agronomía, veterinaria, matemáticas, física, química, etc. La universidad está dividida en Facultades, y cada Facultad en Escuelas y Departamentos. Los educadores de enseñanza primaria se denominan maestros; los de 15 secundaria, profesores, y los de universidad, catedráticos.

En los últimos años, las universidades han ampliado sus programas de estudio, para dar cabida a las nuevas especialidades. De un modo general, la música, las artes plásticas, y el teatro, se estudian en Institutos especiales que no forman parte de las universidades. 20

LA CIENCIA

En el orden científico, Iberoamérica no ha alcanzado un grado de desarrollo comparable al de los países más adelantados del mundo. La investigación científica moderna se practica con gran responsabilidad, aunque no en la vasta escala de Europa y los Estados Unidos. La falta de recursos financieros, la escasez de empleos científicos o técnicos, la falta de 25 apoyo privado, y otros factores, obstaculizan el desarrollo científico. Sin embargo, existen hombres de ciencia de fama internacional, y centros de investigación, casi siempre oficiales o universitarios, que se mantienen al corriente de la ciencia. El fisiólogo argentino Bernardo A. Houssay, mereció el Premio Nobel de Medicina en 1947. 30

En varios países, como Argentina, México y Brasil, existen reactores nucleares para la investigación y experimentación.

---

[27] *escuella materna* nursery school   [28] *jardín de infantes* kindergarten
[29] *bachillerato* baccalaureate   [30] *oficios* trades, crafts   [31] *carrera* course of study

TRABAJO

La población económicamente activa de Iberoamérica era, en la misma época, de unos 52.000.000 de personas, de las cuales 40.000.000 eran varones y el resto, mujeres.

En algunos países, como Argentina, Cuba, y Chile, un poco más del 70% de la población es asalariada (obreros y empleados). En otros países, como Bolivia, Brasil, Guatemala, México, Panamá, Paraguay, y la República Dominicana, la cantidad de empresarios es mínima con respecto a los trabajadores, pues más del 40% de la población económicamente activa trabaja por cuenta propia o dentro de la familia, en pequeñas explotaciones económicas.

En ciertos países, la mayoría de la población activa está dedicada a la agricultura, silvicultura,[32] caza y pesca, en una proporción que va del 40 al 83 por ciento, con excepción de la Argentina y Chile, cuya proporción en esas actividades es sólo del 25 y del 30 por ciento. La Argentina es el país que tiene mayor proporción de gente dedicada a la industria manufacturera (22,1%), mientras que los países que emplean mayor cantidad de población en las actividades campesinas son Honduras (83,1) y Bolivia (71,6).

En el comercio, las proporciones de gente empleada son las siguientes: Argentina (13,3), Cuba (11,8) y Chile (10,3).

ASISTENCIA MÉDICO-SANITARIA

Entre 1959 y 1960, había en Iberoamérica 7.829 hospitales, entre los hospitales generales, y los dedicados a ciertas especialidades, como pediatría, maternidad, enfermedades infecciosas, tuberculosis, y otras.

En Argentina había un médico por cada 660 habitantes (1960), en Brasil uno por cada 2.100 (1958) y en México uno por cada 1.700 (1960). La más baja proporción correspondía a Guatemala, uno por cada 6.400 (1957); El Salvador, uno por cada 5.400 (1960); y Bolivia, uno por cada 3.900 (1957).

Hacia los mismos años, la proporción de camas por cada 1.000 habitantes, era la siguiente: Argentina: 6,4; Costa Rica: 5,1; Chile: 5,0; Brasil: 3,4; y México: 1,4. Algunos países tienen menor porcentaje todavía.

---

[32] *silvicultura* forestry

TRANSPORTES

La red ferroviaria total de Iberoamérica, en 1961, era de unos 140.000 kilómetros. Los tres países de redes más extensas eran Argentina (43.956 Km.), Brasil (38.339 Km.), y México (23.369 Km.).

La red total de carreteras pavimentadas era de unos 111.000 kilómetros, de los cuales, 45.577 Km. correspondían a México, que ocupa 5 el primer lugar; luego a Argentina (16.013 Km.), Brasil (10.327 Km.) y Venezuela (8.311 Km.). Las redes más cortas eran las de Bolivia, Honduras y Paraguay, que no llegan a los 600 Km. por país.

La Carretera Panamericana, no concluida aún, unirá las tres Américas. Vista de dicha carretera en Guatemala

Modernas autopistas en Caracas, Venezuela

Hay en Iberoamérica actualmente unos 2.500.000 automóviles y unos 2.000.000 camiones[33] y ómnibus. Las flotas marítimas mercantes más grandes son las de Panamá, en primer lugar, y luego, por su orden, las de Brasil, Argentina, Chile, Venezuela y México. Los países de mayor
5   movimiento marítimo en puerto, son Venezuela, y a continuación Brasil, Argentina, Chile y Perú. En transporte aéreo, la flota brasileña realizó en 1961 el mayor recorrido en kilómetros, y le siguieron México, Argentina, Colombia y Venezuela.

COMUNICACIONES

El Brasil es el país que tuvo mayor movimiento de correos[34] y
10   telégrafos, seguido de Argentina y México. En 1961, la Argentina tenía el mayor número de teléfonos: 6,15 por cada cien habitantes, y luego

[33] *camiones* trucks   [34] *correos* mail

Uruguay (4,97), Cuba (2,88), Panamá (2,59), Chile (2,47) y Colombia (2,06).

ECONOMÍA E INDUSTRIALIZACIÓN

Los países iberoamericanos han pasado en su mayoría de la etapa agrícolo-pastoril a la preindustrial. El fenómeno de la industrialización es más intenso en Brasil, México y la Argentina, donde ya se producen [5] íntegramente casi todos los artículos de la llamada industria liviana,[35] y también algunos de la industria pesada. No obstante, en general no exportan todavía esos productos manufacturados, por sus precios elevados y por la competencia extranjera.

En varios de los países, los artículos que se producen internamente [10] están protegidos por barreras aduaneras[36] de la competencia extranjera. Los elevados costos actuales, la falta de capitales, y de mano de obra[37] especializada, así como la pequeñez de los mercados internos, son obstáculos para un avance más rápido del proceso de industrialización.

En general, se percibe en la economía de los países iberoamericanos [15] una pugna[38] entre los partidarios[39] de la economía libre y los partidarios de la economía controlada, o entre empresa privada[40] y empresa estatal.[41] Los sistemas de estos países son, en su generalidad, una forma mixta de economía.

COMERCIO

En materia de comercio exterior (importación y exportación) los [20] países de mayor movimiento en 1961, fueron Venezuela, con un monto[42] de 3.574.000.000 de dólares; Brasil con 2.863.000.000; Argentina, con 2.424.500.000; México, con 1.940.700.000, y luego Chile, Perú y Colombia, con cifras de 1.000.000.000 aproximadamente, cada uno.

Recientemente (1959), se ha constituido la Asociación Latino- [25] americana de Libre Comercio (A.L.A.L.C.),[43] con la intervención de Argentina, Brasil, Chile, México, Paraguay, Perú y Uruguay, que se conceden mutuas facilidades para el intercambio comercial, con la finalidad de llegar a establecer posteriormente una zona de libre comercio. Ecuador y Colombia se agregaron[44] un poco después. [30]

---

35 *industria liviana* light industry   36 *barreras aduaneras* tax barriers, import duties
37 *mano de obra* labor   38 *pugna* struggle   99 *partidarios* advocates
40 *empresa privada* private enterprise   41 *estatal* state   42 *monto* total
43 The treaty was signed in Montevideo and has been in force since 1960.
44 *se agregaron* were added

Planta industrial para la fabricación de automóviles, en Córdoba, Argentina

Instalaciones petrolíferas sobre el Lago
Maracaibo, Venezuela

EL SINDICALISMO

Los sindicatos[45] han logrado en casi toda Iberoamérica una situación de poder. Intervienen en la negociación de los contratos colectivos de trabajo con los empresarios, en algunos organismos de consulta de los gobiernos, y en la defensa de los intereses de la clase obrera.

5 En enero de 1960, sobre un total de 52.000.000 de obreros y empleados estaban sindicalizados unos 13.000.000, de los cuales, 5.000.000 tenían también afiliación internacional, principalmente en la Confederación Internacional de Organizaciones Sindicales Libres (C.I.O.S.L.), y en mucha menor proporción, en la Confederación Internacional de Sindicatos 10 Cristianos (C.I.S.C.), y la Federación Sindical Mundial (F.S.M.). Sin afiliación a los sindicatos mundiales, había unos 8.000.000 de trabajadores.

El país con mayor número de obreros y empleados sindicalizados era Argentina (2.576.000), y luego Brasil (2.500.000), México (2.100.000), Venezuela (1.500.000) y Cuba (1.500.000). Particularmente poderosos 15 son la Confederación General del Trabajo (C.G.T.), de Argentina, y la Confederación de Trabajadores Mexicanos (C.T.M.). Muchos representantes obreros han llegado a importantes funciones públicas.

URBANISMO Y SOCIEDAD

Un fenómeno típico del siglo actual, pero que adquiere particular importancia en Iberoamérica, es el del urbanismo o concentración 20 creciente de la población en centros urbanos. La demanda de mano de obra en las industrias, y el mejor nivel de vida en las ciudades, han producido corrientes de migración interna de los campos a los centros poblados, con lo cual se ha agravado el problema de la vivienda,[46] pero al mismo tiempo, se ha beneficiado la democratización social de los 25 países.

LA VIDA SOCIAL

El latinoamericano es por naturaleza y educación un ser sociable. Gasta buena parte de su vida en tertulias[47] de café o de club, en veladas[48] familiares, reuniones con amigos, y espectáculos públicos. En las reuniones, la conversación es abundante y apasionada, pues el latinoamericano es

---

[45] *sindicatos* labor unions   [46] *vivienda* housing
[47] *tertulias* groups which meet socially primarily to discuss some topic, literature, art, music, etc.,
     of interest to the group.   [48] *veladas* evening parties

El movimiento obrero adquiere cada día mayor importancia en Iberoamérica, como consecuencia de la industrialización. Personal de una fábrica Argentina a la entrada al trabajo

Zona de
urbanización mo-
derna
en Caracas

una persona muy comunicativa, que siente necesidad de expresar sus estados de ánimo y sus ideas.

Practica la amistad casi como un culto, y es muy inclinado a hacer favores a los parientes, amigos y necesitados. Da mucha importancia al
5   honor personal, familiar o nacional. Su actitud ante la vida es emocional, y se guía a menudo por el corazón antes que por el cerebro.

Concurre con frecuencia a los espectáculos públicos—cine, teatros, ópera, conciertos, conferencias—, pero rehuye la asistencia a reuniones de instituciones formales o a las asociaciones comunitarias.
10   En los países latinoamericanos se practican todos los deportes modernos, pero el más popular es el fútbol de origen inglés. En algunos países, sobrevive desde la época colonial la corrida de toros, pero en otros está prohibido este tipo de espectáculos. Además, en algunas regiones del interior, se practican ciertos tipos de diversión primitiva, como la riña de
15   gallos.[49]

[49] *riña de gallos* cockfight

CUESTIONARIO

1. ¿Cuáles son los dos acontecimientos iberoamericanos de mayor importancia en el siglo XX? 2. ¿Por qué estalló la Revolución Mexicana? 3. Cuándo se promulgó la nueva constitución de México? 4. ¿Qué disposiciones importantes incorporó esa constitución con respecto a la anterior de 1857? 5. ¿Cómo sucedió la Guerra del Chaco? 6. ¿Qué actuación tuvieron los países iberoamericanos en las dos guerras mundiales? 7. ¿Qué es el *aprismo?* 8. ¿Qué ideas sostenía el grupo *Amauta* en el Perú? 9. ¿Qué teoría formuló el *peronismo?* 10. ¿Qué es el Movimiento Nacionalista Revolucionario de Bolivia? 11. ¿Cuáles son las ideas de la Reforma Universitaria? 12. ¿Cuántos tipos de nacionalismo hay en Iberoamérica? 13. ¿En qué formas suele manifestarse? 14. ¿Qué se entiende por arte nacional? 15. ¿Cuántos analfabetos existían hacia 1961? 16. ¿Cuántas escuelas primarias y secundarias había hacia 1961 en Iberoamérica? 17. ¿Qué es economía agrícolo-pastoril y qué es economía preindustrial? 18. ¿Qué obstáculos se oponen a la rápida industrialización de Iberoamérica? 19. ¿Qué tendencias luchan en el campo económico en Iberoamérica? 20. ¿Cuáles son las actividades de los sindicatos iberoamericanos?

TEMAS ESPECIALES DE COMPOSICIÓN Y CONVERSACIÓN

   I. El panorama político y económico de Iberoamérica en el siglo XX.
  II. La Revolución Mexicana.
 III. El grupo peruano Amauta y el A.P.R.A.
  IV. La Reforma Universitaria.
   V. La sociedad y la economía en Iberoamérica actual.

LITERATURA
Y ARTE CONTEMPORÁNEOS

LA LITERATURA CONTEMPORÁNEA

En el período contemporáneo, la literatura hispanoamericana alcanza la más alta calidad artística de toda su historia. Los escritores logran jerarquía internacional, sus obras se traducen a las lenguas extranjeras, y algunos son propuestos para el Premio Nobel de Literatura, como Manuel Gálvez y Alfonso Reyes.   5

Algunos autores buscan su inspiración en otras naciones, pero ahora lo hacen con un sentido más universal, es decir, sin preferencias por un país determinado.[1] Los artistas extranjeros que más influyen son Dostoievsky, Tolstoi, Kafka, Rilke, D'Annunzio, Pirandello, Marinetti, Proust, Valéry, Apollinaire, Rolland, Sartre, Shaw, Chesterton, Greene,   10 Ibsen, Strindberg. Los españoles que más influjo ejercen son Miguel de Unamuno, José Ortega y Gasset, Antonio Machado y Federico García Lorca. Entre los norteamericanos, los preferidos son Herman Melville, Edgar Allan Poe, Walt Whitman, Ernest Hemingway y William Faulkner. Las influencias se entrecruzan en cada autor y en cada movimiento. Hay   15 escritores que cultivan el dadaísmo,[2] el superrealismo, el futurismo, el

---

[1] Formerly, Spanish American authors tended to look toward France, although there was always a substratum of influence from Spain.

[2] *dadaísmo* Dadaism was a movement which had its origins in France at the time of the First World War. The social upheaval wrought by the War effected such turmoil that some artists and writers questioned previously established values to such an extent that they were seeking to posit a new sort of reality, one rooted in the subconscious perhaps. The various movements assumed different names (*creacionismo* in Chile, *estridentismo* in Mexico, *superrealismo* in several

impresionismo, el expresionismo, la poesía negra, y otras formas modernas del arte literario, o combinan varias de ellas.

Al lado de estos artistas cosmopolitas, otros continúan la vieja tradición americanista, y se ocupan en sus obras de asuntos regionales. En uno y otro campo, se producen obras maestras. A pesar de que una poetisa, Gabriela Mistral, obtuvo para Hispanoamérica el primer Premio Nobel de Literatura, en 1945, la prosa contemporánea—novela, cuento, ensayo y crítica—, es en conjunto superior a la poesía. El teatro continúa, como en los siglos anteriores, sin lograr grandes éxitos.

EL CRIOLLISMO

Es una corriente literaria, y no propiamente una escuela. Los escritores criollistas, novelistas y cuentistas, ponen su interés en el paisaje local—selvas, montañas, llanos, pampa—, y en los individuos que viven allí. Son realistas, porque describen la realidad tal como es, aunque a veces exageran los asuntos trágicos. Algunos autores toman a los indios como protagonistas de sus obras, pero otros prefieren a los mestizos o a los blancos que se internan en la naturaleza.

Emplean técnicas narrativas modernas; hacen hablar a sus personajes un lenguaje regional, y describen con especial acierto la psicología de esos seres humanos. A veces, los escritores incluyen en la novela o el cuento un contenido ideológico de protesta social. El maestro Arturo Torres-Ríoseco la denomina "novela de la tierra".

El criollismo comenzó propiamente hacia el último cuarto del siglo pasado, y hubo varios escritores modernistas que fueron al mismo tiempo criollistas. Pero la obras maestras del criollismo aparecen en este siglo, y más propiamente, después de 1920. Los mejores autores criollistas son José Eustasio Rivera (1889–1928), Benito Lynch (1880–1951), Ricardo Güiraldes (1886–1927), y Rómulo Gallegos (1884–   ).[3]

---

countries), and they all committed certain excesses; but once shorn of their exaggerations, they enriched literature through a creative use of metaphors. In general, they suppressed the anecdotal element in favor of free association achieved through imaginative use of imagery.

[3] Other "criollista" writers: Roberto J. Payró (1867–1928), Argentinian; José Díez Canseco (1904–1949), Enrique López Albújar (1872–   ), José María Arguedas (1911–   ), and Fernando Romero (1905–   ), Peruvians; Javier de Viana (1868–1926), Horacio Quiroga (1878–1937), Fernán Silva Valdés (1887–   ), and Enrique Amorim (1900–   ), Uruguayans; Manuel Díaz Rodríguez (1868–1927) and Rufino Blanco Fombona (1874–1944), Venezuelans; Alcides Arguedas (1879–1946), Bolivian; Efe Gómez (1873–1938) and Hernando Téllez (1908–   ), Colombians; Mariano Latorre (1886–1955), Eduardo Barrios (1884–   ), and Luis Durand (1895–1954), Chileans; Juan Bosch (1909–   ), Dominican; Salvador Salazar Arrué (1899–   ), of Salvador; Lino Novás Calvo (1903–   ), Hispano-Cuban.

José Eustasio Rivera, colombiano, ejerció su profesión de abogado y ocupó algunos cargos importantes en su país y en el extranjero. Falleció en Nueva York y sus restos fueron repatriados. Impresionado por la vida en la selva de Colombia, que conoció personalmente en sus viajes, escribió *La vorágine*. Arturo Cova, el protagonista, se interna con su amante Alicia en la selva, y allí, en un mundo de caucheros[4] violentos e indios salvajes, terminan devorados por el infierno verde. Esta novela está considerada como una de las tres o cuatro mayores obras en prosa de la literatura hispanoamericana. Es una novela de horror, tragedia y aliento[5] épico.

Benito Lynch, argentino, es el novelista de la vida campesina bonaerense.[6] En su mejor obra, *El inglés de los güesos*, presenta la historia de Mister Jones, un arqueólogo inglés, alto, raro y sensible,[7] que se enamora de la Negra, una muchacha campesina de la llanura pampeana. Al cabo de muchas vacilaciones, prevalecen en él los escrúpulos sociales y profesionales. Regresa a Inglaterra, mientras la ingenua niña se suicida de pena.

Ricardo Güiraldes ha escrito la mejor novela de tema gauchesco en la Argentina: *Don Segundo Sombra*. Fue hijo de una familia aristocrática, estudió en Buenos Aires y vivió muchos años en París, donde falleció. En la citada novela, narra la vida de un niño campesino, a quien Don Segundo Sombra, gaucho arriero, sentencioso[8] y sensible, adopta como ahijado[9] y lo instruye en los secretos del campo y la vida.

RÓMULO GALLEGOS

Este novelista venezolano es una de las mayores figuras de la literatura contemporánea. Fue profesor, director de colegio, ministro de educación, senador y presidente de su país (1947–1948), de cuyo cargo fue depuesto por un golpe militar. Su vida y vocación es esencialmente la de un escritor.

Su obra maestra es *Doña Bárbara*, novela típica de los Llanos venezolanos. Doña Bárbara, la protagonista, es una mujer de carácter fuerte, contrabandista, que fue brutalmente tratada en su juventud. Se venga de la vida y de los hombres mediante la violencia, el robo y los negocios ilícitos, hasta convertirse en un temido cacique de la región. Pero llega un día al lugar Santos Luzardo, educado en la ciudad, a rescatar sus

---

[4] *caucheros* rubber workers   [5] *aliento* spirit
[6] *bonaerense* pertaining to the Province of Buenos Aires   [7] *sensible* sensitive
[8] *sentencioso* magisterial   [9] *ahijado* godchild

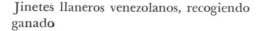
Jinetes llaneros venezolanos, recogiendo
ganado

propiedades usurpadas por Doña Bárbara. La salvaje mujer se enamora
de él y se doblega[10] ante el carácter justiciero y varonil de su rival.

   La novela es en cierto sentido simbólica, y presenta la eterna lucha
entre el bien y el mal, entre la vida natural y la vida civilizada. Muchas
5 otras obras escribió Gallegos, entre ellas *Canaima, Cantaclaro* y *La trepadora*.

LA NOVELA DE LA REVOLUCIÓN MEXICANA

   La Revolución Mexicana dio origen a un fecundo movimiento en
literatura y pintura. Se había iniciado en tiempos de las luchas, con los
corridos o canciones populares sobre la guerra, los discursos, proclamas,
panfletos y artículos periodísticos.

10 A partir de 1925 comienza a florecer propiamente la llamada
"literatura de la Revolución", que alcanza su máxima expresión en la
novela y el cuento. Los autores eran oficiales, soldados, periodistas,
políticos, o simples ciudadanos, que sentían la necesidad de expresar por
escrito sus experiencias e ideas. No se preocuparon de las formalidades
15 estilísticas, ni vacilaron en usar el lenguaje popular y coloquial. Los
temas preferidos fueron, lógicamente, los de la revolución: la guerra, el

---

[10] *se doblega* bows

hambre, las enfermedades, los fusilamientos, los caudillos, la corrupción política, la lucha por la posesión de la tierra, y la muerte.

Entre los escitorcs, sobresale Martín Luis Guzmán (1887–   ), periodista, abogado revolucionario y político. Su obra es amplia y comprende crítica, historia y ficción. La mejor de sus obras, *El águila y la serpiente*, es una autobiografía sobre los aspectos y personajes de la guerra que conoció Guzmán.   5

José Rubén Romero (1890–1952), es otro de los grandes maestros de la prosa revolucionaria, aunque su obra maestra, *La vida inútil de Pito Pérez*, es una novela satírica, al estilo de la picaresca española. El prota-   10 gonista es un pobre diablo, bebedor, mentiroso y ladrón, que termina mal sus días.

MARIANO AZUELA

El más famoso de todos los escritores del movimiento, es Mariano Azuela (1873–1952), un médico provinciano que actuó como cirujano en las tropas de Pancho Villa, y vivió muchos años en El Paso, Estados   15 Unidos, donde publicó en un periódico su obra principal, *Los de abajo*, considerada por la crítica como la mejor novela de toda la Revolución Mexicana.

La novela narra la guerra revolucionaria a través de la vida de Demetrio Macías, que impulsado por las circunstancias, se convierte en soldado y termina en general. El proceso espiritual de los hombres y las masas, en el torbellino[11] de los acontecimientos que nadie puede dominar,
5 es desarrollado en todos sus matices: ambición, heroísmo, desilusión, gloria.[12]

LA NOVELA DE PROTESTA SOCIAL

La novela de protesta social, cultivada por varios escritores contemporáneos, presenta las injusticias que se cometen contra indios, mestizos, campesinos, obreros y las clases pobres, en general, y además,
10 describe la corrupción de los gobiernos, los robos públicos, la persecución ideológica. Algunos autores son reformadores sociales independientes, mientras que otros escriben bajo consignas[13] políticas o partidarias. Entre los mejores autores de esta tendencia se destacan Alcides Arguedas (1879–1946), Miguel Angel Asturias (1899–   ), Jorge Icaza (1906–   ), y
15 Ciro Alegría (1909–   ).[14]

Alcides Arguedas, historiador, pensador y diplomático boliviano, escribió, entre otras cosas, una novela, *La raza de bronce*, obra maestra en su género, en que pinta la trágica vida de un grupo indio de la montaña, explotado y destruido por la voracidad de sus patrones. Termina el
20 libro con el incendio épico de la vivienda de los amos, provocado por los indios durante una rebelión en masa.

Miguel Angel Asturias, poeta y prosista guatemalteco de fama internacional, describe en su novela *El señor presidente*, la vida de un país centroamericano bajo la tiranía de un brutal dictador, vicioso, asesino y
25 sensual, que tortura hasta lo increíble a su enemigo político, con la complicidad de un favorito venal, que al fin termina también eliminado por el dictador.

Jorge Icaza, ecuatoriano, escribió teatro, novelas y cuentos. Su obra maestra es *Huasipungo*, un dramático documento social, con poca trama

---

[11] *torbellino* whirlwind

[12] Other authors who wrote about the Mexican Revolution were: Gregorio López y Fuentes (1895–   ), Rafael Muñoz (1899–   ), Mauricio Magdaleno (1906–   ).

[13] *consignas* watchwords

[14] Other writers of social protest were: José de la Cuadra (1903–1941) and Demetrio Aguilera Malta (1909–   ), both of Ecuador. In the same country the "Guayaquil Group," formed in 1930, attracted attention in Spanish America. The writers of this Group cultivated a literature with marked "criollista" tendencies and a strong social tendency. In Argentina, the "Boedo Group" and Roberto Arlt wrote in the same vein.

interna pero con magistral estilo trágico. En esta obra presenta la destrucción de pueblos indígenas ordenada por unos extranjeros que avanzan con sus industrias hacia el interior del país.

CIRO ALEGRÍA

Novelista peruano, participó en las actividades políticas del aprismo, y sufrió cárcel y exilio.

Su novela principal, *El mundo es ancho y ajeno*, le dio fama internacional, al ganar un concurso de una casa editorial neoyorquina. Ha sido traducida a varios idiomas y es una verdadera joya literaria. Narra las vicisitudes de la comunidad de Rumi, en la región montañosa del Perú, que vive en los tiempos actuales bajo un sistema económico y social comunitario, al modo incaico. Don Alvaro Amenábar, un rico propietario y gamonal[15] vecino, quiere apoderarse de esas tierras. Se produce entonces una guerra no declarada entre indios y blancos, que termina con el exterminio paulatino[16] de la comunidad, cuyos miembros van cayendo uno a uno víctimas de los atropellos.[17]

LA NOVELA Y EL CUENTO ARTÍSTICOS

Otra tendencia de la prosa de ficción—novela y cuento—es la puramente artística, sin intención social, política o costumbrista. Los críticos denominan a esta corriente con diversos nombres: novela psicológica o filosófica, escapismo, neotrascendentalismo, realismo mágico, o literaturas de vanguardia. Los estilos, temas y técnicas, cambian según los autores. Hay novelas y cuentos de los contenidos más variados: psicológico, fantástico, metafísico, neopicaresco, sexológico, patológico, policial, zoomórfico, mágico, absurdo.

Es, ante todo, una literatura intelectual, sin sentimiento ni emoción; ilógica o absurda, a veces, porque sus argumentos no se resuelven según la normalidad natural; artística, porque su única finalidad es hacer el arte por el arte mismo; mágica o fantástica, porque muestra un mundo casi siempre inexistente, donde se combinan la realidad y la fantasía; económica, porque se expresa sin desbordes[18] de palabras ni descripciones minuciosas. Esta literatura cabe[19] perfectamente dentro de lo que el maestro Ortega y Gasset ha llamado "arte deshumanizado". Se corres-

---

[15] *gamonal* political boss   [16] *paulatino* gradual   [17] *atropellos* outrages
[18] *desbordes* excess   [19] *cabe* fits

ponde con las formas del arte abstracto contemporáneo en pintura y escultura.

JORGE LUIS BORGES

El más ilustre representante de este tipo de literatura es el argentino Jorge Luis Borges (1899–   ), que se inició como poeta ultraísta, con
5 poesías sobre Buenos Aires, y luego transitó a la crítica, el ensayo y el cuento metafísico.

Nacido en Buenos Aires, se educó en Suiza y llegó a ser un erudito conocedor de las literaturas extranjeras. Sus libros en prosa reflejan un mundo fabuloso de ideas y hechos. Ganó en 1961 el "Prix International
10 des Éditeurs", conjuntamente con el irlandés Samuel Beckett. Ha sido calificado por el crítico literario de una revista norteamericana, como "el más grande escritor viviente en lengua española".[20]

Algunas de sus obras más famosas son la *Historia universal de la infamia*, las *Ficciones* y el tomo *El Aleph*. Borges mezcla la ficción y la
15 realidad en sus cuentos, y su estilo ha sido considerado como el mejor y el más sorprendente en la lengua española contemporánea.[21]

LA POESÍA POSMODERNISTA

Después del modernismo, florecieron varios movimientos poéticos.

Los *estridentistas*, en México, son poetas de vanguardia, que hacia 1922 hacen la apología de las máquinas, los rascacielos,[22] el aeroplano, y
20 todo el complejo de la civilización mecánica contemporánea.

En la Argentina, los *ultraístas*, con Borges a la cabeza, cultivan en la misma época una poesía a base de metáforas novedosas,[23] ideas nuevas, y un vocabulario desusado.

Los *creacionistas*, encabezados por Vicente Huidobro en Chile, son
25 aproximadamente equivalentes a los anteriores y revolucionan el mundo poético, creando, es decir, inventando hechos inexistentes en la realidad mediante la combinación imaginativa.

---

[20] *Time*, 22 June 1962, p. 25.
[21] Other authors, not classifiable into a single school, who demonstrate the new tendencies are: Eduardo Mallea (1903–   ); Argentinian; Agustín Yáñez (1904–   ) and Juan José Arreola (1918–   ), Mexicans; Felisberto Hernández (1902–   ), Uruguayan; Alejo Carpentier (1904—   ), Cuban; Rafael Arévalo Martínez (1884–   ), Guatemalan.
[22] *rascacielos* skyscrapers   [23] *novedosas* novel

Paralelamente a estos innovadores, subsisten los poetas que continúan con el modernismo atenuado, los indigenistas, los poetas proletarios del socialismo, y los clasicistas.[24]

Pablo Neruda (1904–   ) es el seudónimo literario del escritor chileno Neftalí Ricardo Reyes. Es probablemente el mayor poeta hispanoamericano viviente, y uno de los más originales. Su nombre figura al lado de los grandes líricos del siglo actual. Hijo de familia humilde, se inició cuando niño como periodista, fue cónsul de su país en el exterior, y senador. Usa una forma artística novedosa, muy estilizada, y combina una delicada sensibilidad con una rotunda fuerza expresiva. A pesar de su ideología marxista, su pensamiento se acerca al mundo metafísico.

GABRIELA MISTRAL

El verdadero nombre de Gabriela Mistral (1889–1957) fue Lucila Godoy Alcayaga. Nació en un pueblo del interior de Chile y falleció en Hempstead, Nueva York. Fue maestra de escuelas primarias y secundarias en su país, y pronto adquirió nombradía[25] por sus versos. El gobierno le

---

[24] Other classifications are, of course, possible. See, for example, Enrique Anderson Imbert and Eugenio Florit, *Literatura Hispanoamericana* (New York: Holt, Rinehart and Winston, Inc., 1960), p. 554, who classify them as *normales*, *anormales*, and *escandalosos*.

[25] *nombradía* fame

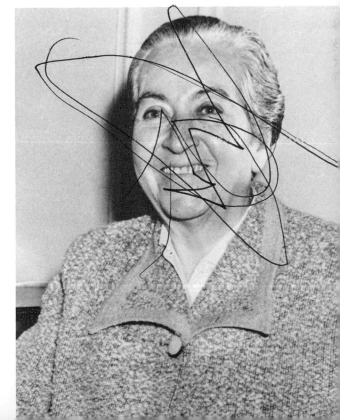

Gabriela Mistral

encomendó varias misiones consulares en el exterior, incluso en la Liga de las Naciones y en las Naciones Unidas. Así viajó por Europa y América. Con los años se convirtió en una figura respetada en todos los países de habla hispánica, y sus conferencias tuvieron amplia repercusión por el
5 hondo sentido que tenían. Desilusionada por el suicidio de su novio, permaneció soltera toda su vida. Su primer libro, *Desolación*, fue publicado en 1922 por el Instituto de las Españas de Nueva York. En 1945 recibió el Premio Nobel de Literatura. Sus dos mejores libros son el mencionado anteriormente, y *Tala*.
10 Su poesía se caracteriza por la intensidad y precisión del lenguaje, hecho con un vocabulario directo, arcaísmos estudiados, y frases y términos del campo. Expresa sentimientos de angustia y temor ante el espectáculo de la vida y de la muerte. Contempla a la humanidad débil y pecaminosa,[26] y pide a Dios protección y ayuda para todos. Hay en su
15 poesía reminiscencias bíblicas y de la mística española. Pero le preocupan también el amor, la esterilidad en la mujer, la maternidad, y la moral. Siente un afecto especial por la naturaleza y la belleza. Recoge también de la historia, de la leyenda y de la mitología algunos asuntos. Fue una ardiente lectora y una profunda americanista.[27]

EL ENSAYO

20 La serie de ensayistas del siglo pasado se continúa en la presente centuria, pero ahora el ensayo abandona un poco los temas políticos y sociales, y se enriquece con nuevos asuntos: la crítica literaria, la historia cultural, el análisis de los países, la filosofía pura, la estética, la historia de las ideas.

ALFONSO REYES

25 Este escritor mexicano (1889–1959) está considerado el humanista más completo de Hispanoamérica en el siglo XX. Es el sucesor directo de Andrés Bello, por su amplia erudición, su consagración a los asuntos

---

[26] *pecaminosa* sinful
[27] Other Spanish American lyric poets: Ramón López Velarde (1888–1921), and Octavio Paz (1914–   ), Mexicans; Baldomero Fernández Moreno (1886–1950) and Enrique Banchs (1888–   ), Argentinians; César Vallejo (1892?–1938), Peruvian; Porfirio Barba Jacob (1880–1942), Colombian; Juana de Ibarbourou (1895–   ) and Delmira Agustini (1886–1914), Uruguayans; Nicolás Guillén (1902–   ), Cuban; Jorge Carrera Andrade (1902–   ), Ecuadorian; Ricardo Miró (1883–1940), Panamanian; Luis Palés Matos (1898–1959), Puerto Rican.

humanísticos y su preferencia por la literatura. Estudió filología en el Centro de Estudios Históricos de Madrid, bajo la dirección de Ramón Menéndez Pidal; fue director de El Colegio de México, y fue propuesto en 1956 para el Premio Nobel. Ocupó varios cargos diplomáticos y fue doctor *honoris causa* de varias universidades, entre ellas Tulane, Harvard y Princeton.[28]

Su obra es vastísima y comprende erudición, crítica, ensayos, poesía, cuentos, historia y estética. Es una mezcla de clásico y moderno, y su estilo es muy refinado y preciso.

LA PINTURA

La pintura iberoamericana actual está al lado de las mejores del mundo. Tanto en la pintura de caballete[29] como en la pintura mural, los artistas han realizado obras de gran calidad, que se encuentran en los principales museos, colecciones privadas, y edificios del mundo.

En cuanto a los temas, algunos artistas son regionalistas y pintan sobre aspectos típicos de sus países, mientras otros se han consagrado a la pintura abstracta o pintura contemporánea. Pero en uno y otro caso, la técnica es completamente moderna. El dibujo, la composición y los colores, no guardan relación con el neoclasicismo o el romanticismo del siglo pasado.

En la Argentina, los tres grandes maestros del momento son Emilio Pettoruti, Lineo Eneas Spilimbergo y Miguel Carlos Victorica. El país ha carecido de una tradición fuerte hispánica o indígena, y su pintura es de raíces europeas. Pettoruti se caracteriza por sus formas geométricas, de gran perfección y abstracción. Spilimbergo ha creado un mundo nuevo con figuras que recuerdan al Renacimiento, y Victorica da énfasis particular al sentido trágico de la vida cotidiana,[30] en sus retratos y grupos.

En el Perú, José Sabogal ha creado una pintura indigenista, que glorifica los factores étnicos, geográficos y culturales del país, mientras que Fernando de Szyszlo, marcha a la cabeza de la pintura de vanguardia nacional.

Los venezolanos Armando Reverón, Alejandro Otero y Jesús Soto, gozan de fama internacional. El primero es impresionista, inspirado en los maestros franceses. Otero es el creador de los "colorritmos",[31] ejecutados

---

[28] Some of the important contemporary essayists are: Arturo Torres-Ríoseco, Mariano Picón-Salas, Luis Alberto Sánchez, Leopoldo Zea, Alberto Zum Felde, José Ingenieros, Enrique Anderson Imbert.

[29] *caballete* easel   [30] *cotidiana* daily   [31] *colorritmos* color rhythms

Óleo por Emilio Pettoruti

"En la Terraza" por Lineo Spilimbergo

ARRIBA:
"Juego de canasta"
por Miguel Carlos Victorica

"Las Aguadoras",
óleo por José Sabogal

Jesús Soto

en paneles rectangulares de madera con aerógrafo[32] y pintura *duco*, que tienen por finalidad crear el efecto de espacio multidimensional. Jesús Soto, de renombre internacional, trabaja con hojas de *plexiglass* y otros fondos,[33] tratando de representar los problemas del movimiento en el
5 espacio, las tensiones, la vibración de la luz y la noción del tiempo. Usa para ello procedimientos propios y materiales como hierro, acero, y alambre.

    Un lugar importante en la pintura mundial ocupan también el uruguayo Pedro Figari; los ecuatorianos Osvaldo Guayasamín y Manuel
10 Rendón; los cubanos Amelia Peláez, René Portocarrero y Wilfredo Lam.

LOS MURALISTAS MEXICANOS

    Al término de la Revolución Mexicana, el gobierno invitó a pintores del país a decorar edificios públicos, y de esta manera, comenzó a revelarse un grupo de excelentes pintores muralistas: Diego Rivera (1887–1957), José Clemente Orozco (1883–1949), David Alfaro Siqueiros (1898–   ),
15 y un poco más tarde, Rufino Tamayo (1899–   ). En general, los tres

[32] *aerógrafo* spray brush   [33] *fondos* background materials

"El Siglo de Oro", pintura mural en la Biblioteca Baker de Dartmouth College, por José Clemente Orozco

Pinturas murales en la Secretaría de Educación Pública, México, por Diego Rivera

"Eco de un Grito" por David Alfaro Siqueiros

Pintura por Rufino Tamayo

primeros se han preocupado principalmente de representar la historia de México, mezclando en cierto sentido el arte con la política. El problema de las razas, la tierra, la conquista española, las oligarquías conservadoras, motivan muchos murales. Tamayo, un poco menos conocido que los otros, se ha interesado más por el indigenismo y debe bastante inspiración a las artes populares.

El movimiento de los muralistas mexicanos es el acontecimiento más importante en el mundo pictórico hispanoamericano de los tiempos contemporáneos.

LA ARQUITECTURA

La arquitectura se ha renovado también en Iberoamérica, pero donde mejores exponentes de las nuevas tendencias se han logrado, es en México y en Brasil. Brasilia revela un estilo sumamente avanzado, mientras que la Ciudad Universitaria de México muestra un ejemplo típico de la combinación de elementos modernos e indígenas.

La biblioteca de la Ciudad versitaria de México, con e saico mural más grande del do, referente a la concepció universo

La Torre Latinoamericana de la ciudad de México, magnífico exponente de
la nueva arquitectura, y el Palacio de Bellas Artes

LA ESCULTURA

La escultura, como las otras artes, se ha lanzado por nuevas vías.
Famoso es el escultor peruano Joaquín Roca Rey, que trabaja particularmente con metales, produciendo conjuntos dinámicos, muy decorativos y
de encantadora armonía. En cuanto al argentino Rogelio Yrurtia, más
clásico en su concepción, es autor de varios monumentos de la ciudad de
Buenos Aires.

5

LA MÚSICA

Iberoamérica es un continente sumamente rico en música popular,
canciones y danzas, en que se combinan los elementos indígena, negro y

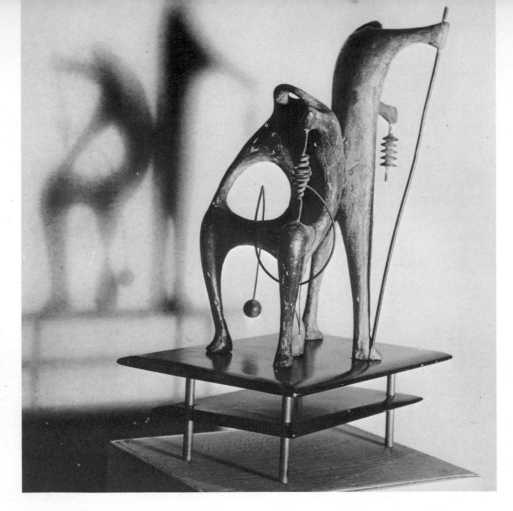

Maqueta para el monumento al Prisionero Político Desconocido—
de Joaquín Roca Rey

europeo (principalmente español y portugués): el *joropo*, en Venezuela; la
marinera, en Perú; la *cueca*, en Chile; la *chacarera*, el *tango* y la *milonga*, en la
Argentina; el *pericón*, en la Argentina y el Uruguay; la *polca* y la *galopa*, en
Paraguay; el *huaino*, en Bolivia; el *son*, el *bolero*, la *conga* y la *rumba*, en
5   Cuba; el *huapango*, el *jarabe* y el *corrido*, en México; el *tamborito*, en Panamá;
el *sanjuanito*, en Ecuador; el *bambuco*, en Colombia, y muchas otras danzas
y canciones. La música del Brasil es quizás la más variada y rica de todo el
continente americano.

     Existe una gran actividad musical en el orden folklórico y popular, y
10 muchos compositores han logrado fama internacional por sus cantos y
piezas para baile. En cada país, esta música depende en grado principal
de su tradición.

Entre los compositores, existen tres tendencias. Primero, los que siguen el antiguo nacionalismo y emplean estilos derivados del romanticismo del siglo pasado o del impresionismo del siglo actual. Segundo, los compositores que buscan asimilar los elementos tradicionales del folklore en formas cosmopolitas y actuales. Por último, los que no tienen interés por el folklore ni por los motivos nacionales, y tratan de expresarse en formas totalmente nuevas, derivadas de la investigación teórica y de la experimentación.[34]

Carlos Chávez es quizás el compositor hispanoamericano de mayor fama en estos momentos.

[34] *Music of Latin America* (3rd edition; Washington, D.C.: Pan American Union, 1960), p. 12.

La Orquesta Sinfónica de Venezuela, durante un ensayo en el Teatro Municipal de Caracas

Alumnos de una escuela venezolana, integrantes de un cuerpo de ballet

CINE, RADIO Y TELEVISIÓN

Estas tres formas del arte contemporáneo están bastante difundidas en Iberoamérica. Los dos centros cinematográficos más importantes son México y Buenos Aires, que han logrado producir algunas películas de interés internacional. Las películas mexicanas insisten más sobre los aspectos nacionales de la civilización, mientras que las argentinas tratan de aproximarse a las europeas, después de un período anterior de tendencia nacional. En Mar del Plata (Argentina) y en Acapulco (México), se realizan certámenes internacionales de cine. Últimamente se ha comenzado a trabajar en Hispanoamérica en coproducciones internacionales. En 1960 se produjeron unas 148 películas en Iberoamérica.

La radiodifusión contaba en Iberoamérica con unas 2.220 estaciones radiotransmisoras en 1960–1961, la mitad aproximadamente de las existentes en los Estados Unidos en la misma época.

Función de teatro en el aula magna de la Ciudad Universitaria de Caracas

En todos los países hay estaciones de televisión, que irradian programas propios o importados de los Estados Unidos, en cintas grabadas y "dobladas" al español. Entre 1960 y 1961, había unas 110 estaciones transmisoras de televisión en Iberoamérica, un quinto aproximadamente de las existentes en los Estados Unidos. En general, los programas iberoamericanos dan gran importancia al teatro, las ideas, los actos públicos, y los debates.

5

CUESTIONARIO

1. ¿Cuántas tendencias principales existen en la literatura contemporánea de Hispanoamérica? 2. ¿Qué es el criollismo literario? 3. ¿De qué trata la novela *Doña Bárbara*, de Rómulo Gallegos? 4. ¿A qué se llama "novela de la Revolución Mexicana"? 5. ¿De qué trata la novela *Los de abajo*, de Mariano Azuela? 6. ¿Cuál es el tema de *El mundo es ancho y ajeno*, de Ciro

Alegría? 7. ¿Qué otras tendencias, puramente artísticas, existen en las letras? 8. ¿Quién es Jorge Luis Borges y cuál es su obra? 9. ¿En qué se caracteriza la obra de Gabriela Mistral? 10. ¿Quién está considerado como el humanista más completo de Hispanoamérica actual? 11. ¿Qué tendencias se notan en la pintura del siglo XX? 12. ¿Cuáles son algunos de los pintores de más renombre internacional? 13. ¿Quiénes son los muralistas mexicanos más famosos? 14. ¿Qué notables ejemplos de arquitectura contemporánea existen en Iberoamérica? 15. ¿Cómo es la escultura contemporánea? 16. ¿Cuáles son las tendencias en la música contemporánea? 17. ¿Cuáles son las canciones y danzas folklóricas más difundidas de Iberoamérica? 18. ¿Cuáles son los centros cinematográficos más importantes en Hispanoamérica? 19. ¿Dónde se realizan certámenes internacionales de cine? 20. ¿Cuántas estaciones de televisión existían hacia 1960–1961?

TEMAS ESPECIALES DE COMPOSICIÓN Y CONVERSACIÓN

I. La literatura contemporánea en Hispanoamérica.
II. El criollismo y la literatura de protesta social.
III. Gabriela Mistral.
IV. La pintura, la escultura y la arquitectura en Iberoamérica.
V. El cine, la radio y la televisión.

CAPÍTULO XIX

EL BRASIL
EN LOS SIGLOS XIX Y XX

DON JUAN, REY DE PORTUGAL Y BRASIL

Napoleón Bonaparte, después de invadir a España, se aprestó[1] a ocupar Portugal en 1807. El príncipe regente Don Juan emigró entonces con toda la corte de los Braganza al Brasil, adonde llegó en 1808, desembarcando en Bahía. Inmediatamente declaró abierto el comercio de los puertos del Brasil a las naciones amigas, y se embarcó hacia Río de   5
Janeiro.

Era el primer soberano de Europa que se trasladaba al continente americano. Gobernó con tolerancia, asistido por un gabinete[2] progresista, y dictó leyes que favorecieron la economía y la cultura del país. Fundó el Jardín Botánico, la Biblioteca Nacional, la Imprenta Regia, la Academia   10
de Bellas Artes, y el primer Banco del Brasil. En 1815, el Brasil fue elevado a la categoría de reino unido a Portugal.

A la muerte de su madre, la reina, Don Juan fue proclamado rey de Portugal y Brasil. Hubo algunas resistencias republicanas, sobre todo en Pernambuco, pero fueron sofocadas.[3] En materia de política exterior,   15
ocupó la Guayana Francesa (1809), como represalia[4] contra Francia, y el Uruguay (1821), que siete años más tarde proclamó su independencia con el nombre de República Oriental del Uruguay.

---

[1] *se aprestó* got ready   [2] *gabinete* cabinet
[3] *sofocadas* quelled   [4] *represalia* reprisal

Estatua de Cristo Redentor, erigida en la cima del Corcovado, en Río de Janeiro, Brasil. Tiene 130 pies de altura y pesa, con su base, 1.200 toneladas.

En 1821 decidió volver a Portugal, llamado por las Cortes de Lisboa, y esto a pesar de que brasileños y portugueses le instaron repetidamente a quedarse. Al partir, dejó a su hijo Don Pedro como regente del país.[5]

EL "DÍA DO FICO"

Al año siguiente, en 1822, se dio orden desde Portugal a Don Pedro para que regresase, y se le enviaron los nombramientos de los nuevos gobernadores, con lo cual se hacía volver[6] al Brasil al régimen colonial.

El presidente del Senado, acompañado del pueblo, se dirigió entonces al palacio del príncipe y le requirió[7] que se quedara en el país, desoyendo[8] las instrucciones de Portugal.

Después de escuchar el discurso, el príncipe Don Pedro contestó categóricamente que se quedaba, por cuanto se trataba del bien[9] del pueblo y la felicidad de la nación. Este día se hizo célebre con el nombre de "Día do Fico", por la respuesta del príncipe: "Fico" (*Me quedo*).

A Don Pedro se le concedió el título de "Defensor Perpetuo" del Brasil.

EL GRITO DE IPIRANGA: DON PEDRO I, EMPERADOR

Don Pedro había dado con su actitud los primeros pasos hacia la independencia. A los pocos meses, encontrándose a orillas del pequeño río de Ipiranga, entre San Pablo y Santos, declaró la separación absoluta del Brasil y Portugal (7 de septiembre de 1822),[10] con el famoso grito de " ¡Independencia o muerte!" Días después, Don Pedro fue proclamado y coronado emperador del Brasil en Río de Janeiro. Poco después, una asamblea constituyente redactaba la constitución, y quedaba así constituido el Imperio del Brasil.

El gran inspirador del movimiento de independencia fue un gran patriota y hombre de ciencia, el popularísimo don José Bonifacio de

---

[5] "'Peter, if Brazil must be separated from Portugal, as it is clear that it will be, you take the crown before anyone else can seize it,' Don Juan must have said to his son." Carlos Navarro y Lamarca, *Compendio de la historia general de América* (Buenos Aires: Angel Estrada y Cía., 1910–1913), p. 779.

[6] *se hacía volver* was made to return   [7] *requirió* requested firmly

[8] *desoyendo* disregarding   [9] *por cuanto se trataba del bien* since it was a matter of the good

[10] The Prince wrenched from his cap the insignia of Portugal, and fixed on his arm the colors of his new country: green for its luxuriant forests, and yellow for its gold and mineral wealth. When his father died in Portugal (1826), Don Pedro was acclaimed King of Portugal, but he abdicated in favor of his daughter.

Andrada e Silva, que ocupó un ministerio y fue el director espiritual del naciente país. Este preclaro[11] hombre, poeta y sabio, es el patriarca de la independencia brasileña.

5   El emperador constitucional Don Pedro I, llamado el Rey Caballero por uno de sus biógrafos, tuvo una vida activísima, y por momentos, romántica, y realizó un gobierno ilustrado, patriótico y honrado. Portugal, por mediación de Inglaterra, reconoció la independencia del Brasil en 1825.

DON PEDRO II

10   Sin embargo, ciertos fracasos en la política exterior, su relación estrecha con los portugueses, y el desagrado[12] de algunos miembros del

11 *preclaro* illustrious   12 *desagrado* discontent

Río de Janeiro: el Pan de Azúcar y la Bahía de Guanabara

gabinete, obligaron al monarca a abdicar (1831) y dejar el gobierno a su hijo de cinco años, bajo la tutela de José Bonifacio de Andrada e Silva.

Después de cuatro regencias, asumió el gobierno ya mayor de edad, con el nombre de Pedro II, en momentos en que comenzaban a extenderse las ideas republicanas y liberales.[13]

5

Don Pedro II fue un gobernante honesto, apasionado por las ciencias y las artes, de una bondad patriarcal y una gran reputación internacional. Viajó varias veces por el mundo y llegó a ser una de las figuras más respetadas en Europa y en América. Desarrolló la industria y el comercio y favoreció la inmigración. En su época se colonizó bastante el país y

10

[13] Brazil was the only country in the world which, in addition to the three customary governmental divisions of executive, legislative, and judicial, had a fourth one, the "Moderating Power".

comenzó la explotación del caucho. Abolió la esclavitud, en contra de los
intereses de los *fazendeiros* o dueños de explotaciones agrícolo-ganaderas.

LA REPÚBLICA

En 1889, el mariscal[14] Deodoro de Fonseca, apoyado por fuerzas
militares, se hizo eco de[15] algunas protestas contra el gobierno y, sobre
5 todo, de la difusión de las ideas positivistas[16] que desde la Escuela Militar
difundía el profesor de matemáticas y filósofo Benjamín Constant,
adoctrinador[17] de los republicanos. Declaró depuesto[18] al emperador,
desfiló[19] con sus tropas por las calles en medio de aclamaciones y fiestas,
y organizó un gobierno provisional, presidido por él mismo, que gobernó
10 hasta 1891. El Brasil se había convertido en República. Se inició luego la
serie de gobiernos civiles.[20]

LA REVOLUCIÓN DE 1930: GETULIO VARGAS

En octubre de 1930 estalló un movimiento revolucionario presidido
por el doctor Getulio Vargas, gobernador del estado de Río Grande del
Sur y candidato a la presidencia de la nación. El movimiento triunfó y
15 asumió el poder una junta provisional, que luego pasó el gobierno a
Vargas. Una asamblea constituyente lo eligió más tarde presidente por el
período 1934–1938. La revolución, que tenía profundas raíces sociales y
económicas, estableció un gobierno favorable a las clases pobres, y
promulgó leyes de trabajo[21] y bienestar social.[22]

BRASILIA, NUEVA CAPITAL

20 En 1960 Río de Janeiro dejó de ser la capital del Brasil, y fue reem-
plazada por Brasilia, construida a 600 millas de la costa, en el corazón

---

[14] *mariscal* marshall   [15] *se hizo eco de* took cognizance of
[16] Positivism was a form of philosophy which accepted only proved facts, rejecting a-priori
principles.
[17] *adoctrinador* teacher   [18] *depuesto* deposed   [19] *desfiló* he marched
[20] During the years from 1891–1930 Brazil strengthened its institutions, and the modern period
began. Its territory was increased by means of peaceful treaties with neighboring nations.
A certain feeling of reserve between Brazil and the Spanish American countries was replaced
by one of reciprocal confidence and friendliness.
[21] *leyes de trabajo* labor laws
[22] In 1942 Brazil declared war on the Axis powers, and sent an expeditionary force to Italy. In
1950 Vargas was elected to the presidency, but in 1954 he committed suicide. The following
year Juscelino Kubitschek, who announced a five-year plan for economic development and
the creation of Brasilia as the capital, was elected president.

Brasilia. El Palacio da Alvorada, o Palacio Presidencial

mismo de un *sertão*[23] inculto. De esta manera se cumplió un antiguo
sueño de muchos estadistas[24] que deseaban una capital interior para
promover un desarrollo más igual del país, ya que su historia había sido
eminentemente litoral.

La construcción de la nueva ciudad significó un tremendo esfuerzo 5
para el país y sus habitantes, por el gasto de dinero, la falta de buenas
comunicaciones, y el alejamiento[25] de las comodidades de la espléndida
Río de Janeiro. En Brasilia reside el gobierno y la administración nacional,
y por su construcción, es la capital más moderna del mundo. El arquitecto

[23] *sertão* a Portuguese word meaning hinterland
[24] *estadistas* statesmen
[25] *alejamiento* removal to a distance

Brasilia. En el centro,
el Museo; a la derecha, el Edificio
del Tribunal Supremo

Oscar Niemeyer ha tenido una importante participación en las obras de esta ciudad.

LA OPERACIÓN PANAMERICANA

En 1958, el presidente Juscelino Kubitschek propuso un plan de desarrollo económico y financiero de la América ibérica, y una política de efectiva ayuda norteamericana a los países. El proyecto se denominó "Operación Panamericana" y fue uno de los antecedentes del plan "Alianza para el Progreso" de los Estados Unidos.

LA LITERATURA DEL SIGLO XIX

El Brasil, como los demás países de Iberoamérica, tuvo una etapa
romántica en su literatura, de imitación europea, aunque integrada con
varios elementos regionales: el sentimiento nacionalista, la incorporación
de la naturaleza americana, y el indianismo. El más alto representante de
la poesía romántica brasileña es Antonio Gonçalves Dias (1823–1864),   5
cuyos temas preferidos fueron las tradiciones indígenas, la patria, el amor,
y la naturaleza del país.

En el mismo período sobresale José Martiniano de Alençar (1829–1877), poeta y prosista famoso, sobre todo por ser el creador de la novela histórica con su obra *El guaraní.* Logró un gran dominio de la lengua y elevó el tema indígena a un excelente nivel.

5   De la generación siguiente es Euclides da Cunha (1866–1909), otro de los maestros de la prosa, que logró celebridad por su obra *El sertanero,*[26] en la que narra la vida en el desierto brasileño, la lucha contra el salvajismo[27] de la naturaleza y la historia de un misterioso personaje, Antonio Consejero, místico, fanático, primitivo y valiente.

10   Otro prosista de gran valor fue José Graça Aranha (1868–1931), autor de la conocida obra *Canaán,* de fondo social, en la que refleja el choque de la mentalidad europea con la americana en la formación del Brasil del futuro.

JOAQUIM MARÍA MACHADO DE ASSIS

El novelista más importante del siglo pasado, y tal vez el más famoso
15   escritor de toda la literatura brasileña, es Machado de Assis (1839–1908). Está considerado por los críticos como el escritor de más perfecto estilo.

Cultivó con preferencia la novela, con un realismo teñido[28] de análisis psicológico y cierta ironía o pesimismo. Tres de sus novelas constituyen la trilogía máxima de la prosa brasileña: *Memorias póstumas de*
20   *Braz Cubas, Quincas Borba* y *Dom Casmurro.*

LA LITERATURA DEL SIGLO XX

En los tiempos actuales existe una gran actividad literaria en el Brasil, apoyada en el creciente desarrollo de la industria editorial, los periódicos y revistas literarias, la afición de la población por la lectura, y la inquietud intelectual por las ideas.

25   Entre los escritores más conocidos internacionalmente, deben señalarse José Bento Monteiro Lobato (1882–1948), escritor de asuntos sociales y libros para niños; Alfonso Lima Barreto (1881–1922), considerado el creador de la novela urbana; Manuel Bandeira (1886–   ), gran poeta de vanguardia; Alceu Amoroso Lima (1893–   ) que escribe bajo el
30   seudónimo de "Tristán de Athayde", crítico y divulgador de la cultura de su país; Jorge Amado (1912–   ), novelista muy traducido en estos tiempos, de tendencia social; Jorge de Lima (1895–1953), notable poeta;

---

[26] *sertanero* A Spanish word used to describe a person who lives in a *sertão*
[27] *salvajismo* savagery   [28] *teñido* tinted

José Lins do Rego (1901–1957), novelista regional, defensor de los pobres y oprimidos; Erico Verissimo (1905–   ), novelista famoso traducido a varios idiomas; y Gilberto Freyre (1900–   ), sociólogo y ensayista celebrado, que en su obra *Casa grande y Senzala* hizo un magnífico cuadro de la vida en tiempos de la esclavitud.

5

LA ARQUITECTURA: OSCAR NIEMEYER Y ROBERTO BURLE MARX

El Brasil ocupa un lugar de privilegio en la arquitectura mundial contemporánea, por la audacia de las formas y el empleo de nuevos recursos técnicos.

Los brasileños han resuelto con originalidad y maestría el difícil problema de adaptar la moderna arquitectura al clima tórrido del país y han desarrollado, además, en forma notable, el arte de los jardines como complemento de la construcción. Han logrado formas imposibles para la arquitectura clásica mediante el empleo del hierro, acero, aluminio, cemento y vidrio, prestando especial atención a la iluminación y la ventilación. El problema del calor lo han resuelto con persianas[29] de los más diversos tipos, y con otros recursos. Como ornamento han desarrollado la aplicación de murales y azulejos. Un excelente ejemplo de construcción brasileña es el edificio del Ministerio de Educación y Salud, en Río de Janeiro.

10

15

Gran cantidad de arquitectos brasileños trabajan actualmente dentro de estas nuevas tendencias, pero el más famoso de todos es probablemente Oscar Niemeyer, autor de magníficos proyectos, a veces en colaboración con otros artistas. Se destacan entre sus obras, el edificio citado anteriormente, realizado en colaboración con Lucio Costa y Le Corbusier como consultor, y la iglesia de Pampulha, en Belo Horizonte, con la colaboración del pintor Cándido Portinari. El empleo del vidrio para muros, practicado en el Ministerio de Educación y Salud, es precursor de la técnica aplicada en el edificio de las Naciones Unidas, en Nueva York, proyecto en el cual colaboró también Niemeyer.

20

25

El nombre de este arquitecto está también íntimamente ligado a las obras de Brasilia, cuyo plan piloto fue realizado por el arquitecto Lucio Costa.

30

En el arte de los jardines, la figura sobresaliente es Roberto Burle Marx, extraordinario caso de artista, autor también de óleos, diseños para telas y tapicería, botánico creador de especies vegetales híbridas, y ceramista. El arte de los jardines no se practicaba en la arquitectura con

35

---

[29] *persianas* Venetian blinds

Casa de Oscar Niemeyer
en Río de Janeiro, Brasil.
Jardín por Burle Marx

la intensidad aplicada por los brasileños, desde los tiempos de las culturas
asiáticas antiguas, o desde los árabes (durante su permanencia en España)
y el Renacimiento italiano.

PINTURA: EL MUSEO DE ARTE MODERNO DE SAN PABLO

    La pintura brasileña es también una de las principales de América.
5 Los artistas actuales del Brasil están reputados entre los mejores del
mundo, sobre todo en lo que se denomina, de un modo genérico, "arte de
vanguardia".

Varios centros artísticos se disputan en estos tiempos la primacía dentro del Brasil. Los pintores brasileños han expuesto colectivamente sus obras en Europa varias veces, y sus cuadros figuran en los grandes museos contemporáneos.

El Museo de Arte Moderno de San Pablo, creado en 1949, es uno de los mejores del mundo en su tipo, comparable al New York Museum of Modern Art, que colaboró en su fundación. A los dos años de su creación, organizó una exposición internacional, que ha sido considerada la más grande aventura internacional en la historia del arte moderno del Brasil.

Se prepara una exposición en el Edificio del Museo de Arte Moderno de São Paulo.

A partir de entonces, las exposiciones bienales[30] de San Pablo tienen, en pintura moderna, la misma importancia que las de Venecia y el Carnegie International.

El Museo de Arte Moderno de Río de Janeiro fué fundado en 1948, y está colocado en importancia después del Museo de San Pablo.

5

CÁNDIDO PORTINARI Y EMILIANO DI CAVALCANTI

Cándido Portinari (1903–   ) está considerado como uno de los más grandes dibujantes del siglo. Sus murales se encuentran en varios sitios del Brasil y del exterior. Son famosos sus estudios para varios paneles del edificio de las Naciones Unidas.

[30] *bienales* every two years

Morro. 1933. Cándido Portinari

Sus trabajos son analíticos, pero dotados de una emoción particular.
Analiza con cuidado los planos, la composición, el dibujo, la luz y los
colores, y esta técnica es inmediatamente perceptible en sus cuadros.
Gran cantidad de sus obras se encuentran en colecciones privadas, museos
e instituciones de varios países, incluso los Estados Unidos. Muy elogiados
son sus murales para el edificio del Ministerio de Educación y Salud de
Río de Janeiro. Es el más conocido internacionalmente de los pintores
brasileños.

Emiliano de Cavalcanti (1897–   ) es otro de los grandes pintores.
Sus temas son más brasileños que los de Portinari, destacándose su técnica
y por el gran colorido.[31]

MÚSICA: HEITOR VILLA LOBOS

Es el más sobresaliente de los músicos brasileños y uno de los creadores
más grandes del mundo contemporáneo occidental. Sus composiciones

---

[31] Other modern Brazilian artists are: Alfredo Volpi, Aldemir Martins, Marcelo Grassman,
Lasar Segall, Roberto Burle Marx, and Manabu Mabe.

Compositor brasileño
Heitor Villa-Lobos

superan el número de 1.400 y se escalonan desde simples melodías folklóricas hasta piezas orquestales. En algunas de ellas, emplea exóticos instrumentos de procedencia indígena, principalmente amazónica. Se distingue por su gran amor a la cultura nacional, que ha contribuido a formar en gran parte.

5

CUESTIONARIO

1. ¿Por qué se trasladó la corte portuguesa al Brasil en 1807? 2. ¿Cómo fue la obra del rey Don Juan en el Brasil? 3. ¿A quién dejó el gobierno cuando decidió regresar a Portugal? 4. ¿Qué es el "Día do Fico"? 5. ¿A qué se llama en la historia brasileña "Grito de Ipiranga"? 6. ¿Quién fue el inspirador de la independencia? 7. ¿Quién fue el primer emperador constitucional del Brasil? 8. ¿Quién fue Don Pedro II? 9. ¿Cuándo se fundó la república? 10. ¿Quién dirigió la revolución de 1930? 11. ¿Qué es Brasilia, y por qué se fundó la nueva capital? 12. ¿Qué es la llamada "Operación Panamericana" y quién fue su autor? 13. ¿Cómo fue el movimiento romántico en la literatura brasileña? 14. ¿Quién es el novelista más importante de toda la literatura del Brasil? 15. ¿Cuáles son las tres más importantes obras de Machado de Assis? 16. ¿Qué nombres recuerda de la literatura brasileña del siglo XX? 17. ¿Qué arquitecto brasileño goza actualmente de fama internacional? 18. ¿Cuáles son los dos pintores brasileños más famosos de la actualidad? 19. ¿De dónde proviene la fama artística de la ciudad de San Pablo? 20. ¿Quién es el más reputado músico brasileño actual?

TEMAS ESPECIALES DE COMPOSICIÓN Y CONVERSACIÓN

I. Los emperadores brasileños Don Pedro I y Don Pedro II.
II. Brasilia, nueva capital del Brasil.
III. La literatura brasileña del siglo XIX.
IV. Las principales obras en prosa de las letras brasileñas.
V. El arte contemporáneo en el Brasil.

CAPÍTULO XX

La interpretación de Iberoamérica

PECULIARIDAD DE IBEROAMÉRICA

El mundo iberoamericano es culturalmente complejo, y su interpretación no es fácil. Es diferente del mundo anglosajón en varios aspectos, como son diferentes también sus hombres. Los países iberoamericanos, a su vez, no son exactamente iguales entre sí, a pesar de sus grandes seme-
5 janzas. Sin embargo, un iberoamericano puede viajar por todos ellos, sin sentirse extranjero en ninguno.

En la época indígena tuvieron culturas distintas, pero luego, bajo la dominación española y portuguesa, comenzaron a igualarse unos con otros. La civilización tecnológica contemporánea tiende a borrar aún más estas
10 diferencias iniciales, sobre todo en las ciudades.

Los países iberoamericanos se identifican sobre todo en su lengua, religión, caracteres psicológicos, costumbres, sentido de la vida, necesidades actuales, y principalmente, en sus aspiraciones comunes de una vida mejor, y desarrollo económico y social.
15 Iberoamérica ha despertado, desde la época del descubrimiento, el interés de escritores, filósofos, sociólogos, militares y políticos, tanto nacionales como extranjeros, que han intentado dar una interpretación de este continente. La serie de intérpretes y críticos de Iberoamérica es inmensa, y los libros escritos sobre este tema integrarían una biblioteca de
20 cientos de volúmenes. La lista comenzaría con el propio Cristóbal Colón, que en sus escritos expresaba sus impresiones sobre el Nuevo Mundo y su gente.

Niño vendedor de fruta. Venezuela

Tipo humano característico de Los Andes venezolanos

Joven cargador de sal, en una salina venezolana

ANDRÉ SIEGFRIED

Entre los intérpretes extranjeros contemporáneos, André Siegfried (1875–1959), miembro de la Academia Francesa que visitó la América Latina a partir de 1931, ocupa un lugar de importancia. Sus conclusiones figuran en su libro *América Latina*.[1]

5   Para Siegfried, los países latinoamericanos, en el aspecto político, no han encontrado aún el equilibrio, y por esta razón sus regímenes oscilan

[1] André Siegfried, *América Latina* (traducido y anotado por Luis Alberto Sánchez; Santiago de Chile: Editorial Ercilla, 1935).

entre la anarquía y la dictadura. El presidente encarna personalmente la soberanía, y el parlamentarismo no ha resultado un poder eficaz en sus funciones.

Los países latinoamericanos dan más importancia al hombre que gobierna, que a las asambleas. El gobernante se siente entonces tentado por el ejercicio del poder omnipotente y abusa de su fuerza, convirtiendo la falta de legalidad en un sistema de administración. Él dispensa los favores y privilegios. En los parlamentos no hay espíritu de cooperación, y el ejército es la única fuerza organizada.

En el aspecto económico, la riqueza está todavía en manos de pocas personas o familias. En general, las grandes empresas son inglesas, norteamericanas, alemanas, francesas, belgas, italianas o suizas; la agricultura y la ganadería están en manos de los descendientes de los antiguos españoles y portugueses, y el comercio menor, en poder de los inmigrantes o los nativos. En muchos casos, las compañías extranjeras emplean personal foráneo,[2] en las funciones superiores, y personal nativo en las funciones bajas.

Como característica típica de la vida económica, Siegfried señala la confianza ilimitada del latinoamericano en la riqueza de sus países; la formación rápida de fortunas; la poca disposición para el ahorro;[3] el amor al lujo, a la elegancia y a la vida fácil; y un vicio fundamental, el endeudamiento.[4] Como no se acumulan capitales por el ahorro, los individuos y los Estados recurren con frecuencia a los préstamos.[5]

La civilización iberoamericana tiene, para Siegfried, la marca española y portuguesa, y no está hecha aún. El hombre iberoamericano se caracteriza por un fondo de tristeza, es romántico, reservado, rígido, arrogante; se mueve dentro de un sistema estético, busca el brillo personal, y es notoriamente individualista. Siegfried lo encuentra, además, indolente, por herencia española y por influencia del clima, y al mismo tiempo, carente de sentido social. Las minorías intelectuales son afrancesadas y refractarias[6] a la civilización anglosajona. En síntesis, España ha dejado su sello: el alma católica, la unión de la familia, la defensa de la individualidad, y la Iglesia.

HERMANN KEYSERLING

El conde Hermann Keyserling (1880–1946), filósofo germano que visitó el continente en la época de 1930, escribió también su opinión en

---

[2] *foráneo* foreign	[3] *ahorro* saving	[4] *endeudamiento* debt
[5] *préstamos* loans	[6] *refractarias* rebellious	

Vista aérea de Buenos Aires,
la ciudad de habla hispánica
más grande del mundo

el libro *Meditaciones sudamericanas*.[7] Aunque sus reflexiones se refieren a la
América del Sur, son válidas también para los demás países iberoamericanos. Keyserling llamó a Sudamérica "el continente del tercer día de la
Creación", porque predomina en los hombres, las costumbres y el
5   panorama, el espíritu de ese día, o sea la tierra, las aguas y la vegetación.

[7] Hermann Keyserling, *South American Meditations: On Hell and Heaven in the Soul of Man* (translated from the German in collaboration with the author, by Theresa Duerr; New York and
London: Harper and Brothers Publishers, 1932).

Según dicho autor, el hombre sudamericano es psíquicamente desarticulado, serio y profundo, y el silencio forma parte de su vida. Revela una sensualidad excesiva, por influencia de la tierra y de la atmósfera, y es muy amigo de la belleza. Las emociones gobiernan su vida y actúa con un fuerte personalismo.[8] La guerra, la sangre, la muerte, el destino, el capricho, la delicadeza, y el dolor, son motivos persistentes en su alma.

[8] *personalismo* selfishness, self-centeredness

Ciudad de México

Vista aérea de la ciudad de Panamá

Finalmente, el conde de Keyserling insiste en el fondo indígena del
alma sudamericana, y lejos de encontrar en esta herencia un impedimento
para la cultura, sostiene que el espíritu indio es fecundo. Analiza la tristeza
india y no encuentra en esta tristeza nada de trágico. Por el contrario, cree
que ella da indicios de una concepción autónoma y original del universo.
Es posible que el alma india tenga una misión que cumplir, y que el
próximo renacimiento del espíritu humano surja de este continente,
porque la tristeza india contiene un gran valor.

SAMUEL GUY INMAN

El estudioso historiador norteamericano Samuel Guy Inman
(1877–   ), en su *Latin America: Its Place in World Life*, señala algunos
contrastes entre el fenómeno latinoamericano y el fenómeno norteamericano.

En su opinión, existen dos diferentes Américas, la anglosajona y la   5
latinoamericana. Mientras el anglosajón es práctico, amante de las cosas,

de la organización en comunidad, y del trabajo efectivo, el latinoamericano es teórico, amante de la discusión, del individualismo, y de la amistad.

La ciencia es el dios de los anglosajones, según él, porque ella trae el poder económico y militar, la salud, el bienestar, y la riqueza. El latino, en cambio, se dedica principalmente a las relaciones humanas, y es experto en este campo, pero encuentra poco tiempo para el aislamiento activo en el laboratorio o la ciencia aplicada. Si el anglosajón es práctico, el latinoamericano es legalista.

Los latinoamericanos son "incurablemente intelectuales", ponen excesivo énfasis en el individualismo, y demuestran una excesiva inclinación a idealizar. Los ideales anglosajones giran en torno a la moralidad y el éxito, mientras los ideales latinoamericanos se concentran en la belleza y el brillo intelectual.

Agrega Inman que, aunque difícilmente se acudiría a Latinoamérica en busca de dirección democrática, organización, negocios, ciencia o valores morales rígidos, Latinoamérica tiene algo que aportar al mundo industrialista y mecanicista actual: "el valor de lo individual; el lugar de la amistad; el uso del ocio o tiempo libre; el arte de la conversación; los atractivos de lo intelectual; la igualdad de razas; la base jurídica de la vida internacional; el lugar del sufrimiento y de la contemplación; el valor de lo no práctico; la importancia del pueblo por sobre las cosas y las reglas".[9]

Concluye Inman sosteniendo que es necesario reconocer esas diferencias, para que los dos pueblos se acerquen más, y para que se elimine la incomprensión.

AMÉRICO CASTRO

El hispanista Américo Castro (1885–   ), ha señalado algunas características de este continente en su libro *Iberoamérica: Su historia y su cultura.*[10]

Expresa este intérprete que las inquietudes y los anhelos personales interesan profundamente a los españoles y a los iberoamericanos por igual, y que la moral, el derecho y el arte son más importantes en sus vidas que la ciencia, la técnica industrial, la organización metódica del trabajo, o la sociedad.

[9] Samuel Guy Inman, *Latin America: Its Place in World Life* (New York: Harcourt, Brace and Co., Revised Edition, 1942), pp. 35–36.

[10] Américo Castro, *Iberoamérica: Su historia y su cultura* (New York: Henry Holt and Co., Inc., 3rd edition, 1954).

Ciudad de Guatemala

En cuanto al carácter de los iberoamericanos, señala que son espontáneamente de una manera, pero necesitan vivir de otra. Este hecho sería el motivo por el cual los iberoamericanos están en contradicción consigo mismos, pues manifiestan a la vez sentimientos de superioridad y sentimientos de inferioridad. Además, revelan una gran desarmonía entre sus impulsos y sus razones. Tienen la tendencia a achacar[11] a algo, o a alguien, los males de sus países.

Los iberoamericanos, en la opinión de Castro, cultivan un nacionalismo exasperado, son a veces pesimistas, y también excesivamente susceptibles.

LOS INTÉRPRETES LOCALES

Los iberoamericanos, por su parte, han realizado análisis del continente en general, o de sus propios países, en particular. Los ensayistas y pensadores del siglo XIX habían formulado sus teorías sobre estos países,

[11] *achacar* to attribute

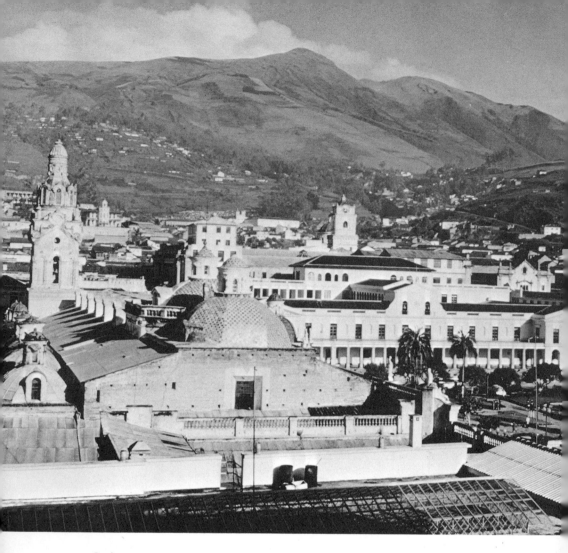

Quito, Ecuador

proponiendo distintas soluciones. Echeverría se mostró disconforme con
la obra hispánica, y propuso un democratismo liberal a lo francés;
Sarmiento tampoco aprobó la tradición colonial, y se mostró favorable al
ejemplo anglosajón y europeo; Montalvo atacó al teocratismo y al clerica-
5 lismo, pero creyó en el gobierno de las minorías cultas; Hostos fue también
contrario a España, defendió a los indios y los mestizos, propuso la
mezcla de razas, e hizo responsables de los males de Hispanoamérica a los
malos políticos, militares y revolucionarios; González Prada y Mariátegui,
fueron indigenistas; Rodó fue partidario de las minorías intelectuales, y
10 propuso una civilización que conciliara lo griego y lo cristiano, lo hispánico
y lo europeo.

En el siglo actual, los ensayistas han continuado con la tradición de analizar el continente, y con diferencias de matices, repiten las acusaciones y las soluciones.

Alcides Arguedas (1879–1946), boliviano, al estudiar la realidad de su país,[12] condena al *cholo* o mestizo de Bolivia, y por extensión, a los mestizos de otros países, a los cuales responsabiliza crudamente de politiquería, esterilidad intelectual, ineptitud social, egoísmo, megalomanía,[13] farsa legislativa, caudillismo, y otros defectos. Arguedas, uno de los mayores pesimistas del continente, está considerado como el creador de la "leyenda negra" del mestizo. Su obra causó gran excitación en Hispanoamérica.

Ezequiel Martínez Estrada (1895–   ), es tan cáustico como el anterior. En *Radiografía de la Pampa*[14] analiza a su país, la Argentina, a la cual censura en muchos aspectos de su civilización. Se muestra contrario a los conquistadores y colonizadores españoles, a los caudillos, a la europeización, al cosmopolitismo, a la tecnificación, al enriquecimiento y

[12] Alcides Arguedas, *Pueblo enfermo* (Santiago de Chile: Ediciones Ercilla, 3rd edición, 1937).
[13] *megalomanía* an exaggerated idea of their own importance
[14] Ezequiel Martínez Estrada, *Radiografía de la Pampa* (Buenos Aires: Editorial Losada, 1942).

Tegucigalpa,
Honduras

al progreso material, y cree que su país, con el desarrollo, va perdiendo sus virtudes antiguas. La interpretación de Martínez Estrada, provocó hace treinta años vivas polémicas y refutaciones.

Pedro Henríquez Ureña (1884–1946), dominicano, y uno de los mayores humanistas de Hispanoamérica, en sus *Ensayos en busca de nuestra expresión*,[15] se interesa por el problema de la cultura hispanoamericana. Sale en defensa de la cultura hispánica, a la cual reconoce valores permanentes y universales que se deben cultivar, con la independencia y originalidad necesarias para crear un arte y una cultura hispanoamericana.

Ricardo Rojas (1882–1957), argentino, propone en su obra *Eurindia*,[16] siempre dentro del orden cultural, la combinación de todos los valores culturales europeos con los indígenas, para constituir una nueva cultura.

Alfonso Reyes (1889–1959), mexicano, proclamó la "mayoría de edad" de la inteligencia hispanoamericana, a la que considera haber llegado a un nivel de originalidad y calidad suficientes para ser colocada al lado de las grandes culturas contemporáneas.[17]

Germán Arciniegas (1900–   ), colombiano, se ha ocupado preferentemente de lo histórico y lo sociológico, en varias colecciones de ensayos. No es un apologista de la colonización española, ni tampoco un excesivo defensor de lo europeo.[18]

JOSÉ VASCONCELOS

Este ensayista mexicano (1882–1957) es el autor de la original teoría sobre la "raza cósmica". Según Vasconcelos—defensor de la tradición hispánica e indígena al mismo tiempo—, el destino de los pueblos latinos de América es el de constituir la cuna de una quinta raza humana, por su tradición única en el mestizaje.

En el continente hispanoamericano se habrán de fundir, étnica y espiritualmente, las gentes de las otras cuatro razas (amarilla, roja, blanca y negra), sin predominio ni supremacía de ninguna de ellas, para lo cual es necesario que los iberoamericanos se compenetren de su misión y la acepten como un misticismo.

Esta raza tendrá su sede en una tierra de promisión, en las zonas cálidas y tropicales, que hoy comprenden el Brasil, Venezuela, Colombia,

---

[15] Pedro Henríquez Ureña, *Ensayos en busca de nuestra expresión* (Buenos Aires: Editorial Raigal, 1952).

[16] Ricardo Rojas, *Eurindia* (Buenos Aires: J. Roldán y Cía., 1924).

[17] Alfonso Reyes, in the anthology *Europa-América Latina* (Buenos Aires: Comisión Argentina de Cooperación Intelectual, 1937), pp. 7–13.

[18] Germán Arciniegas, *América, Tierra Firme* (Santiago de Chile: Ediciones Ercilla, 1937).

Caracas, Venezuela

Ecuador, parte de Perú y de Bolivia, y norte de la Argentina. Esta quinta raza no excluirá a ninguna otra raza, pero deberá probar con sus obras que es la más apta, por estar formada por la contribución de todas, de consumar empresas extraordinarias. Su tipo físico y espiritual será superior a todos los que han existido.

5

Pero esta raza, para cumplir este destino que tiene asignado, deberá inspirar todas sus obras en el amor y en la belleza, porque si falla en ello, se verá suplantada por las otras razas.[19]

[19] José Vasconcelos, "La raza cósmica", in *Vasconcelos* (México: Ediciones de la Secretaría de Educación Pública, 1942), pp. 87–130.

CUESTIONARIO

1. ¿Son iguales en sus ideas el mundo anglosajón y el mundo iberoamericano? 2. ¿En qué se identifican los países iberoamericanos? 3. ¿Quién es André Siegfried y qué libro escribió sobre el continente iberoamericano? 4. ¿Cuáles son las características de la vida política latinoamericana, según André Siegfried? 5. ¿Cuáles son las características económicas? 6. ¿Qué caracteres tiene para Siegfried la civilización iberoamericana? 7. ¿Quién fue el conde Hermann Keyserling? 8. ¿Por qué llamó a Sudamérica "el continente del tercer día de la Creación"? 9. ¿Qué opina Keyserling de la tristeza india? 10. ¿Quién fue Samuel Guy Inman y qué libro escribió sobre la América Latina? 11. ¿Cuál es, en su opinión, la diferencia entre los pueblos anglosajones y los pueblos latinoamericanos? 12. ¿Cuáles son, según Inman, los aportes de Latinoamérica a la civilización mundial? 13. ¿Qué expresa Américo Castro sobre los iberoamericanos? 14. ¿Cuáles son las ideas de Alcides Arguedas sobre el mestizo de Hispanoamérica? 15. ¿Qué sostuvo Pedro Henríquez Ureña sobre la cultura hispánica y la hispanoamericana? 16. ¿Cuál es la tesis de Ricardo Rojas en su libro *Eurindia*? 17. ¿Quién proclamó la "mayoría de edad" de la civilización hispanoamericana? 18. ¿Cuál es el pensamiento de Germán Arciniegas en cuanto a la civilización hispanoamericana? 19. ¿Quién propuso la teoría de la "raza cósmica"? 20. ¿Qué dice, en síntesis, esa teoría?

TEMAS ESPECIALES DE COMPOSICIÓN Y CONVERSACIÓN

I. Características generales de los iberoamericanos.
II. Las ideas de Samuel Guy Inman sobre las culturas y los hombres anglosajones y latinoamericanos.
III. Iberoamérica y los Estados Unidos.
IV. Los latinoamericanos como críticos de sus propios pueblos.
V. José Vasconcelos y sus ideas sobre la "raza cósmica".

CAPÍTULO XXI

CONTINENTE EN TRANSICIÓN

EL PORVENIR DE IBEROAMÉRICA

Iberoamérica pasa en estos años por un período de transición. Algunas viejas estructuras políticas, sociales, económicas y culturales han perdido actualidad,[1] y se buscan formas nuevas en su reemplazo. Hay impaciencia por conseguir cambios en algunos iberoamericanos, y oposición a los cambios, en otros. Las condiciones económicas son, en general, difíciles en casi todos los países, y los gobiernos poco estables.

Nadie puede predecir el futuro, pero parece evidente que en los próximos años se producirán cambios importantes. Estos cambios pueden producirse pacífica o violentamente, es decir, por evolución o por revolución.

La paz y el orden son perturbados continuamente por revoluciones, golpes de estado militares, dictadores, agitadores políticos nacionales e internacionales, huelgas,[2] disturbios callejeros, sabotaje, y hasta guerrillas. Los gobiernos hacen esfuerzos por consolidarse, ante los ataques de los extremismos de derecha y de izquierda, y los pueblos exigen imperiosamente un sistema de vida más justo y equitativo.

El antiguo régimen iberoamericano puede reformarse y brindar mejores condiciones de vida a todos. Para esto se necesitan buenos gobiernos; reformas sociales; desarrollo económico; mejor distribución de la tierra, de los impuestos y de la renta; ampliación de la instrucción pública; progreso tecnológico; capital; aumento de la producción; obras

---

[1] *han perdido actualidad* are out of date   [2] *huelgas* strikes

públicas; mejoramiento de la sanidad, y aumento del comercio interior y exterior.

En varios países, como México, Argentina, Venezuela, Brasil y otros, se están realizando o se están proyectando reformas, y en este sentido, es presumible que en muy pocos años, toda Iberoamérica habrá entrado en el gran cambio.

Los países tienen recursos naturales y humanos para esta empresa, pero como en todos los períodos históricos de gran transformación, estos cambios toman a menudo aspectos de violencia y de lucha. El gran dilema es saber si estas reformas podrán cumplirse satisfactoriamente y dar un mejor nivel de vida a los pueblos, antes de que aumenten las presiones internas y se produzcan más graves desórdenes. Esta es una carrera contra el tiempo. Los peligros son muchos, pero las esperanzas buenas.

HACIA UNA NUEVA CIVILIZACIÓN

El problema actual de Iberoamérica ocupa la atención de eminentes economistas, sociólogos, políticos y demás hombres de pensamiento, iberoamericanos y extranjeros.

Algunos de ellos son pesimistas, e interpretan el actual período de crisis como un fracaso de la civilización iberoamericana. Lo consideran como un estado de decadencia sin solución pacífica. Pronostican[3] grandes calamidades y, a veces, aconsejan a los gobiernos extranjeros desentenderse del problema y dejar esa parte del continente librada a su propia suerte. Sin embargo, debe pensarse que la América Latina forma parte, por tradición, del mundo cultural occidental, y el destino de estos países está unido al del resto del mundo.

Tampoco puede asegurarse que la América Latina fracasará en sus intentos de reformas y desarrollo. No se trata de profetizar sobre el futuro— lo cual es imposible—, pero existen para el optimismo las mismas razones que para el pesimismo. Los iberoamericanos, hasta el presente, prefieren ser optimistas, y creen que de la actual crisis podrá salir una América Latina renovada y pujante, y que su civilización propia será una combinación de los buenos elementos de su tradición con los de la tradicción europea y norteamericana.

Probablemente, la América Latina del futuro no adoptará la totalidad de las formas de la civilización europea y norteamericana, pues los latinoamericanos no renunciarán a su patrimonio histórico: raza, religión,

---

[3] *pronostican* prophesy

lengua, sentido de la vida, gusto por la expresión artística, orgullo nacional, individualismo, etc. Pero es muy probable que acepte agregar a estos antecedentes los progresos logrados en otros campos por los países más adelantados del mundo: ciencia, tecnología, producción en masa, técnica de los negocios, educación para la mayoría.

La originalidad de la civilización iberoamericana se ha logrado ya en algunos aspectos, como en las artes plásticas, la arquitectura, la música, la literatura, el concepto paternalista del estado, el rechazo de las formas extremas del capitalismo liberal, la fusión racial, la legislación social protectora.

En pocas palabras, podría decirse que la Iberoamérica de los próximos años conservará su fisonomía espiritual, pero modificará la material.

EL DESARROLLO ECONÓMICO

Donde más se nota la crisis actual, es en la economía. Y tal vez sea en este campo donde se produzcan las mayores reformas.

Según el economista W. W. Rostow, hacia 1959, sólo la Argentina y México, entre todos los países latinoamericanos, habían entrado en la etapa del "despegue"[4] de su economía, superando así las formas de la sociedad tradicional. En la teoría del distinguido economista del Massachusetts Institute of Technology, esta etapa del desarrollo económico ocurrió en Inglaterra después de 1783, en los Estados Unidos antes de 1860, y en Alemania hacia 1875.

Durante esta época, las nuevas industrias se expanden rápidamente y se produce un crecimiento de todas las actividades económicas; aumenta el ingreso de las personas; se desarrolla la clase de los empresarios y crecen las inversiones privadas; comienzan a usarse explotaciones y recursos hasta entonces no empleados; la técnica se incorpora a las tareas agrícolas, y se producen importantes cambios en el sistema de vida.[5]

Otros economistas[6] consideran a los países de la América Latina— con excepción de la Argentina—, como "países pobres". Estos países se caracterizan por el carácter primario de su producción (agricultura, ganadería y minería); la presión de la población que crece a un alto promedio; el subdesarrollo en la explotación de los recursos naturales; el

---

[4] "*despegue*" take-off

[5] According to Rostow, whose ideas are widely known in Iberoamerica, the stages of economic development in a society are: (1) the traditional society, (2) the pre-conditions for "take-off," (3) the "take-off," (4) the drive for maturity, (5) the age of high mass-consumption.

[6] Gerald M. Meier and Robert E. Baldwin, *Economic Development: Theory, History, Policy* (New York: John Wiley and Sons, 1959), p. 288.

retraso económico de la población; la falta de capital, y la orientación de su comercio hacia el exterior. En esta clasificación de países pobres, caben, además de los países de Iberoamérica, los de África y Asia.

En opinión de otros economistas,[7] los países de la América Latina revelan un fuerte crecimiento de la población; son principalmente exportadores de artículos de consumo; viven en una continua inflación, sobre todo después de la segunda guerra mundial; y tienen en marcha vastos planes de desarrollo industrial, sobre la base del proteccionismo industrial.

Hacia 1955, la existencia de capital era estimada en unos 107.000 millones de dólares, o sea, unos 600 dólares por persona, lo cual es un promedio alto con respecto a la mayoría de los países de Asia y África, pero bajo con respecto a los países más desarrollados del mundo.

En lo económico, se pronostica que a largo plazo habrá una muy sustancial expansión industrial, crecerán enormemente las grandes ciudades, mejorarán los precios de los artículos de exportación, y existirá un mercado común latinoamericano. Las condiciones que se fijan para este objetivo son: el mantenimiento del orden, la ley y la seguridad interna; la estabilidad de la moneda; la supresión de los déficits en los países, y la aceptación del capital extranjero no sólo en el sentido de aceptar las inversiones de capital extranjero, sino en el sentido de respetar los acuerdos hechos con los extranjeros.

Los dirigentes económicos de Iberoamérica, han repetido en muchas oportunidades sus puntos de vista sobre el futuro del continente: puede lograrse el gran objetivo, a condición de que el pueblo iberoamericano esté dispuesto a realizar el sacrifico necesario para lograr un fin de esta naturaleza.

LA INESTABILIDAD POLÍTICA

Iberamérica no ha logrado todavía su estabilidad política. Hay frecuentes revoluciones, que unas veces llevan al poder a un dictador egoísta y ambicioso, pero que otras veces sirven para sacarlos del poder, o dar elecciones libres. No todas las revoluciones iberoamericanas han sido antidemocráticas, pues muchos dictadores funestos fueron derribados por revoluciones, sobre todo después de la segunda guerra mundial.

[7] F. Benham and H. A. Holley, *A Short Introduction to the Economy of Latin America* (London: Oxford University Press, 1960).

Esta característica revolucionaria de la vida política iberoamericana es un fenómeno complejo y difícil de comprender, si no se toma en cuenta, en cada caso, la totalidad de las circunstancias. Pero en general, y pese a la frecuencia de los golpes de estado, prevalece en Iberoamérica la tendencia a establecer gobiernos democráticos y estables.   5

El presidente es, por lo general, una figura poderosa y decisiva dentro del plano político del país. El sistema parlamentario no ha logrado todavía plena vigencia,[8] y en algunas partes no goza de prestigio. Sin embargo, en varios momentos de la historia, los parlamentos han frenado[9] los intentos personalistas de los presidentes y han sancionado leyes de   10 verdadero contenido progresista.

EL CAMBIO SOCIAL

En lo social, la separación de clases es todavía fuerte. Las diferencias no se hacen tanto por razones raciales, sino más bien por razones económicas y de tradición familiar. Sin embargo, la sociedad iberoamericana es abierta, y cualquier persona puede lograr posiciones de prestigio, nacionales   15 o extranjeros, mediante el dinero, las carreras universitarias, la política, las artes, el gremialismo, los grados militares, la carrera eclesiástica, la ciencia, los deportes, el cine.

La mujer comienza a tener importancia social, sobre todo en las ciudades, por su participación en la vida política, las ciencias, las artes y   20 las profesiones liberales.

La clase media crece continuamente, y en algunos países, es la clase más numerosa. La clase obrera ha comenzado a surgir también, mediante el proceso de industrialización, y tiene ya en varios países, fuertes derechos gremiales y consideración social. La clase de los empresarios está formán-   25 dose, y los antiguos terratenientes, ganaderos o agricultores, están siendo desplazados por los empresarios industriales. La vieja clase aristocrática va perdiendo poco a poco su poder y prestigio.

Los intelectuales siguen siendo un sector importante de la sociedad, y un factor de poder y de opinión muy respetable. Los miembros de la   30 Iglesia continúan con su tradicional prestigio, e influyen espiritualmente en la formación de la conciencia nacional, pese al escepticismo o a la indiferencia religiosa de algunos sectores.

De esta manera, la vieja sociedad iberoamericana evoluciona hacia formas más modernas y democráticas.

---

[8] *vigencia* force   [9] *han frenado* have applied a brake to

CUESTIONARIO

1. ¿Por qué Iberoamérica se encuentra actualmente en un estado de transición? 2. ¿Cómo es la situación económica actual de los países iberoamericanos? 3. ¿Qué factores se consideran necesarios para el desarrollo de Iberoamérica? 4. ¿En qué países se están desarrollando planes de reformas? 5. ¿Tienen los países iberoamericanos recursos naturales y humanos para su desarrollo? 6. ¿Cuál se considera el dilema de la actual situación? 7. ¿Quiénes estudian el problema actual de Iberoamérica? 8. ¿Cuál es la opinión de los pesimistas? 9. ¿De qué tradición cultural forma parte la América Latina? 10. ¿Cómo enfrentan los iberoamericanos la situación de Iberoamérica? 11. ¿Cuáles son los elementos que se consideran permanentes en la civilización iberoamericana? 12. ¿Cuáles son los elementos que probablemente incorporará Iberoamérica en su civilización futura? 13. ¿En qué aspectos culturales ha logrado ya Iberoamérica cierta originalidad? 14. ¿En qué consiste la etapa del "despegue" económico según la teoría del profesor Rostow? 15. ¿Qué países se encontraron antes en la misma etapa de desarrollo económico que la Argentina y México actuales? 16. ¿Cuáles son las características económicas de los denominados "países pobres"? 17. ¿Se encuentra Iberoamérica más atrasada económicamente que la mayoría de los países de Asia y de África? 18. ¿Cuál es el pronóstico a largo plazo de la industrialización iberoamericana? 19. ¿Cómo deben interpretarse las revoluciones en la vida política iberoamericana? 20. ¿Qué características ofrece la vida social en Iberoamérica en estos momentos?

TEMAS ESPECIALES DE COMPOSICIÓN Y CONVERSACIÓN

I. Iberoamérica, continente en transición.

II. El desarrollo económico de la América Latina.

III. La actual situación política de Iberoamérica.

IV. Los pronósticos sobre el futuro de Iberoamérica.

V. Iberoamérica actual: su economía, política y sociedad.

APÉNDICE

FECHAS IMPORTANTES

ÉPOCA PRE-COLOMBINA

2000-1500 a. de C.	Establecimiento de los mayas en Centroamérica.
850-500 a. de C.	Cultura de Chavín de Huantar en las montañas del norte del Perú.
200 a. de C. 1200 d. de C.	Toltecas en el valle de México.
317-889 d. de C.	Época clásica de los mayas.
400-1000 d. de C.	Civilización mochica en el norte del Perú.
400-1000 d. de C.	Culturas de Pisco, Ica, Nazca, y Paracas en el Perú.
c. 900 d. de C.	"Nuevo Imperio" de los mayas en Yucatán.
siglo XI d. de C.	Aparición de los incas en el valle del Cuzco.
1000-1300 d. de C.	Cultura de Tiahuanaco en el Perú y Bolivia.
1000-1500 d. de C.	Cultura chimú en la zona costera del norte del Perú.
siglo XIII d. de C.	Llegada de los chichimecas al valle de México.
siglo XIII d. de C.	Llegada de los aztecas al valle central de México.
1312 d. de C.	Los aztecas fundan la ciudad de Tenochtitlán en una isla del lago Texcoco.
siglo XV d. de C.	Guerra entre los mayas y los itzás (descendientes de los toltecas) en Yucatán.

**ÉPOCA DEL DESCUBRIMIENTO,
DE LA CONQUISTA, Y DE LA COLONIZACIÓN**

1492	Descubrimiento de América por Colón.
1494	Fundación por Colón de la primera ciudad americana, la Isabela, en la isla Hispaniola.
1497	Llegada de Juan Cabato a Norte América.
1498	Vasco de Gama descubre el Cabo de Buena Esperanza y llega a la India.

1500	Descubrimiento del Brasil por Pedro Alvares Cabral.
1513	Descubrimiento del Pacífico por Núñez de Balboa.
1513	Descubrimiento de la Florida por Ponce de León.
1519	Entrada de Cortés en Tenochtitlán.
1520	Fernando de Magallanes descubre el Estrecho que lleva su nombre, entre el Atlántico y el Pacífico.
1522	Elcano termina la primera vuelta al mundo.
1534	División del Brasil en quince capitanías generales.
1535	Establecimiento del Virreinato de Nueva España (México).
1535	Fundación por Pizarro de la "Ciudad de los Reyes" (Lima).
1536	Introducción de la imprenta en México.
1536	El conquistador Jiménez de Quesada lucha con los indios chibchas de Colombia.
1538	Fundación de Santa Fe de Bogotá.
1538	Creación de la primera universidad del continente, Santo Tomás de Aquino, en Santo Domingo.
1540-41	Valdivia lucha con los araucanos, o *aucas,* de Chile.
1541	Fundación de la ciudad de Santiago de Chile.
1541	Hernando de Soto descubre el Misisipí.
1544	Establecimiento del Virreinato del Perú.
1549	Nombramiento de Tomé de Souza como gobernador del Brasil.
1553	Fundación de las Universidades de México y de San Marcos de Lima.
1717	Establecimiento del Virreinato de Nueva Granada.
1776	Establecimiento del Virreinato del Río de la Plata.
1789	"Inconfidencia Mineira", en Brasil.

ÉPOCA DE LUCHAS POR LA INDEPENDENCIA

1749	Alzamiento en Caracas contra el monopolio comercial de la Compañía Guipuzcoana.
1776	Independencia de los Estados Unidos de América.
1777-1782	Sublevaciones de los comuneros en Nueva Granada.
1780-1781	Rebelión de Tupac Amarú en el Perú.
1789	Revolución Francesa.
1797	Fundación de la "Logia Americana" en Londres.

1806	Tentativa fracasada de Miranda por lograr la independencia de su país (Venezuela).
1807	Invasión de España y Portugal por Napoleón.
1808	Don Juan, príncipe regente de Portugal, llega al Brasil.
1813	Independencia de México.
1813	Independencia del Paraguay.
1815	El Brasil se convierte en reino unido a Portugal.
1816	Independencia de las Provincias Unidas del Río de la Plata.
1817	Independencia de Chile.
1821	Independencia del Perú.
1821	Independencia de Santo Domingo.
1821	Formación de la Gran Colombia (Venezuela, Colombia, Ecuador).
1821	Don Pedro, hijo de don Juan, es declarado regente del Brasil.
1822	Don Pedro I declara la independencia del Brasil.
1825	Independencia de Bolivia.
1898	España pierde sus últimas colonias: Cuba, las Filipinas, y Puerto Rico.

ÉPOCA POSTERIOR A LA INDEPENDENCIA

1822	Agustín de Iturbide se proclama emperador de México.
1829	El Uruguay se separa de las Provincias Unidas y proclama su independencia.
1829-1830	El Ecuador, Colombia y Venezuela se separan de la Gran Colombia.
1831	Abdicación de don Pedro I en favor de su hijo de cinco años, más tarde coronado con el nombre de Pedro II.
1845	Texas se separa de México.
1848	Tratado de Guadalupe Hidalgo, por el cual México cede a los Estados Unidos la mayor parte de Arizona, Nuevo México, y Alta California.
1852	Caída del dictador Rosas en la Argentina.
1853-1886	Período de la Organización Nacional en la Argentina.
1856	La Ley Lerdo de Tejada en México.
1858-1860	Guerra de la Reforma en México.
1864-1867	Maximiliano de Austria, emperador de México.

1865-1870	Guerra de la Triple Alianza entre el Brasil, el Uruguay y la Argentina por un lado, y el Paraguay por otro.
1876-1911	Período de Porfirio Díaz en México.
1879-1883	Guerra del Pacífico entre el Perú y Bolivia.
1889	El Brasil se convierte en República.
1889-1890	Primera Conferencia Internacional de los Estados Americanos en Washington, D.C.
1903	El Panamá se separa de Colombia.
1910-1920	Revolución Mexicana.
1924	Fundación en el Perú de la Alianza Popular Revolucionaria Americana (A.P.R.A.).
1930	Movimiento revolucionario dirigido por Getulio Vargas en el Brasil.
1933	El presidente Franklin D. Roosevelt proclama la política del Buen Vecino.
1933-1938	Guerra del Chaco entre Bolivia y el Paraguay.
1934-1938	Presidencia de Getulio Vargas en el Brasil.
1943-1955	Período del peronismo o "justicialismo" en la Argentina.
1952	Victoria en Bolivia del Movimiento Nacionalista Revolucionario (M.N.R.).
1958	"Operación Panamericana" propuesta por el presidente Juscelino Kubitschek del Brasil.
1960	La capital del Brasil se traslada de Río de Janeiro a Brasilia en el interior del país.
1961	Plan de Alianza para el Progreso del presidente John F. Kennedy.

BIBLIOGRAFÍA SUMARIA

BIBLIOGRAFÍA SUMARIA

En esta bibliografía, destinada a los estudiantes que deseen ampliar el contenido del texto, se citan las ediciones manejadas por los autores. De muchas de estas obras, hay versiones al inglés o al español, y de fechas más recientes o más antiguas que las citadas.

HISTORIAS GENERALES:

Levene, Ricardo, y otros
  Historia de América, 3ra. ed. Buenos Aires, W. M. Jackson, Inc., 1947.

Pereyra, Carlos
  Historia de América Española. Madrid, Editorial Saturnino Calleja, S. A., 1920-1926. 8 v.

Navarro y Lamarca, Carlos
  Compendio de la historia general de América. Buenos Aires, Angel Estrada y Cía., 1910-1913. 2 v.

Pereyra, Carlos
  Breve historia de América. Sgo. de Chile, Zig-Zag, 1938.

Rippy, Fred J.
  Latin America: A Modern History. Ann Arbor, The University of Michigan Press, 1958.

Moore, David R.
  A History of Latin America. Nueva York, Prentice-Hall, Inc., 1938.

Wilgus, A. Curtis, y D'Eça, Raul
  Latin American History: A Summary of Political, Economic, Social and Cultural Events from 1492 to the Present. 5ta. ed. Nueva York, Barnes and Noble, Inc., 1963.

Bailey, Helen M., y Nasatir, Abraham P.
  Latin America: The Development of Its Civilization. Englewood Cliffs, N. J., Prentice-Hall, Inc., 1960.

HISTORIAS CULTURALES Y LITERARIAS:

Henríquez Ureña, Pedro
  Historia de la cultura en la América Hispana. México-Buenos Aires, Fondo de Cultura Económica, 1947.

Castro, Américo

Iberoamérica: Su historia y su cultura. 3ra. ed. rev. Nueva York, Henry Holt and Co., Inc., 1960.

Pattee, Richard

Introducción a la civilización hispanoamericana. Boston, D. C. Heath and Co., 1945.

Henríquez Ureña, Pedro

Las corrientes literarias en la América Hispánica. México, Fondo de Cultura Económica, 1954.

Torres-Ríoseco, Arturo

Nueva historia de la gran literatura iberoamericana. 3ra. ed. Buenos Aires, Emecé, 1960.

Anderson Imbert, Enrique

Historia de la literatura hispanoamericana. 3ra. ed. México, Fondo de Cultura Económica, 1961. 2 v.

Hespelt, E. Herman, y otros

An Outline History of Spanish American Literature. 2da. ed. Nueva York, Appleton-Century-Crofts, Inc., 1942.

Coester, Alfred

The Literary History of Spanish America. Nueva York, The Macmillan Co., 1921.

Bazin, Robert

Histoire de la littérature américaine de langue espagnole. París, Hachette, 1953.

Gallo, Ugo, y Bellini, Giuseppe

Storia della Letteratura Ispano-Americana. 2da. ed. Milán, Nuova Accademia Editrice, 1958.

CAPÍTULO I:

James, Preston E.

Latin America. 3ra. ed. Nueva York, The Odyssey Press, 1959.

CAPÍTULO II:

Collier, John

Indians of the Americas: The Long Hope. 7ma. ed. Nueva York, The New American Library of World Literature, Inc., 1959.

Wissler, Clark

The American Indian: An Introduction to the Anthropology of the New World. 2da. ed. Nueva York, Oxford University Press, 1922.

CAPÍTULO III:

Morley, Sylvanus Griswold

The Ancient Maya. 3ra. ed. rev. Stanford, Stanford University Press, 1956.

Thompson, J. Eric S.

The Rise and Fall of Maya Civilization. Norman, Oklahoma, University of Oklahoma, 1954.

Ruz Lhuillier, Alberto

La civilización de los antiguos mayas. Sgo. de Cuba, Universidad de Oriente, 1957.

Soto-Hall, Máximo

Cultura maya: Carácter y creaciones de esta gran civilización precolombina. Buenos Aires, Atlántida, 1941.

Hagen, Victor W. von

World of the Maya. Nueva York, The New American Library of World Literature, Inc., 1960.

Stephens, John L.

Incidents of Travel in Central America, Chiapas and Yucatan. New Brunswick, Rutgers University Press, 1949. 2 v.

Stephens, John L.

Incidents of Travel in Yucatan. Nueva York, Harper and Brothers, 1848. 2 v.

Sahagún, Fray Bernardino de

Historia general de las cosas de la Nueva España. México, Imprenta del Ciudadano Alejandro Valdés, 1829. 3 v.

Landa, Fray Diego de

Relación ae las cosas de Yucatán. 7ma. ed. México, Editorial Pedro Robredo, 1938.

Arias-Larreta, Abraham

Literaturas aborígenes: Azteca, incaica, maya-quiché. 8va. ed. Los Angeles, The New World Library, 1962.

Popol Vuh, Las antiguas historias del Quiché.

Traducción del texto original con introducción y notas de Adrián Recinos. 4ta. ed. México, Fondo de Cultura Económica, 1960.

Libro de Chilam Balam de Chumayel.

Prólogo y traducción al castellano del idioma maya por Antonio Mediz Bolio. México, Universidad Nacional Autónoma, 1941.

Memorial de Sololá. Anales de los cakchiqueles. Título de los señores de Totonicapán.

Edición de Adrián Recinos. México, Fondo de Cultura Económica, 1950.

CAPÍTULO IV:

Vaillant, George C.

The Aztecs of Mexico: Origin, Rise and Fall of the Aztec Nation. Harmondsworth, Middlesex, A Pelican Book, 1950.

Hagen, Victor W. von

The Aztec: Man and Tribe. Nueva York, The New American Library of World Literature, Inc., 1958.

Chavero, Alfredo

Los azteca o mexica: Fundación de la ciudad de México-Tenochtitlán. México, Libro Mex, 1955.

Caso, Alfonso

El pueblo del Sol. México, Fondo de Cultura Económica, 1953.

Garibay K., Angel María

Historia de la literatura náhuatl. México, Porrúa, 1953, 2 v.

Campos, Rubén M.

La producción literaria de los aztecas. México, Secretaría de Educación Pública, 1936.

Alva Ixtlilxóchitl, Fernando de

Obras históricas. México, Oficina Tip. de la Secretaría de Fomento, 1891.

Torquemada, Fray Juan de

Monarquía indiana. México, S. Chávez Hayhoe, 1943-1944. 3 v.

CAPÍTULO V:

Mason, J. Alden

The Ancient Civilizations of Peru. Harmondsworth, Middlesex, A Pelican Book, 1957.

Means, Philip Ainsworth

Ancient Civilizations of the Andes. Nueva York-Londres, Charles Scribner's Sons, 1931.

Hagen, Victor W. von

Realm of the Incas. Nueva York, The New American Library of World Literature, Inc., 1957.

Garcilaso de la Vega, el Inca

Comentarios reales de los incas. Buenos Aires, Emecé, 1943. 2 v.

Lara, Jesús

La poesía quechua. México, Fondo de Cultura Económica, 1943.

Baudin, Louis

El imperio socialista de los incas. Traducción de José A. Arze. Sgo. de Chile, Zig-Zag, 1943.

Baudizzone, Luis M.

Poesía, música y danza inca. Buenos Aires, Nova, 1943.

Ollantay

Drama en verso quechua del tiempo de los Incas. Traducido de la lengua quechua al francés y comentado por Gabino Pacheco Zegarra. Versión española por G. Madrid, Campuzano, 1886.

CAPÍTULO VI:

Márquez Miranda, Fernando

Los aborígenes de América del Sur. (En: *Historia de América,* dirigida por Ricardo Levene, tomo IV. Buenos Aires, W. M. Jackson, Inc., 1947).

CAPÍTULO VII:

Kirkpatrick, F. A.

Los conquistadores españoles. Traducción de Rafael Vázquez Zamora. Buenos Aires-México, Espasa-Calpe Argentina, S.A., 1940.

Lummis, Carlos F.

Los exploradores españoles del siglo XVI: Vindicación de la acción colonizadora española en América. Traducción de Arturo Cuyás. Buenos Aires-México, Espasa-Calpe Argentina, S.A., 1945.

Hanke, Lewis

La lucha por la justicia en la conquista de América. Traducción de Ramón Iglesia. Buenos Aires, Editorial Sudamericana, 1949.

Fernández de Navarrete, Martín

Viajes de Cristóbal Colón. Madrid, Calpe, 1922.

Colón, Cristóbal

The Journal of Christopher Columbus. Nueva York, Clarkson N. Potter, Inc., 1960.

Acosta, Fray Joseph de

Historia natural y moral de las Indias. Madrid, Ramón Anglés impresor, 1894. 2 v.

Las Casas, Fray Bartolomé de

Historia de las Indias. México, Fondo de Cultura Económica, 1951. 3 v.

López de Gómara, Francisco

Historia general de las Indias. Madrid, Espasa-Calpe, S.A., 1941. 2 v.

CAPÍTULO VIII:

Pereyra, Carlos

La obra de España en América. Madrid, Aguilar, 1930.

Cortés, Hernán

Cartas de relación de la conquista de Méjico. 4ta. ed. Madrid, Espasa-Calpe, S.A., 1940. 2 v.

Díaz del Castillo, Bernal

Historia verdadera de la conquista de la Nueva España. Madrid, Espasa-Calpe, S.A., 1933. 2 v.

Solís, Antonio de

Historia de la conquista de Méjico. Paris, Editorial Garnier Hnos, S.A. 2 v.

López de Gómara, Francisco

Conquista de México. (En: *Historiadores primitivos de Indias,* t. I, págs. 295-455. Madrid, Biblioteca de Autores Españoles, 1852).

Prescott, William H.

The Conquest of Mexico. Garden City, N. Y., Doubleday, Doran and Co., Inc., 1937.

Zárate, Agustín de

Historia del descubrimiento y conquista de la provincia del Perú. (En: *Historiadores primitivos de Indias,* t. II, págs. 459-574. Madrid, Biblioteca de Autores Españoles, 1862).

Cieza de León, Pedro de

La crónica del Perú. (En: *Historiadores primitivos de Indias,* t. II, págs. 349-458. Madrid, Biblioteca de Autores Españoles, 1862).

Prescott, William H.

History of the Conquest of Peru. Philadelphia, J. B. Lippincott Co., 1874. 2 v.

CAPÍTULO IX:

Ots, José María

Instituciones sociales de la América Española en el período colonial. La Plata, Facultad de Humanidades y Ciencias de la Educación de la Universidad de La Plata, 1934.

Moses, Bernard

The Establishment of Spanish Rule in America: An Introduction to the History and Politics of Spanish America. Nueva York y Londres, G. P. Putnam's Sons, 1907.

Sierra, Vicente D.

Así se hizo América. Madrid, Ediciones Cultura Hispánica, 1955.

Carbia, Rómulo D.

Historia de la leyenda negra hispanoamericana. Madrid, Consejo de la Hispanidad, 1944.

Francisco de Vitoria

Relecciones sobre los indios y el derecho de guerra. Buenos Aires, Espasa-Calpe, Argentina, 1946.

Las Casas, Fray Bartolomé de

Doctrina. Prólogo y selección de Agustín Yáñez. 9na. ed. México, Universidad Nacional Autónoma, 1951.

Humboldt, Alexander von

Ensayo político sobre el reino de la Nueva España. 6ta. ed. México, Robredo, 1941. 5 v.

La Condamine, Carlos María de

Viaje a la América meridional. Traducción de Federico Ruiz Morcueno. Buenos Aires-México, Espasa-Calpe Argentina, S.A., 1945.

Benítez, Fernando

La vida criolla en el siglo XVI. México, El Colegio de México, 1953.

García, Juan Agustín

La ciudad indiana. Buenos Aires, La Cultura Popular, 1937.

Otero, Gustavo Adolfo

Life in the Spanish Colonies: La vida social en el coloniaje. Nueva York, A Bertrand Bilingual Text, 1955.

CAPÍTULO X:

Quesada, Vicente G.

La vida intelectual en la América Española, durante los siglos XVI, XVII y XVIII. Buenos Aires, La Cultura Popular, 1917.

Leonard, Irving A.

Books of the Brave. Cambridge, Harvard University Press, 1949.

Torre Revello, José

El libro, la imprenta y el periodismo en América durante la dominación española. Buenos Aires, Peuser, 1940.

Torre Revello, José

Orígenes de la imprenta en España y su desarrollo en América Española. Buenos Aires, Institución Cultural Española, 1940.

Ayarragaray, Lucas

La iglesia en América y la dominación española: Estudio de la época colonial. Buenos Aires, L. J. Rosso, 1935.

Sierra, Vicente D.

Sentido misional de la conquista. de América. Madrid, Consejo de la Hispanidad, 1944.

Turberville, A. S.

La Inquisición española. Traducción de J. Malagón Barceló y H. Pereña. México-Buenos Aires, Fondo de Cultura Económica, 1948.

CAPÍTULO XI:

Picón-Salas, Mariano

De la Conquista a la Independencia: Tres siglos de historia cultural hispanoamericana. 3ra. ed. México-Buenos Aires, Fondo de Cultura Económica, 1958.

Moses, Bernard

Spanish Colonial Literature in South America. Londres-Nueva York, The Hispanic Society of America, 1922.

Solá, Miguel

Historia del arte hispano-americano: Arquitectura, escultura, pintura y artes menores en la América española durante los siglos XVI, XVII y XVIII. Barcelona, Editorial Labor S.A., 1935.

Kelemen, Pál

Baroque and rococo in Latin America. Nueva York, Macmillan, 1951.

CAPÍTULO XII:

Calmon, Pedro

Historia de civilização brasileira. San Pablo, Companhia Editora Nacional, 1933.

Pandiá Calogeras, João

A History of Brazil. Traducción y edición de Percy Alvin Martin. Chapel Hill, The University of North Carolina Press, 1939.

Mendonça, Renato de

Breve historia del Brasil. Madrid, Ediciones Cultura Hispánica, 1950.

Azevedo, Fernando de

Brazilian Culture: An Introduction to the Study of Culture in Brazil. Traducción de William R. Crawford. Nueva York, Macmillan, 1950.

Mattos, Aníbal

Historia da arte brasileira. Bello Horizonte, Bibliotheca Mineira de Cultura, 1937.

Jofré Barroso, Haydée M.

Esquema histórico de la literatura brasileña. Buenos Aires, Nova, 1959.

Bazin, Germain

L'architecture réligieuse baroque au Brésil. San Pablo, Museu de Arte, 1956-1958. 2 v.

CAPÍTULO XIII:

Moses, Bernard

The Intellectual Background of the Revolution in South America: 1810-1824. Nueva York, Hispanic Society of America, 1926.

Robertson, William Spence

Rise of the Spanish-American Republics: As Told in the Lives of their Liberators. Nueva York-Londres, D. Appleton and Co., 1928.

Moses, Bernard

South America in the Eve of Emancipation: The Southern Spanish Colonies in the Last Half-Century of their Dependence. Nueva York y Londres, G. P. Putnam's Sons, 1908.

Gandía, Enrique de

    La independencia americana. Buenos Aires, Compañía General Editora, 1961.

García Calderón, Francisco

    Latin America: Its Rise and Progress. Traducción de Bernard Miall. Londres, T. Fisher Unwin Ltd., 1919.

CAPÍTULO XIV:

Carilla, Emilio

    El romanticismo en la América Hispánica. Madrid, Gredos, 1959.

CAPÍTULO XV:

Zea, Leopoldo

    Esquema para una historia de las ideas en Iberoamérica. México, Universidad Nacional Autónoma de México, 1956.

Zea, Leopoldo

    Dos etapas del pensamiento en Hispanoamérica: Del romanticismo al positivismo. México, El Colegio de México, 1949.

Blanco Fombona, Rufino

    Grandes escritores de América (Siglo XIX). Madrid, Renacimiento, 1917.

Vitier, Medardo

    Del ensayo americano. México, Fondo de Cultura Económica, 1945.

CAPÍTULO XVI:

Nichols, Madeline Wallis

    The Gaucho: Cattle Hunter, Cavalryman, Ideal of Romance. Durham, N. C., Duke University Press, 1942.

Martínez Estrada, Ezequiel

    Muerte y transfiguración del Martín Fierro. México, Fondo de Cultura Económica, 1948. 2 v.

Henríquez Ureña, Max

    Breve historia del modernismo. México-Buenos Aires, Fondo de Cultura Económica, 1954.

CAPÍTULO XVII:

Zum Felde, Alberto

    Indice crítico de la literatura hispanoamericana: El ensayo y la crítica. México, Editorial Guarania, 1954.

Chang Rodríguez, Eugenio

    La literatura política de González Prada, Mariátegui y Haya de la Torre. México, Ediciones De Andrea, 1957.

Hanke, Lewis

  Modern Latin America: Continent in Ferment. Princeton, N. J., D. Van Nostrand Co., Inc., 1959. 2 v.

Tannenbaum, Frank

  Ten Keys to Latin America. Nueva York, Alfred A. Knopf, 1962.

Alexander, Robert J.

  Today's Latin America. Garden City, N. Y., Anchor Books, 1962.

Berle, Adolf A.

  Latin America: Diplomacy and Reality. Nueva York, Council on Foreign Relations, Inc., 1962.

América en cifras—1961: Estadísticas culturales.

  Washington, D. C., Unión Panamericana, Instituto Interamericano de Estadística, 1963.

América en cifras—1961: Estadísticas sociales y del trabajo.

  Washington, D. C., Unión Panamericana, Instituto Interamericano de Estadística, 1963.

América en cifras—1961: Estadísticas económicas.

  Washington, D. C., Unión Panamericana, Instituto Interamericano de Estadística, 1963.

CAPÍTULO XVIII:

Torres-Ríoseco, Arturo

  Grandes novelistas de la América Hispana. 2da. ed. Berkeley, University of California Press, 1949.

Alegría, Fernando

  Breve historia de la novela hispanoamericana. México, Ediciones De Andrea, 1959.

Sánchez, Luis Alberto

  Proceso y contenido de la novela hispanoamericana. Madrid, Gredos, 1953.

Spell, Jefferson Rea

  Contemporary Spanish American Fiction. Chapel Hill, The University of North Carolina Press, 1944.

Morton, F. Rand

  Los novelistas de la revolución mexicana. México, Editorial Cultura, 1949.

Acha V., Juan W.

  Art in Latin America Today: Peru. Washington, D. C., Pan American Union, 1961.

Mujica Láinez, Manuel

  Art in Latin America Today: Argentina. Washington, D. C., Pan American Union, 1962.

Sujo, Clara Diament de

Art in Latin America Today: Venezuela. Washington, D. C., Pan American Union, 1962.

Gómez Sicre, José

4 Artists of the Americas: Roberto Burle Marx, Alexander Calder, Amelia Peláez, Rufino Tamayo. Washington, D. C., Pan American Union, 1957.

Music of Latin America.

3ra. ed. Washington, D. C., Pan American Union, 1960.

Folk Songs and Dances of the Americas.

Washington, D. C., Pan American Union, 1963. 2 v.

CAPÍTULO XIX:

Calmon, Pedro

Historia da civilização brasileira. San Pablo, Companhia Editora Nacional, 1933.

Pandiá Calogeras, João

A History of Brazil. Traducción y edición de Percy Alvin Martin. Chapel Hill, The University of North Carolina Press, 1939.

Jofré Barroso, Haydée M.

Esquema histórico de la literatura brasileña. Buenos Aires, Nova, 1959.

Almeida Cunha, Luiz de

Art in Latin America Today: Brasil. Traducción de William Carey Mein. Washington, D. C., Pan American Union, 1960.

Bardi, Pietro Maria

The Arts in Brazil: A New Museum at São Paulo. Traducción John Drummond. Milán, Edizioni del Milione, 1956.

Goldberg, Isaac

Brazilian Literature. Nueva York, Alfred A. Knopf, 1922.

Putnam, Samuel

Marvelous Journey: A Survey of Four Centuries of Brazilian Writing. Nueva York, Alfred A. Knopf, 1948.

Freyre, Gilberto

Interpretación del Brasil. México, Fondo de Cultura Económica, 1945.

CAPÍTULO XX:

Siegfried, André

América Latina. Traducido y anotado por Luis Alberto Sánchez. Sgo. de Chile, Editorial Ercilla, 1935.

Keyserling, Count Hermann

South American Meditations: On Hell and Heaven in the Soul of Man. Traducido por el autor con la colaboración de Theresa Duerr. Nueva York y Londres, Harper and Brothers, 1932.

Inman, Samuel Guy

Latin America: Its Place in World Life. Ed. rev. Nueva York, Harcourt, Brace and Co., 1942.

Castro, Américo

Iberoamérica: Su historia y su cultura. 3ra. ed. rev. Nueva York, Henry Holt and Co., Inc., 1960.

Arguedas, Alcides

Pueblo enfermo. 3ra. ed. Sgo. de Chile, Ediciones Ercilla, 1937.

Martínez Estrada, Ezequiel

Radiografía de la Pampa. Buenos Aires, Losada, 1942.

Henríquez Ureña, Pedro

Seis ensayos en busca de nuestra expresión. Buenos Aires, Raigal, 1952.

Arciniegas, Germán

América, Tierra Firme. Sgo. de Chile, Ediciones Ercilla, 1937.

Rojas, Ricardo

Eurindia. Buenos Aires, J. Roldán y Cía., 1924.

Reyes, Alfonso

Europa-América Latina, págs. 7-13. Buenos Aires, Comisión Argentina de Cooperación Intelectual, 1937.

Vasconcelos, José

La raza cósmica. (En: *Vasconcelos,* págs. 87-130. México, Ediciones de la Secretaría de Educación Pública, 1942).

CAPÍTULO XXI:

Rostow, W. W.

The Stages of Economic Growth: A Non-Communist Manifesto. Forge Village, Massachusetts: Cambridge University Press, 1960.

Meier, Gerald M., and Baldwin, Robert E.

Economic Development: Theory, History, Policy. New York: John Wiley and Sons, Inc., 1959.

Benham, F., and Holley, H. A.

A Short Introduction to the Economy of Latin America. London: Oxford University Press, 1960.

VOCABULARIO

VOCABULARIO

The authors wish to express their thanks to Mr. Maynard T. Smith, Editorial Consultant for the Department of Spanish–Italian–Portuguese at the University of Southern California, for his valuable assistance in the preparation of this *Vocabulario*.

C. A. L.

D. M.

The vocabulary is intended to contain words used in the text except the articles, some kinds of pronouns, possessive and demonstrative adjectives, and nouns and adjectives that have similar forms and meanings. Some proper names, considered sufficiently identified in the text, have been omitted. Some irregular past participles, irregular preterites, adverbs ending in **-mente,** and superlatives ending in **-ísimo** have been listed. Obvious cognates and some words generally known by second- and third-year students have been omitted.

Abbreviations

m.	masculine	*past part.*	past participle	*Ind.*	Indian
f.	feminine	*pres.*	present	*Port.*	Portuguese
pl.	plural	*pret.*	preterite		
imp.	imperfect	*subj.*	subjunctive		

A

a   to, at, for, in, of
abajo   down, below; **a —**   downward
abandonar   to abandon
abandono *m.*   abandonment
abarcar   to embrace, contain, include
abastecer   to supply
abastecimiento *m.*   provisioning, providing supplies
abertura *f.*   aperture, opening
abiertamente   openly
abierto, -a (*past part. of* **abrir**)   open(ed)
abogado *m.*   lawyer

abolición *f.*   abolition; abrogation
abolir   to abolish
aborígenes *m. pl.*   aborigenes, oldest inhabitants of a country
absolver (ue)   to absolve
absuelto *past part. of* **absolver**
abusar   to abuse; to impose
acabar   to finish, end; **— con**   to put an end to; **— de**   to have just
académico, -a   academic; *m.*   academician
acampar   to encamp
acaso   perhaps
acaudillar   to lead, direct, command

acelerar to accelerate
aceptación *f.* acceptance
acerca de about, concerning
acercarse to approach
acero *m.* steel
acierto *m.* skill; accuracy
aclamación *f.* acclaim, applause
acomodar to accommodate, arrange
acompañar to accompany
aconsejar to advise
acontecimiento *m.* event, happening
acosar to harass
acostumbrar to accustom
actitud *f.* attitude
activar to activate
activísimo, -a very active
acto *m.* act, action
actual present, present day, current
actualidad *f.* present times; **perder —** to be out of date
actualmente at the present time
actuar to act
acudir to come, to respond; to turn, to resort
acuerdo *m.* agreement; memory; **de — con** in accordance with
aculturación *f.* acculturation, interchange of cultures
acumular to accumulate, gather; to store up
acusación *f.* accusation
acusar to accuse
achacar to attribute, impute
adaptar to adapt
adecuado, -a adequate, suitable
adelantado, -a progressive, advanced; *m.* an official in newly conquered territory
adelantamiento *m.* progress
adelanto *m.* progress, step forward
además moreover, besides
adivinatorio, -a divining, divinatory
adivino *m.* soothsayer, fortuneteller
adjudicar to adjudge; award
administración *f.* administration
administrador *m.* administrator; manager
administrativo, -a administrative

admiración *f.* admiration
admirar to admire; **—se de** to wonder at
adobe *m.* adobe, dried clay used in construction
adoctrinador *m.* one who explains a doctrine, teacher
adonde where
adorar to adore
adquirir (ie, i) to acquire
aduana *f.* customhouse
aduanero, -a pertaining to customs duties
adulterio *m.* adultery
adúltero, -a adulterous
adversario *m.* adversary, opponent, enemy
aéreo, -a aerial
aerógrafo *m.* atomizer, spray brush
aeroplano *m.* airplane
afán *m.* zeal, eagerness
afanoso, -a solicitous, painstaking
afecto *m.* fondness
afianzar to strengthen, back up; to guarantee
afición *f.* fondness, liking
afiliación *f.* affiliation
afirmar to affirm, assert
afrancesado, -a "Frenchified"; *m.* Francophile (admirer of things French)
afrontar to confront
afuera out, outward
ágil agile
agitador *m.* agitator
agitar to agitate; to incite to action
agotador, -a exhausting
agotar to exhaust
agradable pleasing, agreeable
agravar to aggravate, make worse
agravio *m.* grievance
agregar to add
agremiar to unionize
agrícola agricultural
agricultor *m.* farmer; agriculturalist
agronomía *f.* agronomy, scientific agriculture
agrupar to form into a group, to group

agudo, -a sharp, penetrating
águila *f.* eagle
agujero *m.* hole
Agustín *m.* Augustine
ahijado *m.* godchild; protégé
ahorcar to hang
ahorrar to save; to spare
ahorro *m.* saving
airado, -a angry
aislamiento *m.* isolation
ajeno, -a strange, foreign
ají *m.* chili
ajuar *m.* furnishings, household goods
ajustar to adjust, adapt
ajuste *m.* adjustment, fit
ajusticiar to execute, put to death
al = a + el to the; upon, when
alambre *m.* wire
alarde *m.* show, display
albergar to house, shelter
alcanzar to achieve, attain, reach
aldea *f.* village, town
aleación *f.* alloy
alegórico, -a allegoric
alegría *f.* joy
alejamiento *m.* farness, removal
Alejandro *m.* Alexander
alejar to remove to a greater distance
alemán, -a German
Alemania *f.* Germany
alentar (ie) to encourage; cheer
alfabetismo *m.* literacy
alfarería *f.* pottery making
alférez *m.* subaltern, second lieutenant
alfombra *f.* carpet
algo something; somewhat
algodón *m.* cotton
algún, alguno, -a some
aliado, m. ally
alianza *f.* alliance
aliar to ally, join
aliento *m.* courage, spirit; breath
alimentar to feed, nourish
alimenticio, -a alimentary, nourishing
alimento *m.* nourishment, food
alivio *m.* alleviation, relief
alma *f.* soul
almirante *m.* admiral

alpaca *f.* a wool-bearing animal
Altiplano *m.* Andean Highlands or Plateau
alto, -a tall, high; **Alto Perú** *m.* Bolivia
altura *f.* height, altitude
aluminio *m.* aluminum
alzamiento *m.* raising; insurrection, uprising
allá there; **más — de** beyond
amalgama *f.* amalgam
amante *m. and f.* lover; **ser — de** to be fond of
amarillo, -a yellow
amarrar to moor, lash, tie up
amatorio, -a amatory, pertaining to love
amauta Inca word meaning a learned man
Amazonas *m.* Amazon River; *f. sing.* amazon
amazónico, -a pertaining to the Amazon
ambicioso, -a ambitious
ambiente *m.* atmosphere; environment
ambos, -as both
americanista Americanist
amigo *m.* friend; **ser — de** to be fond of
amistad *f.* friendship
amo *m.* master
amoroso, -a amorous, pertaining to love
amparar to protect, shelter
ampliación *f.* amplification, enlargement
ampliar to amplify, enlarge
amplio, -a ample, broad, extensive
anales *m.* annals
analfabetismo *m.* illiteracy
analfabeto, -a illiterate
ancho, -a wide, broad
andar to walk; to move; to be (as an auxiliary verb)
andino, a Andean
anduvo *pret. of* **andar**
anestésico, -a anesthesic
anexión *f.* annexation

anexo, -a adjoining
anglofobia *f.* Anglophobia (hatred or fear of the Anglo-Saxon)
anglosajón, -a Anglo-Saxon
angustia *f.* anguish
anhelo *m.* desire, longing
anillo *m.* ring
animalístico, -a animalistic, pertaining to animals
ánimo *m.* spirit, mind; courage
anónimo, -a anonymous
anotar to annotate
ansia *f.* anxiety
ante in front of, before
antecesor *m.* predecessor; forefather
antepasado *m.* ancestor
antepecho *m.* breastrail
anterior prior, previous
anterioridad *f.* priority; **con — a** prior to, earlier than
antes before; **— (de) que** before, rather than
anticapitalismo *m.* anti-capitalism
anticatólico, -a anti-Catholic
anticlericalismo *m.* anti-clericalism
anticuado, -a antiquated; obsolete; old-fashioned
antigüedad *f.* antiquity, ancient times
antiguo, -a old, ancient; former
antihispanismo *m.* anti-Hispanism
antiimperialismo *m.* anti-imperialism
antiintervencionismo *m.* anti-interventionism
Antillas *f.* Antilles
antisemitismo *m.* anti-Semitism
antiyankismo *m.* anti-Yankeeism
Antonio *m.* Anthony
antorcha *f.* torch
antropofagia *f.* cannibalism
antropólogo *m.* anthropologist
anulación *f.* annulment
anular to annul
apagar to extinguish, put out
aparato *m.* apparatus
aparecer to appear
aparición *f.* appearance
aparte apart
apasionado, -a passionate
apelación *f.* appeal

apenas hardly, scarcely
aplacar to placate, appease; to pacify, calm
aplicar to apply
apodar to nickname
apoderarse de to take possession of
apogeo *m.* apogee, highest point of development
apología *f.* apology; vindication
apologista *m.* apologist
aportar to bring to, contribute
aporte *m.* contribution
apóstol *m.* apostle
apóstrofe *m.* apostrophe; scolding
apoyar to support
apoyo *m.* support; backing
apreciar to appreciate; to appraise, to evaluate
apresar, to seize; to capture
aprestar to prepare, ready
aprista pertaining to *APRA*, a political party in Peru
aprobación *f.* approbation, consent
aprobar (ue) to approve
aprovechamiento *m.* beneficial use
aproximadamente approximately
apto, -a apt, suitable
aquel, aquella that
Aquino Aquinas
árabe Arab, Arabic; *m.* Arab
arabesco *m.* arabesque, whimsical adornment
arado *m.* plough
arahuaco *m.* Arahuacan Indian
araucano, -a Araucanian; *m.* Araucanian Indian
arcaico, -a archaic
arcaísmo *m.* archaism
archiduque *m.* archduke
archipiélago *m.* archipelago, a group of islands
archivo *m.* archive, repository for documents
arcilla *f.* clay
arco *m.* arc, arch; **— de medio punto** semicircular arch; **— semicurvo** curved arch
ardiente ardent
arduo, -a arduous, strenuous

arena *f.* sand; arena
arenoso, -a sandy
argentino, -a Argentinian
argumento *m.* argument; thesis
aristócrata *m.* aristocrat
Aristóteles Aristotle
aritmética *f.* arithmetic
arma *f.* arm, weapon; **— de fuego** firearm; **carrera de —s** military career
armonía *f.* harmony
aro *m.* hoop
aromático, -a aromatic, pleasant smelling
arqueológico, -a archaeological
arqueólogo *m.* archaeologist
arquitectónico, -a architectural
arraigar to root
arrastrar to drag
arremeter to assail, attack; **— contra** to rush upon, attack
arrojar to throw, cast, fling, hurl
arroz *m.* rice
arruinar to ruin
arsenal *m.* arsenal, repository of arms and ammunition
arte *m. or f.* art; **bellas —s** fine arts
artesanía *f.* craftsmanship
artesonado, -a ceiling adorned with sunken panels
Arturo *m.* Arthur
asa *f.* handle
asalariado, -a wage-earning
asamblea *f.* assembly
ascender (ie) to ascend; **— a** to amount to
ascenso *m.* ascent
ascético, -a ascetic, dedicated to exercises of mortification
asegurar to assure
asentar to set up housekeeping; to locate, place, seat
asesino, -a murderous; *m.* murderer
asesoramiento *m.* advising, counseling
así so, thus
asiento *m.* seat
asignar to assign
asilo *m.* asylum
asimilar to assimilate

asimismo likewise, in the same manner
asistencia *f.* attendance; aid, assistance
asistir to attend
asno *m.* jackass, donkey
asociar to associate
asombrar to astonish
asombroso, -a astonishing
aspecto *m.* aspect, appearance
astro *m.* star
astrolabio *m.* astrolabe (an instrument for taking measurements by means of the stars)
astronómico, -a astronomical, astronomic
astrónomo *m.* astronomer
astucia *f.* astuteness, cleverness, shrewdness
asumir to assume
asunto *m.* affair, matter
atacar to attack
ataque *m.* attack
atemperado, -a moderate, temperate
atender (ie) to attend to, pay attention to, to take care of
atento, -a attentive
atenuar to attenuate; to extenuate
atormentar to torment, torture
atractivo *m.* attraction
atractivo, -a attractive
atraer to attract
atrás back, backwards; ago
atrasar to delay; to slow down
atraso *m.* backwardness; lag; delay
atreverse a to dare to
atrio *m.* entrance court
atrocidad *f.* atrocity
atropello *m.* upset; trampling; abuse; injustice
auca *m.* Auca Indian
audacia *f.* audacity, boldness
audaz audacious, bold
Audiencia *f.* Audience, an official hearing body; a type of court
augur *m.* augur (a person who tries to predict course of future events by interpreting flight of birds)
aumentar to increase, augment
aumento *m.* increase
aún still, yet; **aun** even

aunque   although, even if
ausencia *f.*   absence
ausente   absent
auténtico, -a   authentic, genuine
auto *m.*   a short religious play
autóctono, -a   native of the country
autodidacto, -a   self-educated
automóvil *m.*   automobile
autónomo, -a   autonomous, independent
autor *m.*   author
autoridad *f.*   authority
autoritario, -a   authoritarian
autorizado, -a   authoritative
autorizar   to authorize
avance *m.*   advance
avanzada *f.*   outpost
avanzar   to advance
avena *f.*   oats
aventura *f.*   adventure
aventurero, -a   adventurous; *m.* adventurer
averiguación *f.*   investigation
avestruz *m.*   ostrich
aviario *m.*   aviary
avidez *f.*   avidity, greediness
aviso *m.*   notification, news
avivar   to enlighten; to awaken
ayllu   an Incan word referring to a sort of clan
ayuda *f.*   help, aid
ayuno *m.*   fast
azar *m.*   hazard, chance
azote *m.*   lash
azteca *m.*   Aztec
azúcar *m.*   sugar
azul   blue
azulejo *m.*   glazed tile

B

bachillerato *m.*   baccalaureate; in Iberoamérica, the term used for a course of study of the college preparatory type
bahía *f.*   bay
bailarín *m.*   dancer
baile *m.*   dance
baja *f.*   reduction, lowering
bajar   to descend, to lower

bajo   under; bajo, -a   low
balaustrada *f.*   balustrade, bannister
balsa *f.*   raft, float; corkwood
banco *m.*   bank; bench
banda *f.*   band
bandera *f.*   flag, banner
banderín *m.*   banner, pennant
bandido *m.*   bandit
bando *m.*   proclamation, edict
barato, -a   cheap
barba *f.*   beard
barbarie *f.*   barbarism
bárbaro *m.*   barbarian
barco *m.*   boat, vessel, ship, bark
bardo *m.*   bard, poet
barrera *f.*   barrier
barro *m.*   clay; mud
barroco, -a   baroque, heavily ornamented
basar   to base
base *f.*   base, basis; a — de   with a base of
básico, -a   basic
bastón *m.*   cane
batalla *f.*   battle; fight
batata *f.*   sweet potato
bautismo *m.*   baptism
beatificar   to beatify
bebedor *m.*   drinker; toper
bebida *f.*   beverage, drink
belga *m. and f.*   Belgian
bélico, -a   warlike
belicoso, -a   bellicose, warlike
belvedere *m.*   belvedere (an open structure or pavilion atop another building)
belleza *f.*   beauty
beneficencia *f.*   welfare, benefit
beneficio *m.*   benefit; culture of mines, ground, or trees
Biblia *f.*   Bible
bíblico, -a   Biblical
biblioteca *f.*   library
bien   well; más —   rather; *m.* possession; good, welfare
bienal   biennial, every two years
bienestar *m.*   well-being
bígamo *m.*   bigamist
biógrafo *m.*   biographer

blando, -a bland, soft
blasfemo *m.* blasphemer
bloque *m.* block
bohemio, -a Bohemian, gypsy-like
boleadoras *f.* stone weights in a sling-shot used by the Indians and gauchos
bolsa *f.* purse, pocketbook; stock exchange
bonaerense pertaining to the Province and city of Buenos Aires
bondadoso, -a good, kind
Bonifacio *m.* Boniface
Borbón Bourbon
bordo *m.* board (nautical); **a —** on board
borrar to erase; to eradicate
bosque *m.* woods, forest
bosquejo *m.* sketch, outline
botánico, -a botanical; *m.* botanist, botany; *f.* botany
bóveda *f.* arch, vault
Brasil *m.* Brazil; **brasil** brazilwood
brasileño, -a Brazilian; *m.* Brazilian
breve brief
breviario *m.* breviary; brief treatise
brillo *m.* brilliance, lustre
brindar to afford, offer; to toast
británico, -a British
bronce *m.* bronze
broquel *m.* shield, buckler
brujo *m.* wizard, sorcerer
brújula *f.* compass; magnetic needle
brusco, -a gruff, brusque; sudden
bucanero *m.* buccaneer
bula *f.* Papal bull or pronouncement
burlesco, -a burlesque
busca *f.* search

C

caballete *m.* easel; trestle
caballito *m.* little horse
cabaña *f.* cabin, hut
cabello *m.* hair
caber to fit, be contained in
cabida *f.* space, room, capacity; **dar —** to make room for
cabildo *m.* town governing body

cabo *m.* end; cape
Cabo de Hornos Cape Horn
Caboto Cabot
cacería *f.* hunt
cacique *m.* an Indian leader; political boss
cadena *f.* chain
cadera *f.* hip
caer to fall
caída *f.* fall
cajón *m.* box; drawer
calabaza *f.* squash, pumpkin
calado, -a openwork
calculador, -a calculating
caldeo, -a Chaldean
calidad *f.* quality; **en — de** in the rôle or category of
calificar to name as
calificativo *m.* name, classification
calor *m.* heat
calvinista *m.* Calvinist (follower of Calvin)
calzada *f.* causeway; *m.* footwear
calzar to put on shoes, wear as shoes
callejero, -a street
cama *f.* bed
cámara *f.* room, chamber
cambio *m.* change, exchange; **en —** on the other hand
camello *m.* camel
camino *m.* road; way
camión *m.* truck
camote *m.* sweet potato
campaña *f.* campaign
campeón *m.* champion
campesino, -a country; peasant; *m.* farmer; peasant
campo *m.* field; country, rural area
canción *f.* song
cancionero *m.* anthology, collection of verse
candela *f.* candle, flare, taper, torch
canonizar to canonize, to declare one a saint
cansar to tire
cántaro *m.* jug
cantidad *f.* quantity
canto *m.* song

cantor *m.* singer

caña *f.* cane, reed; — **de azúcar** sugar cane

caoba *f.* mahogany (tree or wood)

capa *f.* cape; layer

capaz capable

capitanía *f.* captaincy

capitulación *f.* agreement; capitulation

capricho *m.* caprice, whim

caprichoso, -a capricious

cara *f.* face

caracol *m.* snail; shell

carácter *m.* character, characteristic

característica *f.* characteristic

cárcel *f.* jail, prison

carecer to lack, be lacking

carencia *f.* lack; defect

carente lacking

carga *f.* load, freight; burden; **animales de —** beasts of burden

cargamento *m.* cargo, shipload

cargar to load

cargo *m.* office, honor, position; **a — de** in charge of; **hacerse — de** to take charge of

caribe *m.* Carib Indian

Caribe Caribbean

caridad *f.* charity

Carlos *m.* Charles

Carlota *f.* Charlotte

carne *f.* meat

carnívoro *m.* a meat-eating animal

carrera *f.* career, profession; course of study; race

carretera *f.* road, highway

carruaje *m.* carriage

cartógrafo *m.* cartographer, mapmaker

casamiento *m.* marriage

casco *m.* cask; crown of a hat

caso *m.* case; example

casona *f.* large family home

castellano, -a Castilian

castigar to punish

catarata *f.* cataract, waterfall

catecismo *m.* catechism

cátedra *f.* professorship

catedrático *m.* professor

categóricamente categorically

cateo *m.* prospecting

catequesis *f.* brief and simple explanation of a doctrine

catolicismo *m.* Catholicism

católico, -a Catholic

cauchero *m.* rubber worker

caucho *m.* rubber

caudillismo *m.* tendency to follow a *caudillo*, usually the leader of a relatively small faction

caudillo *m.* leader, chief

causa *f.* cause; **a — de** because of

cáustico, -a caustic

cautela *f.* caution; craft, cunning

cautivar to capture, captivate

cautivo, -a captive

caza *f.* hunting

cazador *m.* hunter

cazar to hunt

cebada *f.* barley

ceder to cede, yield

celda *f.* cell

célebre famous, well known

celebridad *f.* celebrity, fame

celeridad *f.* celerity, speed

celeste celestial

celo *m.* zeal

celoso, -a zealous; jealous

cementerio *m.* cemetery

censura *f.* censure, adverse criticism; censorship

censurar to censure; to censor

centeno *m.* rye

centuria *f.* century

cera *f.* wax

cerámica *f.* ceramics

ceramista *m.* ceramist

cerbatana *f.* blowgun, peashooter

cerca (de) near; nearly

cercar to surround; to fence; to besiege

cerdo *m.* pig

cerebro *m.* cerebrum; brain

cero *m.* zero

certamen *m.* competition, contest

certeza *f.* certainty, assurance

césped *m.* sod, turf, lawn

cestería *f.* basket weaving

ciclo *m.* cycle

ciego, -a blind

cielo *m.* sky, heaven; a type of song and dance used by the gauchos

ciempiés *m.* centipede

ciencia *f.* science

científico, -a scientific

cierto, -a certain

ciervo *m.* deer

cifra *f.* cipher, figure, number; sum, amount

cinematográfico, -a pertaining to motion pictures

cinta *f.* ribbon

cintura *f.* waist

cilíndrico, -a cylindrical

cima *f.* height, summit

cine *m.* motion pictures, cinema

cinturón *m.* belt, cordon

circular to circulate

círculo *m.* circle

circunstancia *f.* circumstance, condition; occasion

circuncisión *f.* circumcision

cirujano *m.* surgeon

citar to cite, name

ciudadanía *f.* citizenship

ciudadano *m.* citizen

ciudadela *f.* fortress

clandestinamente clandestinely, secretly

clarín *m.* clarion; a kind of trumpet

claro, -a clear, light; *m.* clearing; gap

clasicismo *m.* classicism

clasicista classicistic; *m.* classicist

clavar to nail

clericalismo *m.* clericalism; participation by the clergy in secular government

clero *m.* clergy

clima *m.* climate

cobre *m.* copper

cobrizo, -a copperish, copper colored

cocer (ue) to cook

cocina *f.* kitchen

coco *m.* coconut

códice *m.* codex

codicia *f.* avarice, greed

código *m.* code; codex

codo *m.* elbow

colaboración *f.* collaboration, help

colectivamente collectively, as a group

colectivista collectivist

colgar (ue) to hang, suspend

colibrí *m.* hummingbird

colina *f.* hill

colocar to place, put, locate

colombiano, -a Colombian

colonialismo *m.* colonialism

colonizador *m.* colonizer

colono *m.* colonist, colonizer, settler

colorear to color

colorido *m.* coloring

colorritmo *m.* color rhythm

coloso *m.* colossus

colla an Incan word meaning the principal wife of the Inca

collar *m.* necklace

comando *m.* command

combate *m.* combat, struggle

combatir to combat

comenzar (ie) to begin

comerciante *m.* merchant, trader

comercio *m.* commerce, trade

cometer to commit

comienzo *m.* beginning

como as; like; **¿cómo?** how?

comodidad *f.* comfort

cómodo, -a comfortable

compañía *f.* company; **Compañía de Jesús** Jesuit Order

compás *m.* compass

compenetrar to compenetrate; to understand thoroughly

compensar to compensate

competencia *f.* competence; competition

competir (i) to compete

compilar to compile

complejidad *f.* complexity

complejo, -a complex; *m.* complex

complemento *m.* complement

complexión *f.* constitution, temperament; habit, nature

complicar to complicate

complicidad *f.* complicity

complot *m.* plot, intrigue

componer to compose, make up

compositor *m.* composer

comprador *m.* buyer

comprender to comprise, include, contain; to understand

comprensión *f.* comprehension, understanding

comprobar (ue) to prove; to check, verify

comprometer to compromise; to commit

compromiso *m.* compromise; commitment

compuesto *past part. of* **componer**

compuso *pret. of* **componer**

cómputo *m.* computation

común common

comunero, -a popular (pertaining to the people); *m.* commoner

comunicativo, -a communicative; talkative

comunitario, -a pertaining to the community; communal

con with, by

concepción *f.* conception, concept

concerniente concerning

concesionario *m.* concessionaire, dealer

conciencia *f.* conscience; consciousness

conciliar to conciliate; to reconcile

concluir to conclude; to end

concretar to make concrete, establish the details

concubina *f.* concubine

concurrir to concur; to gather together

concurso *m.* contest, competition

conchilla *f.* small shell

conde *m.* earl, count

condenar to condemn

condición *f.* circumstance, condition

cóndor *m.* condor (a large vulture)

conducción *f.* conduct, leadership

conducir to lead, conduct

confeccionar to make, put together

conferencia *f.* lecture; conference

conferir (ie, i) to confer

confianza *f.* confidence; **de —** trusted

confiar to entrust, confide

conflagración *f.* conflagration, fire

congreso *m.* congress, convention

conjuntamente together

conjunto *m.* whole, aggregate; **en —** as a whole (group)

conjuración *f.* conspiracy

conmutar to commute

conocedor *m.* expert, connoisseur

conocer to know, recognize; **dar a —** to make known

conocido, -a familiar; well-known

conquistar to conquer, win

consagración *f.* consecration

consagrar to devote wholly, to consecrate

conseguir (i) to achieve, succeed, attain

consejero *m.* adviser, counselor

consejo *m.* council; advice, counsel

conservador, -a conservative

conservadorismo *m.* conservatism

consigna *f.* watchword

consigo with oneself, himself, themselves, *etc.*

consiguiente consequently; **por —** as a result

consistente consistent; consisting

constar to consist

constituir to constitute, make up

constituyente constituent

constructor, -a building, constructing; *m.* builder

consulado *m.* consulate; tribunal for cases concerning navigation and trade

consulta *f.* consultation

consultor *m.* consultant

consumar to consummate

consumo *m.* consumption

contabilidad *f.* accounting

contar (ue) to count; **— con** to count on

contenido *m.* content; the contained

continencia *f.* continence, restraint

contingente *m.* contingent

continuar to continue

continuo, -a continual; continuous

contornear to outline, go around

contra against

contrabando *m.* contraband

contrapunto *m.* counterpoint

contrario, -a contrary; opposed; **por el — or al —** on the contrary contrato *m.* contract

convencer to convince

convenir (ie) to agree; to be suitable; to behoove

convento *m.* convent, monastery

converso, -a converted; *m.* convert

convertir (ie, i) to convert

convivir to live together; to exist side by side

convocar to convoke, call together

corazón *m.* heart

cordel *m.* string, cord

cordillera *f.* mountain range

Coricancha Temple of the Sun in El Cuzco

corneta *f.* cornet, bugle

corona *f.* crown

coronar to crown

coronel *m.* colonel

corredor *m.* corridor; runner, messenger

corregidor *m.* chief magistrate of a town

corregir (i) to correct

correo *m.* mail

correr to run

corresponder to correspond; to belong; to fall to the lot of

correspondiente corresponding

corresponsal *m.* correspondent

corrido *m.* course, run; street ballad

corriente general, common; *f.* current, a running stream; *m.* current month; al — de currently informed

corromper to corrupt

cortar to cut

corte *f.* court; court-tribunal; Cortes Parliament

coser to sew

cósmico, -a cosmic (pertaining to the universe)

cosmogonía *f.* cosmogony (theory on the world's origin)

cosmógrafo *m.* cosmographer

cosmopolita cosmopolitan

cosmopolitismo *m.* cosmopolitanism

costado *m.* side

costear to pay the cost

costero, -a coastal

costo *m.* cost

costumbre *f.* custom

costumbrista term to describe a type of literature emphasizing the presentation of customs in a given region

cotidiano, -a daily

cráneo *m.* skull

creacionista *m.* name given in Chile to the literary movement and its followers which developed shortly after World War I

creador, -a creative; *m.* creator

crear to create

crecer to grow; to increase

creciente growing, increasing

crecimiento *m.* growth, increase

credo *m.* creed

creer to believe

cremar to cremate

crepúsculo *m.* dusk

creyente believing, with faith

cría *f.* raising, breeding

crimen *m.* crime

criollismo *m.* in Spanish American literature, a tendency to emphasize that which is peculiar to a given country

criollo *m.* an offspring, born in America, of European parents

crisol *m.* crucible; melting pot

cristianismo *m.* Christianity

cristiano, -a Christian; *m.* Christian

Cristóbal Christopher; — Colón Christopher Columbus

criterio *m.* standard, criterion

crítica *f.* criticism

crónica *f.* chronicle

cronista *m.* chronicler

cruce *m.* crossing

crudamente crudely, roughly

crudo, -a crude; raw

crueldad *f.* cruelty

cruento, -a bloody

cruzar to cross

cuaderno *m.* notebook

cuadrado, -a square

cuadro *m.* picture; — al óleo oil painting

cuadrúpedo *m.* quadruped

cual which; el *or* la — which; ¿cuál? which, what?

cualquier, -a whatever

cuando when, **¿cuándo?** when?

cuanto how much; as much as; **en — a** with respect to, regarding; **por —** inasmuch as

cuartel *m.* military headquarters; **sin —** without quarter; unrelenting

cuarto, -a fourth, quarter; *m.* room

cubierta *f.* cover; deck

cubierto (past part. of **cubrir**) covered

cuchillo *m.* knife

cuello *m.* neck, collar

cuenca *f.* basin

cuenta *f.* account; bill; **darse — de** to realize

cuentista *m.* short story writer

cuento *m.* story

cuerno *m.* horn

cuero *m.* hide, leather

cuerpo *m.* body; corps

cuidado *m.* care

cultivo *m.* cultivation

culto, -a learned, cultured; *m.* religious ceremonies

cumplimiento *m.* fulfillment, carrying out; compliance

cumplir to fulfill, carry out

cuna *f.* cradle

cuovade a custom among the Indians of Brazil of honoring the father after the birth of a child

cúpula *f.* cupola; dome

cura *m.* curate; parish priest; *f.* treatment, cure

curacas Incan word meaning lesser aristocracy

cursar to follow a course of studies

curvo, -a curved; *f.* curve

cuyo, -a whose

CH

chasqui *m.* Incan word referring to their runners or message bearers

chibcha *m.* Chibcha Indian

chichimeca *m.* Chichimec Indian

chile *m.* chili

chileno, -a Chilean

chimenea *f.* chimney; fireplace

chinampa an Indian word meaning a type of floating garden

chino, -a Chinese

chiripá *m.* a garment wrapped around the waist and legs

choque *m.* shock; collision

choza *f.* hut, cabin

chueca Indian name for a ball game played by the Araucanians

D

dadaísmo *m.* Dadaism (See note 2, Chapter XVIII.)

dados *m. pl.* dice

dama *f.* lady, woman

daño *m.* damage

dato *m.* datum; fact

de of, from; at, in, with; as, by, for; as a; about

debajo below

debatir to debate

deber to owe; ought; *m.* duty, obligation

debido a que owing to the fact that

débil weak

decadencia *f.* decadence, decay

decretar to decree

decreto *m.* decree

dedicar to dedicate

dedo *m.* finger; toe

defecto *m.* defect; shortage, lack, absence

defender (ie) to defend

defensa *f.* defense

defensor *m.* defender

definir to define; to clarify one's political position

degollar to behead

dejar to leave; to let; **— de** to stop, cease

del = de + el

delantal *m.* apron

delatar to accuse, denounce, inform on

delegado *m.* delegate

delegar to delegate

delgado, -a delicate, light, thin

delicadeza *f.* delicacy

delicado, -a delicate

delito *m.* crime

demagogia *f.* demagoguery

demás rest, other, remaining

Demetrio *m.* Demetrius

democratismo *m.* belief in democracy

democratización *f.* democratization

demoledor, -ora demolishing

demonio *m.* devil, demon

demostrar (ue) to demonstrate

denegar (ie) to deny, refuse

denominación *f.* name, denomination

denominar to denominate, call, name

dentro within, inside

denunciar to denounce

depilar to depilate, remove hair

deponer to depose; to put down

deporte *m.* sport

depuesto (*past part. of* deponer) deposed

derecho *m.* right; law

derivar to derive

derrota *f.* defeat

derrotar to defeat, rout, put to flight

desagrado *m.* harshness; discontent, displeasure

desalentar (ie) to discourage

desaparecer to disappear

desarmonía *f.* lack of harmony

desarrollar to develop

desarrollo *m.* development

desarticular to disarticulate, to break apart

desastroso, -a disastrous

desbordamiento *m.* overflowing

desbordante overflowing; exuberant

desborde *m.* overflow; outpouring

descamisado *m.* "have-not"; *literally,* someone without a shirt

descender (ie) to descend

descendiente *m.* descendant

desconfianza *f.* distrust

desconocer not to know; to be unacquainted with

desconocido, -a unknown

descubierto (*past part. of* descubrir) discovered

desde from, since

desear to desire

desembarcadero *m.* pier, wharf, landing place

desembarcar to debark, disembark; to unload

desempeñar to discharge, carry out

desentenderse (ie) to not participate; to affect ignorance; — de to detach oneself from; to renounce

desfilar to parade, march

desgracia *f.* misfortune

deshabitado, -a uninhabited

deshonesto, -a lewd, unchaste; dishonest

deshumanizar to dehumanize

designar to designate, name, point out

desilusión *f.* disillusion, disappointment

desilusionar to disillusion; to disappoint

deslumbrar to dazzle; to shine brightly

desmembrar to dismember; to break up

desmoronar to decay, decline; to crumble away

desnudar to undress; to denude

desoír to pretend not to hear, to disregard

desorden *m.* disorder

desordenar to disorder

despachar to dispatch, send

despacho *m.* dispatch

despedazar to dismember, tear to pieces

despegue *m.* take-off, beginning of a flight

despertar (ie) to wake; to arouse

desplazamiento *m.* displacement; move, shift

desplazar to displace

desplegar (ie) to unfold, display

despoblación *f.* depopulation

despoblado *m.* unpopulated spot

despoblar (ue) to depopulate

despojar to strip, divest, despoil

desposeer to dispossess

desprecio *m.* scorn, contempt

desprender to detach; to liberate

desprestigiar to lose prestige; to discredit

después (de)   afterward; after
destacar   to stand out
destierro *m.*   exile
destino *m.*   destiny; end, finish, outcome
destituir   to deprive; to dismiss
destreza *f.*   dexterity; ability
destruir   to destroy
desusado, -a   obsolete, out of date
desvalido, -a   destitute, helpless, unprotected, incapacitated
deuda *f.*   debt
devolver (ue)   to return, give back
devorar   to devour
día *m.*   day
diamante *m.*   diamond
dibujante *m.*   sketcher, illustrator
dibujo *m.*   design, sketch
dictador *m.*   dictator
dictadura *f.*   dictatorship
dictar   to dictate; to pronounce with authority
dicho (*past part. of* **decir**) said, called; aforesaid
Diego *m.*   James
diera *past subj. of* **dar**
diestro, -a   skillful
diezmo *m.*   one tenth; tithe (the tenth of goods or money from one's income given to the church)
diferencia *f.*   difference; disagreement
diferenciar   to differentiate
diferir (ie, i)   to differ, disagree; to postpone, delay
difícilmente   with difficulty; hardly
difundir   to diffuse, extend; to divulge, publish
difusión *f.*   diffusion, dispersion
dilucidar   to elucidate, make clear, shed light on
dinastía *f.*   dynasty
dintel *m.*   lintel, doorhead
dio *pret. of* **dar**
dirigente   leading, ruling; *m.* head, leader
dirigir   to direct
discernible   discernible, recognizable
discípulo *m.*   pupil, follower

disconforme   non-conforming, in disagreement
discordia *f.*   discord, disagreement
discurso *m.*   discourse, speech, lecture
discusión *f.*   discussion; argument
discutir   to discuss; to argue; to contradict
diseñar   to sketch, design
diseño *m.*   design; outline
disfrazar   to disguise
disgustado, -a   displeased
disminución *f.*   diminution, lessening, decrease
disminuir   to diminish, become less
disolver (ue)   to dissolve
dispensar   to dispense
dispersar   to disperse, scatter
disponer   to dispose, make use of
disponible   disposable, available
disposición *f.*   disposition; order, command
dispositivo *m.*   device, apparatus
dispuesto, -a   ready, prepared, disposed; *past part. of* **disponer**
disputa *f.*   dispute, disagreement
distinguir   to distinguish, cause to stand out, differentiate
distinto, -a   different, distinct
disturbio *m.*   disturbance
diversificar   to diversify, vary
diverso, -a   divers, various, different
divinidad *f.*   divinity, god
divinización *f.*   divinization, deification
divisorio, -a   dividing, divisive
divulgador, -a   divulging; *m.* divulger, revealer
divulgar   to make widespread, divulge
doblado, -a   "dubbed"
doblar   to double, fold
doble   double
doblegar   to fold, bow, bend
docena *f.*   dozen
doctrina *f.*   doctrine, teaching
dolor *m.*   pain, sorrow
dominicano, -a   Dominican
dominico *m.*   Dominican
dominio *m.*   dominion; power, control, mastery

donatario *m.* donee
donativo *m.* gift, donation; fee
donde where; **¿dónde?** where?
dorado, -a gilded, golden
dorar to gild, coat with gilt
dormitorio *m.* bedroom; dormitory
dotar to endow, bestow
droga *f.* drug
dualista dualistic
dudoso, -a doubtful
dueño *m.* owner, master, possessor
duque *m.* duke
duramente harshly
durar to last, endure
duro, -a hard

E

e and
ebanistería *f.* cabinet work; shop where such work is done
eclecticismo *m.* eclecticism
eclesiástico, -a ecclesiastical
eco *m.* echo; **hacer —** to do something notable; **hacerse — de** to realize
economía *f.* economy; economics; **— dirigida** controlled economy
ecuatoriano, -a Ecuadorian
ecuestre equestrian
echar to pour; to throw; to establish
Eduardo *m.* Edward
educar to educate
educativo, -a educational
efectivo, -a real; actual; regular; effective
efectuar to effect; to bring about, put into practice; to carry out
eficaz effective, efficacious
efímero, -a ephemeral, short-lived
Efraín *m.* Ephraim
egipcio, -a Egyptian
egoísmo *m.* egoism
egoísta egoistic; *m.* egoist
eje *m.* axis, **potencias del Eje** during World War II, Germany and Italy
ejecutar to execute
ejecutor *m.* executor

ejemplar exemplary, worthy of serving as an example; *m.* copy (of a printed work)
ejercer to exercise, wield
ejército *m.* army
ejido *m.* common, publicly owned land
electivo, -a elective
elegía *f.* elegy
elegir (i) to elect
elogiar to praise
elogio *m.* eulogy, praise
eludir to elude, avoid
emanar to emanate, proceed from
embajador *m.* ambassador
embarcarse to embark, go on board
embargo *m.* prohibition; **sin —** nevertheless
emigrar to emigrate; to migrate
eminente eminent, high, lofty; conspicuous
eminentemente eminently, conspicuously
empalizada *f.* stockade, fence, palisade
emparentado, -a related; related by marriage
emperador *m.* emperor
empezar (ie) to begin
empleado *m.* employee
emplear to employ, use
empleo *m.* employment, use; job
emplumado, -a feathered, plumed
empotrar to embed, implant; to fix in a wall
emprender to undertake
empresa *f.* enterprise, undertaking
empresario *m.* proprietor, owner (of an enterprise); entrepreneur
en in, at, on, into, as, by, to
enajenar to alienate, transfer, give away
enamorarse de to fall in love with
encabezar to head, direct
encarcelar to jail, incarcerate
encarnar to incarnate, embody
encender (ie) to light, ignite
encerrar (ie) to enclose
enciclopedista encyclopedist
encima over, above, on top

enclaustrar to cloister, enclose

encomendar (ie) to recommend, commend; to commit; to charge, entrust

encomendero *m.* person who had a large assignment of Indians

encomienda *f.* commission, charge; land and Indians entrusted to the care of Spanish colonists

encontrar (ue) to encounter, find; **—se** to be

endeudamiento *m.* debt, indebtedness

enemistad *f.* enmity

énfasis *m.* emphasis

enfermedad *f.* sickness

enfrentamiento *m.* confrontation; opposition

enfrentar to face; confront

enloquecer to become crazy

enmienda *f.* amendment

enorgullecerse de to take pride in

enredadera *f.* vine, climbing plant

Enrique *m.* Henry

enriquecer to enrich

enriquecimiento *m.* enrichment

ensalzar to extol, praise

ensanchamiento *m.* enlargement

ensanchar to widen, enlarge; **—se** to affect grandeur and dignity

ensayista *m.* essayist

ensayo *m.* essay

enseñanza *f.* teaching, instruction

enseñar to teach

entender (ie) to understand; **— en** to deal with

enterar to inform

enterrar (ie) to bury

entierro *m.* burial

entintar to ink; to dye

entonar to intone, chant

entrada *f.* entry

entraña *f.* entrail

entrecruzar to intercross

entregar to hand over, give

entrelazar to interweave

entremezclar to intermingle

entrenar to train

entronizar to enthrone

entusiasmar to enthuse

entusiasmo *m.* enthusiasm

envenenar to poison

enviar to send

envolver (ue) to wrap; to involve

equilibrio *m.* equilibrium, balance

equipo *m.* team

equitativo, -a equitable

equivaler to be equivalent to

erguir (i) to erect, raise

erigir to erect, build; to establish

erróneo, -a erroneous, mistaken

erudición *f.* erudition, learning

erudito, -a erudite, learned; *m.* scholar

escalinata *f.* staircase (in front of a building)

escalonar to place at intervals; to range

escándalo *m.* scandal

escapismo *m.* escapism

escasez *f.* scarcity, lack

escaso, -a scarce, lacking

escepticismo *m.* skepticism

esclava *f.* slave; **esclavo** *m.* slave

esclavitud *f.* slavery

esclavizar to enslave

escolástico, -a scholastic; *f.* scholastics (a philosophy which seeks to reconcile Christianity with reason)

escoltar to escort, convoy, guard

esconder to hide; **a escondidas** secretly, clandestinely

escrito *past part. of* **escribir**; *m.* writing

escritura *f.* writing

escrúpulo *m.* scruple

escuadra *f.* square; squadron

escuchar to listen, hear

escudo *m.* shield; coat-of-arms

escudriñar to scrutinize, examine closely

escuela *f.* school; **— maternal** nursery school; **— de artes u oficios** vocational schools

esculpido *m.* sculpturing

escultórico, -a sculptural

escultura *f.* sculpture

esfuerzo *m.* effort

esmerado, -a careful, painstaking; **educación —a** broad education

esmeralda *f.* emerald

esotérico, -a esoteric, hidden, obscure, mysterious

español, -a Spanish; *m.* Spanish language; Spaniard

españolizante Hispaniolized (made Spanish in use, customs, *etc.*)

especia *f.* spice

especialidad *f.* specialty

especie *f.* species; a kind, sort

esperanza *f.* hope

espiritualista spiritualistic

esplín *m.* melancholy

espolvorear to dust; to sprinkle dust on

espontáneamente spontaneously

espontaneidad *f.* spontaneity

espontáneo, -a spontaneous

esquilar to shear

estabilidad *f.* stability

estable stable, permanent

establecer to establish, set up

establecimiento *m.* establishment

estacada *f.* stake

estadista *m.* statesman, politician

estadística *f.* statistics

estadístico, -a statistical

estallar to break out, erupt

estampa *f.* stamp, seal

estancamiento *m.* stagnation

estaño *m.* tin

estatal pertaining to the state

estatua *f.* statue

estatura *f.* stature

este *m.* east; —, **esta, -o** this

esterilidad *f.* sterility

estética *f.* aesthetics

estético, -a aesthetic

estilista *m.* stylist

estilizado, -a stylized

estilo *m.* style

estimar to estimate; to esteem

estimular to stimulate, incite; to encourage

estímulo *m.* stimulus

estipular to stipulate

estofado, -a coloring on a gold or silver foil on wood

estratégico, -a strategic

estrechez *f.* want, poverty; narrowness

estrecho, -a narrow; *m.* strait

estrella *f.* star

estribillo refrain, chorus

estribo *m.* arch, pillar; stirrup

estridentista *m.* name given in Mexico to the literary movement and its followers which came into vogue after World War I

estructura *f.* structure

estuco *m.* stucco

estudiantil pertaining to students

etapa *f.* stage, state of development

eterno, -a eternal

ético, -a ethical; *f.* ethics

étnico, -a ethnic

etnografía *f.* ethnography (the study of races of men)

europeización *f.* Europeanization

europeo, -a European

evangelizar to evangelize

evitar to avoid, evade

evolucionar to evolve, develop

exaltado, -a exalted; extreme

excavar to excavate, dig

exceder to exceed

excitación *f.* excitation, excitement

excluir to exclude

exigencia *f.* need; demand

exigir to demand; to require

exilar to exile

exilio *m.* exile

éxito *m.* success

expandir to expand

experimentar to experience; to experiment

explicación *f.* explanation

explotación *f.* exploitation; development

explotar to exploit, develop; to explode

exponente *m.* exponent

exponer to expose; to expound; to show

exportación *f.* export

exposición *f.* exposition; exhibition

expresionismo *m.* expressionism

expuesto *past part. of* **exponer**

expulsar to expel, drive out

expulsión *f.* expulsion; ejection

extender (ie) to extend
extensión *f.* extension, extent of space
extenso, -a extensive
exterminio *m.* extermination
extirpar to extirpate, stamp out
extraer to extract, take out
extranjero, -a foreign; *m.* foreigner
extraño, -a strange, rare; foreign
extremo *m.* extreme, end

F

fábrica *f.* factory
fabricar to make, manufacture, fabricate
factoría *f.* trading post
factura *f.* manufacture
facultad *f.* faculty, power to do something
Facultad *f.* school (in the sense of School of Medicine, Law, *etc.*)
faena *f.* task, work
falta *f.* lack
faltar to be lacking
fallar to fail, miss
fallecer to die, to be deceased
familiar pertaining to the family; *m.* member of one's family
fanático, -a fanatical; *m.* fanatic
fanatismo *m.* fanaticism
farsa *f.* farce
fascinante fascinating
favorecer to favor
faz *f.* face; **de doble —** on both sides
fe *f.* faith; fidelity
fecundo, -a fecund, fertile, productive
fecha *f.* date
felicitación *f.* congratulation
felino, -a feline, pertaining to cats
fenómeno *m.* phenomenon
Fernando *m.* Ferdinand
ferocidad *f.* ferocity, fierceness
feroz ferocious
ferrocarril *m.* railroad
ferroviario, -a pertaining to the railroad
festejar to entertain, honor, fete

festividad *f.* festivity; celebration
feudalista feudalistic
fibra *f.* fibre
figurar to figure, to appear
fijar to fix, set
filibustero *m.* filibusterer, freebooter
filólogo *m.* philologist
fin *m.* end; purpose; **hacia —es** toward the end; **a —es de** at the end of
finalidad *f.* end, purpose; finality
financiar to finance
financiero, -a financial
fingir to feign, pretend; to fancy, imagine
firmar to sign
físicamente physically
físico, -a physical; *f.* physics
fisiólogo *m.* physiologist
fisonomía *f.* physiognomy; appearance
flanquear to flank, be on the side of
flauta *f.* flute
flecha *f.* arrow
flor *f.* flower; compliment
florecer to flourish, flower
florentino *m.* Florentine
flota *f.* fleet
flotante floating
fogón *m.* cooking stove; firebox
fogosidad *f.* fire, dash, spirit
folklórico, -a pertaining to folklore
folleto *m.* pamphlet, booklet
fomentar to foment, encourage, promote
fomento *m.* encouragement
fondo *m.* bottom; depth; background; **en el —** at the bottom
foráneo, -a foreign, strange
formular to formulate
fortalecer to fortify, strengthen
fortaleza *f.* fort, stronghold
fortificar to fortify; to strengthen
fortín *m.* small fort
forzar (ue) to overpower by strength, force
forzoso, -a necessary, obligatory
fósil fossil (dug out of the earth)
fracasar to fail

fracaso *m.* failure

fraccionamiento *m.* breaking up, fragmentation

fraile *m.* priest; friar

franciscano, -a Franciscan

Francisco *m.* Francis

franquicia *f.* franchise; tax exemption; legal privilege

frase *f.* phrase; sentence

fraudulento, -a fraudulent

frecuencia *f.* frequency

frenar to brake; to restrain

freno *m.* brake; restraint

frente *f.* forehead; front; *m.* front rank; — **a** in front of, opposite

fresco, -a fresh, cool; *m.* fresco (wall painting in fresh plaster)

frialdad *f.* coolness

frijol *m.* bean

friso *m.* frieze, border

frontera *f.* border, frontier

fructífero, -a fruitful, productive

frustrar to frustrate

fruta *f.* fruit

fruto *m.* fruit

fue (*pret. of* **ser, ir**) was; went

fuego *m.* fire; —**s de artificio** fireworks

fuente *f.* fountain; fount, source

fuera *past subj. of* **ser, ir**; outside; except

fueron *pret. of* **ser, ir**

fuerte strong; *m.* fort

fuerza *f.* strength, force

fugarse to flee, run away

función *f.* function; office, position

funcionario *m.* functionary, minor official

fundador *m.* founder

fundamento *m.* foundation

fundar to found, establish

fundición *f.* founding, smelting

fundir to found (metal); to fuse, mix

funerario, -a pertaining to a funeral

funesto, -a fatal, ill-fated; baneful

furia *f.* fury

fusilamiento *m.* shooting, execution

fútbol *m.* football, soccer

futurismo *m.* futurism (a movement in art and literature aiming at originality without regard for tradition)

futuro, -a future; *m.* future

G

gabinete *m.* cabinet

gaceta *f.* gazette, newspaper

galeón *m.* galleon (an armed cargo ship)

gallina *f.* hen

gallo *m.* rooster

gamonal *m.* political boss

ganadería *f.* cattle industry

ganadero, -a pertaining to cattle; *m.* cattleman

ganado *m.* cattle; livestock

ganancia *f.* earnings, profit

ganar to gain, win, earn

garrote *m.* iron collar to strangulate; cudgel

garza *f.* crane

gastar to spend; to pass time

gasto *m.* expenditure

gauchesco, -a gauchesque (pertaining to the Argentinian gauchos)

gaucho *m.* name given to a class of cowboy in Argentina and Uruguay

ge *m.* Ge Indian

genealogía *f.* genealogy

genérico, -a generic (pertaining to a class); comprehensive

género *m.* genre; class

genial inspired, brilliant; pleasant, cheerful

genio *m.* genius, talent; temperament

genovés *m.* Genoese

gentilhombre *m.* gentleman

germano, -a Germanic, German

gesto *m.* expression, aspect

gigantesco, -a gigantic

gigantismo *m.* gigantism, giantism

girar to revolve; to rotate

giratorio, -a revolving, gyrating

gobernador *m.* governor

gobernante ruling; *m.* ruler

gobernar (ie)   to govern
gobierno *m.*   government
golfo *m.*   gulf
golpe *m.*   blow; coup
goma *f.*   gum, rubber
gongorino, -a   pertaining to Góngora
   (a Spanish poet of the seventeenth
   century noted for his use of metaphor)
gorra *f.*   cap
gótico, -a   Gothic
gozar   to enjoy
grabado *m.*   engraving
grabar   to engrave; to record (a sound)
gracia *f.*   grace; wit
grada *f.*   step
grado *m.*   degree; **de buen —**   willingly,
   gladly
graduar   to graduate
Gran Colombia *f.*   Colombia, Ecuador,
   Venezuela, and Panama
grandeza *f.*   grandeur; greatness
grandioso, -a   grand, magnificent; imposing
grano *m.*   grain
grasoso, -a   sticky, greasy
gratuito, -a   free, gratis
gravitar   to gravitate; to press
grecorromano, -a   Greco-Roman
gremial   pertaining to a trade union
gremialismo *m.*   trade unionism
gremio *m.*   guild; trade union
griego, -a   Greek
grito *m.*   shout, cry
grueso, -a   thick, heavy
guanaco *m.*   an animal similar to the
   llama or **alpaca**
guardar   to keep, preserve; to watch
   over, guard
guarnecer   to trim; to bind, edge
guatemalteco, -a   Guatemalan
Guayana   Guiana
gubernamental   governmental
guerra *f.*   war
guerrero, -a   warlike, military
guerrilla *f.*   guerrilla warfare
güeso *m.*   popular variant of **hueso**
guiar   to guide
gusto *m.*   taste; pleasure

H

haber   to have (as an auxiliary verb);
   to be (as a principal verb)
hábil   able, apt
habilidad *f.*   ability
habilitado, -a   able, with ability
habilitar   to qualify; to equip
habitable   livable
habla *f.*   speech
Habsburgo   Hapsburg (family name of
   the Spanish dynasty which reigned until
   1700)
hacendado *m.*   owner of an estate
hacer   to do, make; *— plus an infinitive*
   to cause; **— de**   serve as
hacienda *f.*   ranch; ranch house; property; treasury
hacha *f.*   axe
halcón *m.*   falcon
hallazgo *m.*   find
hamaca *f.*   hammock
haravec (*Ind.*)   an Incan word meaning
   professional singer
harina *f.*   flour
hasta   as far as; until; even
hastiar   to bore
hatunruna (*Ind.*)   Incan word meaning
   common people
hazaña *f.*   deed, feat, accomplishment
hechicero, -a   magic, bewitching
hecho *past part. of* **hacer**; *m.*   deed, fact,
   act
hereje *m.*   heretic
herencia *f.*   inheritance
herético, -a   heretic
herrería *f.*   ironwork
heterogéneo, -a   heterogeneous
híbrido, -a   hybrid; *m.* hybrid
hielo *m.*   ice
hierático, -a   hieratic, sacred, conse-
   crated
hierro *m.*   iron
hilandería *f.*   spinning
hilo *m.*   thread
himno *m.*   hymn
hipótesis *f.*   hypothesis, supposition
historiador *m.*   historian

hogar *m.* hearth; home
hoguera *f.* bonfire
hoja *f.* leaf; sheet; — **volante** broadside
Holanda *f.* Holland
holandés, -a Dutch
homenaje *m.* homage, respect
homérico, -a Homeric
homicidio *m.* homicide, murder
honda *f.* slingshot
hondo, -a deep
honesto, -a decent, fair, just; upright; chaste
honorífico, -a honorary
honra *f.* honor
honrado, -a honorable
honrar to honor
Horacio *m.* Horace
horadar to pierce, drill, bore
horizontalidad *f.* quality of being horizontal
hubo *pret. of* **haber**; there was, there were
huelga *f.* strike
huérfano *m.* orphan
huerto *m.* garden, orchard
hueso *m.* bone
huésped *m.* guest
huir to flee
humanitario, -a humanitarian, humanistic
humilde humble

I

iban *imp. of* **ir**
ibérico, -a Iberian
idealista idealistic; *m.* idealist
idear to invent
ideográfico, -a ideographic, representing ideas by symbols independently of sounds
ideología *f.* ideology
ideológico, -a ideological
idílico, -a idyllic, pastoral
idioma *m.* language
idiomático, -a idiomatic; linguistic

idolatría *f.* idolatry
idolátrico, -a idolatrous
ídolo *m.* idol
ignorar to be unaware of, not to know; ignore
igual equal, same; **por** — equally, to the same degree; — **que** same as
igualar to equalize; to match
igualdad *f.* equality
iletrado, -a illiterate
ilícito, -a illicit, unlawful
ilimitado, -a limitless, unlimited
ilógico, -a illogical
ilumista pertaining to Illuminism, a sect established by the Bavarian Weishaupt in 1776
ilustración *f.* illustration; enlightenment; learning
ilustrar to illustrate; to make clear; to enlighten
ilustre illustrious
imagen *f.* image
impartir to impart; to transmit
impedimento *m.* impediment, obstacle
impedir (i) to impede, block, prevent
imperar to reign, govern, hold sway
imperio *m.* empire
imperiosamente imperiously
imperioso, -a imperious
impetuoso, -a impetuous
implantar to implant; to introduce
imponente imposing, impressive
imponer to impose, enforce
importar to be important, matter; to import
impotente impotent, unable
imprenta *f.* printing; printing press; **libertad de** — freedom of the press
impresionante impressive
impresionar to impress
impresionismo *m.* impressionism (a form of art or literature which seeks to suggest the immediate impression evoked by objects without further elaboration of detail)
impresionista *m.* impressionist
impreso, -a printed
impresor *m.* printer

imprevisto, -a unforeseen
imprimir to print, imprint
impropiedad *f.* lack of propriety; inappropriateness
improvisar to improvise
impuesto *past part. of* **imponer**; *m.* tax
impulsar to impel; to drive
impulso *m.* impulse
inamistoso, -a unfriendly
inaudito, -a unheard of
Inca *m.* Inca; name given to the ruler of various tribes in Peru and adjacent territory. These tribes were referred to by Spaniards as Incas.
incaico, -a Incan
incapacidad *f.* incapacity; inability
incapaz incapable, unable, incompetent
incendio *m.* fire, burning
incesto *m.* incest
inciso, -a incised, cut
inclemencia *f.* inclemency
incluir to include
incluso, -a including
incomprensión *f.* lack of understanding
inconfidencia *f.* distrust
incorporar to incorporate, to unite in one mass or body
incrustación *f.* incrustation; inlay
inculto, -a uneducated; uncultivated
independizar to free, emancipate
indescifrado, -a undeciphered, not figured out
indiano, -a pertaining to the Indies
Indias *f.* Indies
indicar to indicate, show
indicio *m.* indication
indígena indigenous, native to; *m.* native
indigenismo *m.* emphasis on the indigenous
indigenista indigenist; name given to literary movement dealing with the Indians or Afro-Cubans; *m.* one who writes such literature; one who favors the native elements
indignar to anger, irritate
indio, -a Indian

indisoluble indissolvable, indissoluble
individuo *m.* individual
industria *f.* industry; — **liviana** light industry; — **pesada** heavy industry
industrialista industrial; *m.* industrialist
ineptitud *f.* inaptitude, ineptitude
inestabilidad *f.* instability
inexistente non-existent
infeccioso, -a infectious
inferior inferior, lower
infierno *m.* Hell, inferno
infinito, -a infinite
influir to influence
influjo *m.* influence
informe *m.* report, account
ingeniería *f.* engineering
ingeniero *m.* engineer
ingenio *m.* talent; apparatus; sugar mill
ingenioso, -a ingenious
ingenuo, -a ingenuous
Inglaterra England
ingresar to enter, come in
ingreso *m.* entry; income
inhospitalario, -a inhospitable
iniciador *m.* originator, one who initiates
inicial initial, beginning, first
iniciar to initiate, begin
iniciativa *f.* initiative
injusto, -a unjust
inmigratorio, -a immigratory
inmolar to immolate, kill as a sacrificial victim
inmortalidad *f.* immortality
innovador, -a innovating; *m.* innovator
inquietud *f.* disquiet; uneasiness; concern
insaciable insatiable
inspeccionar to inspect
inspirador, -a inspiring; *m.* inspirer
instancia *f.* instance; **en última —** as a last resort
instar to press, urge
instruir to instruct
íntegramente integrally; wholly, completely

integrar to make up a whole; to form a part of

íntegro, -a integral, whole, complete

intelectualista intellectualist

intendencia *f.* a sort of mayoralty

intendente *m.* a sort of mayor

intentar to try, make an attempt

intento *m.* attempt

intercambiar to exchange, interchange

interés *m.* interest; self-interest

interesar to interest; **—se por** to take an interest in

internamente internally

internar to go or send inland; to hide; to pierce, penetrate

interno, -a internal

interponer to interpose; to intercede; to appoint as mediator

intérprete *m. and f.* interpreter

interpuso *pret. of* **interponer**

intervenir (ie) to intervene

Inti Inca god, the sun

íntimamente intimately

íntimo, -a intimate

introducir to introduce, bring in

introdujo *pret. of* **introducir**

intromisión *f.* intrusion

inundación *f.* inundation, flood

invasor *m.* invader

inverosímil unlikely, improbable

inversión *f.* investment

investigador *m.* person engaged in research; investigator

irlandés, -a Irish; *m.* Irishman

irradiar to radiate; to broadcast

isabelino, -a pertaining to Queen Isabella; used in the same way in which *Elizabethan* is used in English

isla *f.*, **islote** *m.* island

istmo *m.* isthmus

izar to raise, hoist

J

jamás never

japonés, -a Japanese

jardín *m.* garden; **— de infantes** kindergarten

jefe *m.* chief, leader

jerarquía *f.* hierarchy; **de —** importance, prominence

jeroglífico, -a hieroglyphic; *m.* hieroglyphic, rebus

jesuita *m.* Jesuit

Jorge *m.* George

jornada *f.* a day's march or journey; act of a play

José *m.* Joseph

joya *f.* jewel

joyero *m.* jewel worker

judío *m.* Jew

juego *m.* game; gambling

juez *m.* judge

jugador *m.* player

juicio *m.* judgment; opinion, common sense, prudence

junco *m.* reed

junta *f.* council; juncture; joint

junto, -a together

juramento *m.* oath, affirmation

jurídico, -a juridical, pertaining to law

jurisconsulto *m.* jurisconsult, one learned in civil law

justicialismo *m.* term used by Perón and his followers to describe their program

justiciero, -a just; stern; righteous

juventud *f.* youth

juzgar to judge

K

kilómetro *m.* kilometer

L

labio *m.* lip; **— plegado hacia afuera** a rim curving outward

laborar to cultivate, work

labrado, -a worked, wrought, fashioned; *m.* act of working or fashioning; cultivated field

labranza *f.* tilled land; agriculture; working of the land

labriego *m.* agricultural worker

lado *m.* side

ladrillo *m.* brick
ladrón *m.* robber, thief
lago *m.* lake
laguna *f.* lake; lagoon
laico, -a laic (not under professional religious auspices)
lámina *f.* lamina, sheet, strip
lanza *f.* lance
lanzar to hurl, fling, launch; to throw; **—se** to rush, dart off; **— a la carrera** at full speed
largo, -a long; **a lo — de** along
latifundio *m.* large, landed estate
latín *m.* Latin; **latino, -a** Latin
leccionista *m.* someone who teaches lessons
lector, -a *m. and f.* reader
lectura *f.* reading
legado *m.* legacy, inheritance
legalista legalistic
legua *f.* league (a measure of distance; the Spanish league was almost four miles long)
legumbre *f.* vegetable, legume
lejos far; **— de** far from
lema *m.* slogan
lengua *f.* language; tongue
lenguaje *m.* language
lento, -a slow
leño *m.* piece of firewood
lepra *f.* Hansen's disease, leprosy
letra *f.* letter (of an alphabet); *f. pl.* letters, literature
levantamiento *m.* uprising
levantar to raise, erect; build; **—se** to arise, get up
leve light, slight
ley *f.* law
leyenda *f.* legend
libanés, -a Lebanese
liberar to free, liberate
libertad *f.* liberty, freedom; **— de imprenta** *or* **prensa** freedom of the press; **— de palabra** freedom of speech; **— de culto** freedom of worship
libertador, -a liberating; *m.* liberator
librar to free

licencia *f.* license, permission
liebre *f.* hare, rabbit
liga *f.* league
ligar to tie together, join; to bind
limítrofe limiting
limo *m.* slime, mud
lírico, -a lyric; *m.* lyric poet
lirismo *m.* lyricism
Lisboa *f.* Lisbon
lisiado, -a maimed, crippled
lisiar to hurt, cripple, maim
liviano, -a light
local *m.* place, site
localizar to locate, situate, settle
locura *f.* insanity; folly, madness
logia *f.* lodge
lógicamente logically
lógico, -a logical; *f.* logic
lograr to succeed, achieve, attain
Londres London
longitud *f.* length; longitude
lote *m.* lot
Lucila *f.* Lucille
Lucio *m.* Lucius
luchador *m.* fighter
luchar to fight, struggle
luego then, next, immediately; **— de** after
lugar *m.* place, site, time, occasion
lugarteniente *m.* lieutenant
lujo *m.* luxury
lujoso, -a luxurious
luterano *m.* Lutheran

LL

llama *f.* flame; **—** *f. or m.* a cameloid used as a beast of burden in the Andes
llamar to call; **—se** to be named
llano *m.* plain
llanto *m.* crying, weeping
llanura *f.* plain
llegada *f.* arrival
llegar to arrive; to reach; **— a ser** to become
llevar to carry; to take; to wear
lluvia *f.* rain

M

madera *f.* wood
maestría *f.* mastery, domination
maestro *m.* teacher; master
Magallanes *m.* Magellan
magistrado *m.* magistrate, judge
magistral masterly; magistral
magistratura *f.* magistracy
magnificente magnificent
maíz *m.* maize, Indian corn
majestuoso, -a majestic
malayo, -a Malayan
maldad *f.* evil, wickedness
mal *m.* evil
malo (mal), -a bad
maloca (*Ind.*) Indian name for the collective houses of the Tupí-Guaraní Indians
malón *m.* Indian raid
malversación *f.* malversation; embezzlement; misuse of funds
mameluco m. word used in Brazil to refer to a person of European and Indian extraction
manchar to stain, spot
mandar to order, command; to send
mandioca *f.* manioc, a plant which yields tapioca
mando *m.* command, authority
manera *f.* manner, way, mode; de — que so that; de esta — in this way
maní *m.* peanut
manifestación *f.* manifestation, showing, indication
manifestar (ie) to manifest, show
mano *f.* hand; — de obra labor
manta *f.* mantle, cloak
mantener (ie) to maintain, support
mantenimiento *m.* maintenance
manufacturero, -a manufacturing
mar *m. and f.* sea, ocean
maravilla *f.* marvel, wonder
marca *f.* mark, brand, stamp
marcar to mark, indicate
marcial martial
marco *m.* archetype, model; frame
marcha *f.* march; en — underway

marfil *m.* ivory
margarita *f.* daisy
margen *m. and f.* margin; al — de aside from, along with
marido *m.* husband
marino, -a pertaining to the sea; *m.* sailor; marine
mariscal *m.* marshal
marítimo, -a maritime
marqués *m.* marquis (a member of the nobility)
marquesa *f.* marquise, marchioness
martillo *m.* hammer
Martinica Martinique
martirio *m.* martyrdom
marxismo *m.* Marxism
mas but
más more, most; plus
masa *f.* mass, multitude
masticación *f.* mastication, chewing
mástil *m.* mast
matadero *m.* slaughterhouse
matanza *f.* slaughter, killing
matemáticas *f.* mathematics
matemático *m.* mathematician
materia *f.* matter; —s primas raw materials; primary resources
materialista materialistic; *m.* materialist
materno, -a maternal
matiz *m.* hue, shade, nuance
matricular to matriculate, register, enroll
matrimonio *m.* marriage
Maximiliano *m.* Maximilian
máximo, -a maximum; *m.* maximum; al — to the utmost
maya Mayan; *m.* Maya
mayor larger, largest; older, oldest; greater, greatest
mayoría *f.* majority; most part; major portion
maza *f.* mace (weapon)
mazorca *f.* ear (of corn); "La Mazorca" police used by the Argentinian dictator, Rosas
mecanicista mechanistic; *m.* mechanist
mecánico, -a mechanical; *m.* mechanic

mediados: **hacia —** toward the middle
mediante by means of
médico, -a medical; *m.* doctor; **— brujo** witch doctor
medida *f.* measure; moderation; **a — que** as
medio, -a half; *m.* means, way; **en —** in the center
medir (i) to measure
meditación *f.* meditation
megalomanía *f.* megalomania; exaggerated idea of one's own importance
mejoramiento *m.* improvement
mejorar to improve
melodía *f.* melody, tune
mellizo *m.* twin
menester *m.* need
menos less, except
mensaje *m.* message
mensajero *m.* messenger
mentalidad *f.* mentality; way of thinking
mente *f.* mind
mentir (ie, i) to lie
mentira *f.* lie
mentiroso, -a lying; *m.* liar
menudo, -a small; **a —** often, frequently
mercader *m.* merchant
mercadería *f.* merchandise
mercado *m.* market
mercante mercantile; *m.* merchant
mercantilista *m.* mercantilist
merced *f.* grace, privilege, gift
Mercurio *m.* Mercury
merecer to merit, deserve
meridiano *m.* meridian
meritorio, -a meritorious, deserving of praise
meseta *f.* plateau
mesón *m.* inn
mestizaje *m.* crossbreeding; aggregate of *mestizos*
mestizo *m.* descendant of the white and Indian races
mesura *f.* restraint, moderation; gravity
metafísica *f.* metaphysics
metáfora *f.* metaphor
metalurgia *f.* metallurgy

metódico, -a methodic
método *m.* method
métrica *f.* metrics, art of composing metrical verse
metro *m.* meter (unit of measure = 39.37 inches)
mezcla *f.* mixture
mezclar to mix; to mingle
miembro *m.* member
mientras while, during
Miguel *m.* Michael
milicia *f.* militia; soldiery
militar military; *m.* military officer
milpa *f.* corn field
milla *f.* mile
millares *m.* thousands
mimar to pet
mimo *m.* mime, mimic
minería *f.* mining
minero, -a pertaining to mining; *m.* miner
ministerio *m.* ministry
minoría *f.* minority
minucioso, -a minute, small; detailed
miseria *f.* poverty, misery, wretchedness
mística *f.* mysticism
misticismo *m.* mysticism
místico, -a mystic, mystical; *m.* mystic
mita (*Ind.*) an Incan word meaning a tax paid through service
mitad *f.* half
mitimae (*Ind.*) *m.* an Incan word used to denote an Indian assigned to labor in a newly conquered territory or military installation
mitayo (*Ind.*) *m.* an Incan word used to denote an Indian assigned to work for the Spaniards by the week or month
mito *m.* myth
mitología *f.* mythology
mitológico mythological
mixto, -a mixed
mochica *m.* Mochic Indian
modelo *m.* model, standard, pattern
moderado, -a moderate
modernismo *m.* modernism (a movement in Spanish American literature which had widespread influence)

modificar to modify, change

modo *m.* mode, way, manner; **al — de** like, in the manner of

molde *m.* mold; form, cast, frame

mole *f.* bulk; something of great size

molusco *m.* mollusk

momificar to mummify

monarquía *f.* monarchy

monárquico, -a monarchic

moneda *f.* money; mint

monja *f.* nun

mono *m.* monkey

monolito *m.* monolith; stone monument consisting of a single stone

monopolio *m.* monopoly

monstruo *m.* monster

montañoso, -a mountainous

monto *m.* total, sum

morador *m.* inhabitant

moral moral; *f.* morality

moralismo *m.* moralism

morbidez *f.* softness of tint

morisco, -a Moorish; *m.* a Moor living in Spanish territory

moro, -a Moorish; *m.* Moor

mortero *m.* mortar

mostrar (ue) to show, demonstrate

motín *m.* riot, uprising, mutiny

motivo *m.* motive, reason; motif; **con — de** because of, on account of

mover (ue) to move

móvil mobile, movable

mudéjar Spanish Moorish

mueble *m.* a piece of furniture; **—s** *m. pl.* furniture

muerte *f.* death; **a —** to the death

mula *f.* mule

mulato *m.* mulatto (offspring of a white and a black parent)

multitud *f.* multitude, many

mundano, -a mundane, worldly

mundial world, worldwide

municipalidad *f.* municipality

municipio *m.* municipality; town council

muralista *m.* one who paints murals

muralla *f.* wall

muro *m.* wall

musa *f.* Muse

músico *m.* musician

musulmán *m.* Mussulman (a Mohammedan or Moslem)

mutuo, -a mutual

N

nácar *m.* mother-of-pearl

nacer to be born

naciente incipient, recent, rising

nacimiento *m.* birth

nacionalizar to nationalize

nadie nobody, no one

náhoa *m.* Nahuatl Indian

naides gauchesque word for **nadie**

napoleónico, -a Napoleonic

nariguera *f.* nose ring

nariz *f.* nose

narrar to narrate

narrativo, -a narrative; *f.* narrative

natural *m.* native

naturaleza *f.* nature

naturalismo *m.* naturalism, a literary movement of the last century based largely on positivist theories

naturalista naturalistic; *m.* naturalist

naufragio *m.* shipwreck

náutica *f.* navigation

náutico, -a nautical

nave *f.* ship

navegante *m.* navigator

Navidad *f.* Christmas

navío *m.* ship, vessel

necesitado, -a needy, poor; *m.* needy person

negar (ie) to deny; **—se a** to refuse

negativo, -a negative

negocio *m.* business; negotiation

negrero *m.* slave dealer in Negroes

neoclasicismo *m.* neoclassicism

neolítico, -a neolithic (pertaining to the period of human advancement following the paleolithic period, denoted by the beginning of agriculture)

neopicaresco, -a neo-picaresque (*cf.* *picaresco*)

neotrascendentalismo *m.* neotrascendentalism (a form of philosophy based on the vague or the mysterious)

neoyorquino, -a pertaining to New York

nervadura *f.* network

neto, -a pure, clear, clean

neutralismo *m.* neutralism

nicaragüense Nicaraguan

nicho *m.* niche

nieve *f.* snow

ningún, ninguno, -a none, no

niñez *f.* childhood

nitrato *m.* nitrate

nivel *m.* level

nobilario, -a pertaining to the nobility

nobleza *f.* nobility

Nochebuena *f.* Christmas Eve

nómada nomadic, wandering

nombradía *f.* fame, renown, reputation

nombramiento *m.* appointment

nombrar to name; to appoint

norma *f.* norm, standard

noroeste northwest

norteño, -a northern

notoriamente notoriously

notorio, -a notorious, well-known; evident

novedad *f.* novelty; something new

novedoso, -a novel, innovating

noviciado *m.* novitiate

novio *m.* fiancé, sweetheart

núcleo *m.* nucleus

nudo *m.* knot

nuevo, -a new; **Nueva Granada** New Granada (a viceroyalty established in the northern portion of South America during the eighteenth century)

numeración *f.* counting, enumeration

numérico, -a numerical

numeroso, -a numerous

nupcial nuptial, pertaining to marriage

O

o or; **o ... o** either ... or

obedecer to obey

obispado *m.* bishopric

obispo *m.* bishop

objetivo *m.* objective

objeto *m.* object; purpose, end

obligatoriamente obligatorily

obligatorio, -a obligatory

obra *f.* work

obrero, -a working; *m.* worker

observador, -a observing; *m.* observer

obsidiana *f.* obsidian (a mineral)

obstaculizar to obstruct

obstante: no — nevertheless, notwithstanding

obtener (ie) to obtain, get

ocasión *f.* occasion; opportunity

occidental occidental, west, western

ocio *m.* idleness

oda *f.* ode

odiar to hate

oeste *m.* west

oficial official; *m.* official, officer

oficina *f.* office

oficio *m.* office, job, trade; service

ofrecer to offer

ofrecimiento *m.* offering

ojiva *f.* pointed arch

oleada *f.* surge, wave

óleo *m.* oil; oil painting

oligarquía *f.* oligarchy

olvidar to forget

olvido *m.* oblivion, forgetfulness

olla *f.* clay pot

ombligo *m.* navel, umbilicus

ómnibus *m.* bus

omnipotente omnipotent, all powerful

oponente opposing; *m.* opponent

oponer to oppose

oportunista opportunist

oportuno, -a opportune

oprimir to oppress

optimista optimistic; *m. and f.* optimist

oración *f.* prayer; speech; sentence, oration

orador *m.* orator

oratorio *m.* oratory, a private place for prayer

orden *m.* order, orderliness; *f.* order, command; religious order

ordenanza *f.* order; law, statute

ordenar to order, instruct; to put in order

ordeñar to milk

oreja *f.* ear

orfebrería *f.* delicate gold or silver working

organismo *m.* organism; organ

organizador *m.* organizer

oriental oriental, east, eastern

orientar to orient, give direction to

originario, -a original

orilla *f.* bank, shore; **a —s de** on the shores of

ornato ornate; *m.* adornment, ornamentation

orquesta *f.* orchestra

orquestal orchestral

ortiga *f.* nettle

oscilar to oscillate; to waver, hesitate

oscuro, -a dark, obscure

ostentar to show, display; to show off, boast

Osvaldo *m.* Oswald

otorgamiento *m.* grant, license

otorgar to grant, give; to stipulate; to cede

ovino, -a pertaining to sheep

P

Pablo *m.* Paul

pacificar to pacify, make peaceful

pacífico, -a pacific, peaceful; **Mar Pacífico** Pacific Ocean

pago *m.* payment

paisaje *m.* landscape

paisajista pertaining to the landscape

palaciego, -a pertaining to a palace

paleolítico, -a paleolithic (pertaining to a period of human advancement preceding the beginning of agriculture)

paleta *f.* palette

palmera *f.* palm tree

palo *m.* stick; **— Brasil** Brazilwood

palla (*Ind.*) an Incan word meaning one of the lesser wives of the Inca

pampa *m.* Pampa Indian; *f.* plain, pampa, extensive plain

pampeano, -a pertaining to the pampas

panamericano, -a Pan American

panegírico, -a praising, laudatory; *m.* panegyric, eulogy

panfleto *m.* pamphlet

panificable capable of producing bread

papa *m.* pope

papagayo *m.* parrot

papel *m.* paper; rôle

par *m.* pair, couple; peer

para for, in order to, to, toward; **— que** in order that, so that

paraguayo, -a Paraguayan

paralelo, -a parallel

páramo *m.* a cold, windy place, a paramo

parapeto *m.* parapet

parecer to seem, appear; **al —** apparently; *m.* opinion

parecido, -a similar, resembling; *m.* resemblance

pared *f.* wall

pareja *f.* pair, couple

parentesco *m.* relationship

paria *m.* pariah; outcast

pariente *m.* relative

parlamentarismo *m.* parliamentarianism

parlamento *m.* parliament

parte *f.* part; **en gran —** to a great extent; **por otra —** on the other hand

particular private; particular; *m.* individual

particularizar to particularize; to differentiate

partidario *m.* supporter, advocate, partisan

partido *m.* party, faction

partir to leave, depart; to divide, share; **a — de** starting in, beginning with

pasaje *m.* passage

pasar to pass, happen, occur

Pasión *f.* Passion

paso *m.* step, pace; pass

pasto *m.* pasture; food for cattle

pastoreo *m.* pasture lands

pata *f.* paw; foot or hoof of an animal

patagón *m.* Patagonian Indian

patear to kick

patente *m.* patent, privilege

paternalista paternalistic

patológico, -a pathological

patria *f.*　native country; fatherland
patriarca *m.*　patriarch
patricio *m.*　patrician
patrimonio *m.*　patrimony
patrio, -a　pertaining to one's native land
patrón *m.*　sponsor; owner; boss
patronato *m.*　patronship; foundation of a charitable or religious organization
paulatino, -a　slow, gradual
pavimentar　to pave
payada *f.*　poetic contest among gauchos
payador *m.*　term used to refer to the gaucho who composed and recited poetry
pecaminoso, -a　sinful
peculiaridad *f.*　peculiarity, uniqueness
pecho *m.*　breast, chest
pedagógico, -a　pedagogic, pertaining to teaching
pediatría *f.*　pediatrics
pedido *m.*　request; **a — de**　at the request of
pedir (i)　to ask, request
Pedro *m.*　Peter
película *f.*　film
peligro *m.*　danger
pelota *f.*　ball
pena *f.*　penalty, punishment; pain, hardship
pender　to hang, suspend
penitencia *f.*　penance
penoso, -a　painful; hard, difficult
pensador *m.*　thinker; "**Pensador Mexicano**" *m.*　"Mexican Thinker," the pseudonym of the Mexican José Joaquín Fernández de Lizardi (1774–1827)
pensamiento *m.*　thought
pensar (ie)　to think; to intend
pequeñez *f.*　smallness
percibir　to collect, receive; to perceive, comprehend
perder (ie)　to lose
perdición *f.*　perdition, loss, destruction
perdurar　to last a long time
peregrinación *f.*　pilgrimage, trip, journey
peregrinaje *m.*　pilgrimage; wandering
peregrino *m.*　pilgrim

perforar　to perforate
pergamino *m.*　parchment
periódico *m.*　newspaper
periodismo *m.*　journalism
periodístico, -a　journalistic
período *m.*　period; time of revolution of a planet
perla *f.*　pearl
permanecer　to remain
permiso *m.*　permission
peronismo *m.*　Peronism, name given to the movement in Argentina organized by Juan D. Perón
perpetuo, -a　perpetual
perseguir (i)　to pursue; to persecute
persiana *f.*　Venetian blind(s)
personaje *m.*　personage, person; character in a literary work
personal　personal; *m.* personnel
personalismo *m.*　self-centeredness, selfishness; personality
personalista　selfish, self-seeking
pertenecer　to belong
perteneciente　belonging
perturbar　to perturb; to disturb
peruano, -a　Peruvian
pesar *m.*　sorrow, regret; **a — de**　in spite of; to weigh; **pese a**　in spite of
pesca *f.*　fishing
pescado *m.*　fish
pescador *m.*　fisherman
pese *see* **pesar**
pesimismo *m.*　pessimism
pesimista　pessimistic; *m. and f.* pessimist
peso *m.*　weight
pesquería *f.*　fishery
petróleo *m.*　petroleum
petrolero, -a　pertaining to petroleum
pica *f.*　pike (weapon)
picaresco, -a　picaresque (a form of literature in which the principal character is a rogue rather than a hero)
pico *m.*　peak
pictografía *f.*　pictograph, picture writing
pictórico, -a　pictorial
pie *m.*　foot; **sin —s ni cabeza**　"without heads or tail"
piedra *f.*　stone

piel *f.* skin, hide

pierna *f.* leg

pieza *f.* piece; room in a house

pigmeo *m.* pygmy

pilar *m.* pillar

pintar to paint

pintor *m.* painter

pintura *f.* painting

pinzas *f.* pincers; tweezers

piña *f.* pineapple

pirámide *f.* pyramid

piratería *f.* piracy

pirca (*Ind.*) an Incan word meaning stone wall

pito *m.* whistle

planchuela *f.* a small plate

plano, -a level, smooth; straight; *m.* plan, map, plane

plantear to state, to set forth as a basis; to plan, attempt, try

plata *f.* silver

platear to coat with silver

plateresco, -a plateresque (pertaining to fanciful ornamentation in architecture)

platería *f.* silverwork

platero *m.* silversmith

playa *f.* beach

plaza *f.* plaza, square

plazo *m.* term, time; **a largo —** long range

plebeyo, -a plebeian

plegar (ie) to fold, plait

pleito *m.* lawsuit

pleno, -a full, complete

Plinio *m.* Pliny

plomada *f.* plummet; plumb bob

plomo *m.* lead

población *f.* population; populated place

poblador *m.* populator, founder; inhabitant

pobreza *f.* poverty, want

poco, -a little; few; **— a —** gradually; **a — de** shortly after

poder (ue) to be able; *m.* power

poderoso, -a powerful

poesía *f.* poetry; **— negra** poetry which deals with Negroes

poeta *m.* poet

poetisa *f.* poetess

polaco, -a Polish; *m.* Pole

polémica *f.* polemics, controversy

polemista *m.* polemist, one who writes or speaks on a controversial subject

policía *f.* police, police functions

policial police

policromado, -a polychrome, of many colors

poligamia *f.* polygamy (practice of having more than one wife at a time)

polígamo polygamous (having more than one wife at a time)

polinesio, -a Polynesian

politeísta polytheistic, pertaining to many gods

política *f.* politics; policy

político, -a political; *m.* politician

politiquería *f.* political chicanery

polvo *m.* dust; powder

pólvora *f.* powder, gunpowder

pómulo *m.* cheekbone

poncho *m.* poncho, a sort of blanket worn on the body

pontífice *m.* pontiff, pope

pontificio, -a pontifical

por for, by, of, as, during, through, over, because of

porcentaje *m.* percentage

pormenor *m.* detail

porque because; so that; **¿por qué?** why?

portentoso, -a portentous, extraordinary

portolano *m.* geographic chart

portugués, -a Portuguese; *m.* Portuguese language

porvenir *m.* future

poseedor *m.* possessor, owner

poseer to possess

positivista pertaining to Positivism, a movement which rejected all *a priori* concepts of the universal or the absolute

posmodernista post-modernist

posromanticismo *m.* post-romanticism

posta *f.* post

posterioridad *f.*: **con —** later on

posteriormente later

postguerra *f.* postwar

póstumo, -a posthumous (after death)
postura *f.* posture, position
pote *m.* pot, jug
potencia *f.* power
práctica *f.* practice
prácticamente practically; in practice
practicar to practice, perform, do
práctico, -a practical
pragmatismo *m.* pragmatism
precario, -a precarious
precipicio *m.* precipice
preciso, -a precise, exact
preclaro, -a illustrious, eminent
precocidad *f.* precocity, early development
precolombino, -a Pre-Columbus, *i.e.*, prior to the discovery by Christopher Columbus
predecir (i) to predict
prédica *f.* preaching
predicar to preach; to base on
predijo *pret. of* **predecir**
predio *m.* landed property, farm
predominar to predominate
predominio *m.* predominance
preferentemente preferably; chiefly
preferido, -a preferred, favorite
preferir (ie, i) to prefer
preguntar to ask
prejuicio *m.* prejudice
prelado *m.* prelate, an ecclesiastic of high rank
premiar to reward, to give a prize
premio *m.* prize
prenda *f.* garment; household article; jewel
prendedor *m.* brooch
prender to catch or set fire
preocupar to preoccupy, concern, worry about
preponderancia *f.* preponderance
preponderante preponderant; overwhelming, predominant
preprimario, -a pre-primary
prerrogativa *f.* prerogative, right, privilege
prescindencia *f.* act of refraining
prescindir to do without

presenciar to witness, be present at
presidir to preside; to preside over
presión *f.* pressure
presionar to exert pressure
preso, -a imprisoned; *m.* prisoner
préstamo *m.* loan
prestar to lend
prestigio *m.* prestige
presumible presumable
presumir to presume; to suppose
presuponer to presuppose
presupuesto *m.* budget
pretexto *m.* pretext, excuse
prevalecer to prevail
prever to foresee, foreknow
previo, -a previous, prior
primacía *f.* primacy, first place
primario, -a primary
primer, -o, -a first
primitivismo *m.* primitivism
primitivo, -a primitive, original
primo *m.* cousin
primogénito *m.* firstborn son
príncipe *m.* prince
principio *m.* beginning; principle
prisionero *m.* prisoner
privado, -a private; secret
privar to deprive
privilegiar to privilege
privilegio *m.* privilege
probar (ue) to prove, test; to taste
probidad *f.* probity, integrity
procedencia *f.* origin, source
procedente proceeding, coming from
procedimiento *m.* procedure
procesar to indict; to sue
proceso *m.* process, procedure; lawsuit
proclama *f.* proclamation; manifesto
procurar to strive, try to
prodigioso, -a prodigious; excellent
producir to produce
productor *m.* producer
produjeron *pret. of* **producir**
proeza *f.* feat, achievement
profano, -a profane, worldly
profecía *f.* prophecy
profeta *m.* prophet
profetizar to prophesize, foretell

profundidad *f.* depth, profundity
profundo, -a profound, deep
progresista progressive
progresivo, -a progressive
prójimo *m.* neighbor, fellow man
proletario, -a proletarian; *m.* proletariat
promedio *m.* average, mean
prometer to promise
promisión *f.* promise
promover (ue) to promote, further; to advance
promulgar to promulgate, to proclaim; to publish
pronosticar to prognosticate; to prophesy, foretell
propiamente strictly speaking
propiciatorio, -a propitiatory
propicio, -a propitious, suitable
propiedad *f.* propriety; property
propietario *m.* proprietor, owner
propio, -a proper; own; characteristic
proponer to propose, suggest
proporcionar to proportion
propósito *m.* purpose, intention
propuesto *past part. of* **proponer**
prosa *f.* prose
proscripto, -a exiled
proscrito, -a forbidden
prosista *m.* prose writer
prosperar to prosper, grow
protagonista *m.* protagonist
proteccionismo *m.* protectionism
protector, -a protective, protecting; *m.* protector
proteger to protect
protestantismo *m.* Protestantism
prototipo *m.* prototype
proveniente coming from
provenir (ie) to come from
provincia *f.* province; **Provincias Unidas del Río de la Plata** certain provinces in what are now the countries of Uruguay and Argentina. Uruguay did not become a separate nation until 1828
provinciano, -a provincial
provocar to provocate, bring about, provoke

próximo, -a close, near, next
proyectar to project; to plan
proyecto *m.* project; plan
prueba *f.* trial, proof
psicología *f.* psychology
psicológico, -a psychological
psíquicamente psychically
pudieron *pret. of* **poder**
pueblerino, -a pertaining to a small town
pueblo *m.* people; town
puelche *m.* Puelche, another name for the Pampa Indian
puerco *m.* pig
puerta *f.* door, entrance, gate
puerto *m.* port; harbor
pues for, because
puesto *m.* place, position
pugna *f.* fight, struggle
pujante mighty, vigorous
pulir to polish
púlpito *m.* pulpit
pulsera *f.* bracelet
puma *m.* puma, American panther or cougar
punta *f.* point, tip
punto *m.* point, dot
pureza *f.* purity
purismo *m.* purism
puso *pret. of* **poner**

Q

que that, which, who, whom; than; for; **¿qué?** what?
quebrar to break
quechua *m.* Quechua Indian
quedar (se) to remain; stay on
quemar to burn
querer (ie) to want, to wish; to like
quiché *m.* Quiché Indian
quien who, whom; **¿quién?** who, whom?
quillango (*Ind.*) Indian word referring to a mantle made from the hide of a vicuña or guanaco, both of which are wool-bearing Andean animals
química *f.* chemistry

quinta *f.* country house; garden
quinto, -a fifth; *m.* a levy of 20% imposed by the Spanish crown on mineral wealth, etc.
quipu (*Ind.*) Incan word referring to an arrangement of strings for recording events
quirúrgico, -a surgical
quiso *pret. of* **querer**
quitar to take away; to deprive of; **—se** to take off
quiteño, -a pertaining to Quito
quizá(s) perhaps

R

racional rational, reasonable
radicar to root, plant firmly
radiodifusión *f.* radio broadcasting
radiografía *f.* radiograph; X-ray; (*figuratively*, a description)
radiotransmisor, -a radio transmitting
raíz *f.* root
rama *f.* branch
Ramón *m.* Raymond
rango *m.* rank; range
rapar to shave; to scrape
rapidez *f.* rapidity
rapto *m.* abduction, kidnapping
rascacielos *m.* skyscraper
rasgar to scratch, tear lightly
rasgo *m.* feature, characteristic
raya *f.* ray, dash
razón *f.* reason; **tener —** to be right; **a — de** at the rate of
reagrupar to regroup
real royal; real
realeza *f.* royalty
realidad *f.* reality; truth
realismo *m.* realism
realista realistic; royalistic; *m.* realist; royalist
realizar to realize, put into execution; **por —** to be carried out
rebajar to reduce, lower; to lessen
rebelde *m.* rebel
rebeldía *f.* rebellion
rebuscado, -a affected, unnatural

recargado, -a ornate
recién recently
reciente recent
recinto *m.* area, region; enclosure
reclamación *f.* demand, claim; objection, complaint
reclamar to claim, demand
recoger to gather, pick up, collect; to write down (as notes)
recolector *m.* gatherer, collector
recomendar (ie) to recommend
reconciliar to reconcile
reconocer to recognize legally, formally; to reconnoiter, scout
reconquistar to reconquer
reconstruir to reconstruct, rebuild
recopilación *f.* abridgement, summary; compilation
recordar (ue) to record; to remember; to call to mind
recorrer to run over, examine, survey
recorrido *m.* trip, run, path
recto, -a erect, right, straight
recuperar to recuperate, recover
recurrir to resort
recurso *m.* resource; recourse
rechazar to reject; cast out
rechazo *m.* rejection
red *f.* net, network
redactar to edit; to write up
redescubrir to rediscover
redimir to redeem
redondeado, -a round, rounded
reducto *m.* redoubt, military position
reemplazar to replace
reemplazo *m.* replacement
referencia *f.* reference, allusion
referente referring; relating
referir (ie, i) to refer, relate, report; **—se a** to refer to, have relation to
refirmar to strengthen
reflejar to reflect
reforma *f.* reform; reformation; correction
reformador *m.* reformer
reformista reformist
refractario, -a refractory, rebellious
refuerzo *m.* reinforcement

refugiarse   to take refuge
regalía *f.*   rights of the crown; perquisite
regalo *m.*   gift
regencia *f.*   regency
regente   ruling, governing; regent, *m.* regent
régimen *m.*   regimen, management, rule; régime
regio, -a   regal
regionalista   regionalist
regir (i)   to rule, govern; to control; to be in force
registro *m.*   register, list
regla *f.*   rule; regulation
reglamentación *f.*   regulation
reglamentar   to regulate
regresar   to return
regreso *m.*   return
regular   to regulate
rehuir   to flee; to avoid, shun
reinar   to reign
reino *m.*   kingdom; reign
reivindicación *f.*   claim; recovery
rejuvenecer   to rejuvenate, make younger
relacionar   to relate; to be connected with; to report
relámpago *m.*   flash of lightning
relativista *m.*   relativist (one who is interested in relationships rather than the absolute)
relato *m.*   story; report; recital
religiosidad *f.*   religiosity
religioso, -a   religious; *m.* member of a religious order
rellenar   to stuff, fill
remanente *m.*   remnant, remainder
remero *m.*   rower
reminiscencia *f.*   reminiscence; memory
remitir   to remit, send
remoto, -a   remote, distant
remunerar   to remunerate, reward
renacimiento *m.*   rebirth, renaissance; Renacimiento *m.*   Renaissance
rendimiento *m.*   yield, surrender; output, performance
rendir (i)   to render
renombre *m.*   renown, fame

renovación *f.*   renovation, renewal
renovador, -a   renewing; *m.* renovator
renovar (ue)   to renovate, renew
renta *f.*   income
renunciar   to renounce
repartimiento *m.*   distribution; share, allotment; — de indios   an allotment of Indians entrusted to Spaniards who were responsible for their welfare and religious instruction, and for making them work
repartir   to distribute
repatriar   to repatriate
repertorio *m.*   repertory
repetidamente   repeatedly
repetir (i)   to repeat
represalia *f.*   reprisal
representación *f.*   representation; presentation
representante *m.*   representative
reprimir   to repress
reprobar (ue)   to reprove
repudiar   to repudiate
repudio *m.*   repudiation
repulsa *f.*   rejection; reprimand
reputar   to repute
requerir (ie, i)   to demand, to require; to request; to investigate, examine
rescatar   to rescue; to ransom, redeem
resentimiento *m.*   resentment
reservar   to reserve; to put aside
resguardo *m.*   defense, protection
residir   to reside
resolver (ue)   to resolve; to solve; to determine
respecto *m.*   respect; al —   with reference to this
respetar   to respect
respeto *m.*   respect
responder   to respond, answer; — a   to correspond to
responsabilizar   to make responsible
restablecer   to reestablish
restante   remaining
restar   to remain
resto *m.*   remainder, rest, residue
resuelto *past part. of* resolver
resultado *m.*   result

resultar   to result, turn out, prove to be
resumen *m.*   résumé, summary
resumir   to sum up, summarize
retirar   to retire, withdraw
retórico, -a   rhetorical; *f.* rhetoric
retornar   to return; to give back; to twist again
retraso *m.*   delay; slowness; backwardness
retratar   to portray, picture
retrato *m.*   portrait
reunir   to assemble, gather together
revelar   to reveal, show
reverenciar   to revere, respect
revés *m.*   back, reverse
revisar   to examine; to revise
revista *f.*   magazine, journal
revolucionar   to revolutionize
revolucionario, -a   revolutionary; *m.* revolutionist
revuelta *f.*   revolt
rezo *m.*   prayer, act of praying
Ricardo *m.*   Richard
ridiculez *f.*   ridiculousness, absurdity
riesgo *m.*   risk
rigidez *f.*   rigidity; sternness
riguroso, -a   rigorous, strict
rincón *m.*   corner
riña *f.*   fight, scuffle; **— de gallos** cockfight
riqueza *f.*   wealth, riches
riquísimo, -a   very rich
rivalidad *f.*   rivalry
robo *m.*   robbery, theft, stealing
roca *f.*   rock, large stone
rodear   to surround
rodillo *m.*   roller
Rogelio *m.*   Roger
romanticismo *m.*   romanticism
romper   to break; tear
Rómulo *m.*   Romulus
ropaje *m.*   clothing
rosca *f.*   coil, spring (*Cf.* Chapter XVII, note 18.)
rostro *m.*   face
rotativamente   in rotation
rotundo, -a   round, rotund; sonorous; peremptory

ruca (*Ind.*)   Indian name for the collective dwellings of the Araucanians
rudimentario, -a   rudimentary
rueda *f.*   wheel
rumbo *m.*   direction
ruta *f.*   route

S

sabandija *f.*   bug, insect, worm
saber   to know; to know how; *m.* knowledge
sabiduría *f.*   wisdom
sabio, -a   wise, learned; *m.* wise man, sage
sabotaje *m.*   sabotage
sacamuelas *m.*   "toothpuller" (colloquial expression for dentist)
sacar   to take out
sacerdocio *m.*   priesthood
sacerdote *m.*   priest
saciar   to satiate; to satisfy to repletion
sacro, -a   sacred
sagaz   sagacious, wise
sagrado, -a   sacred
sal *f.*   salt
sala *f.*   living room, hall
salario *m.*   salary
salida *f.*   exit; departure
saliente   protruding; outstanding
salir   to go out; to leave; to come out; **— a luz** to come out, to be published
saludable   healthful
salutación *f.*   salutation, greeting
salvaje   savage, wild; *m.* savage
salvajismo *m.*   savagery
salvo   except
sanatorio, -a   sanitary
sancionar   to sanction; to impose a sanction
sandalia *f.*   sandal
sangre *f.*   blood
sangriento, -a   bloody
sanidad *f.*   health; sanitation
sano, -a   healthy; sane; healthful
saquear   to ransack, plunder, pillage
satírico, -a   satiric
se   *third person reflexive pronoun* itself, themselves, himself, *etc.*

sea *pres. subj. of* **ser**

sea(n) that is to say

secar to dry

seco, -a dry

sectario *m.* sectarian, member of a sect

secuaz *m.* follower

secularizar to secularize, to put under lay rather than religious control

sede *f.* seat (of a governing body)

sedentario, -a sedentary

seguida *f.* continuation; **en —** immediately, following

seguir (i) to follow; to continue

según according to; depending on circumstances

seguridad *f.* security; safety

seguro, -a sure, certain, safe

seleccionar to select, choose

selva *f.* jungle, forest

selvático, -a wild, undeveloped

sello *m.* stamp

sembrar to sow, plant

semejante similar

semejanza *f.* resemblance

semilla *f.* seed

seminaturalista seminaturalistic

seminola *m.* Seminole Indian

senador *m.* senator

sencillez *f.* simplicity

sencillo, -a simple

sensibilidad *f.* sensitivity

sensible sensitive, perceptive

sensualidad *f.* sensuality

sentar (ie) to seat; to establish

sentencioso, -a sententious, terse

sentido *m.* sense

sentimentalismo *m.* sentimentalism, sentimentality

sentimiento *m.* sentiment, feeling

señal *f.* sign, mark, indication

señalar to point out, indicate

sepa *pres. subj. of* **saber**

separar to separate; to dismiss, discharge

sepultar to bury

ser to be; *m.* being

serie *f.* series

serio, -a serious

sertão *(Port.)* a Brazilian word referring to a hinterland

servidumbre *f.* servants

servir (i) to serve

seudónimo *m.* pseudonym, pen name

sexológico, -a sexological

sí yes, indeed; *third person reflexive pronoun* themselves, itself, *etc.*

si if, whether; **— bien con** if although

siglo *m.* century

significar to signify, mean

signo *m.* sign, symbol

siguiente following; next

silencioso, -a silent

silva *f.* a type of poem consisting of 11 and 7 syllable lines

silvicultura *f.* forestry

simetría *f.* symmetry

simultáneo, -a simultaneous, at the same time

sindical syndical

sindicalismo *m.* trade unionism

sindicalista syndicalist

sindicalizar to unionize

sindicato *m.* syndicate; labor union

sino but, rather

sintéticamente synthetically

sirio, -a Syrian

situar to situate, locate

soberanía *f.* sovereignty

soberano, -a sovereign; *m.* sovereign, ruler

soberbio, -a proud, haughty; majestic, superb

sobre over, above; based on

sobremanera especially

sobrenombre *m.* nickname

sobreponer to impose; to overlay

sobresaliente outstanding

sobresalir to stand out

sobrevenir (ie) to happen, take place; to supervene

sobreviviente *m.* survivor

sobrevivir to survive, remain

sobriedad *f.* sobriety

sobrino, -a *m. and f.* nephew; niece

sobrio, -a sober, serious

socialismo *m.* socialism

sociología *f.* sociology
sociólogo *m.* sociologist
sofocar to quell, stifle, choke; to extinguish, quench
sol *m.* sun
solar *m.* building lot; family home
soldado *m.* soldier
soldadura *f.* solder
soler (ue) to be in the habit of; to be accustomed to
solicitar to solicit, ask for
solicitud *f.* solicitude; formal request
solidaridad solidarity
solo, -a only, single, one
sólo only
Solón *m.* Solon (a wise lawmaker)
soltero, -a single, unmarried
sombra *f.* shadow; shade
someter to submit, subject
sometimiento *m.* submission, subjection
son *m.* sound, rhythm
sonar (ue) to sound; to ring
sonido *m.* sound
soñador, -a dreamy; *m.* dreamer
soñar (ue) to dream; — **con** to dream of
soportar to put up with, endure
soporte *m.* support, upright, post
sorprendente surprising
sorprender to surprise
sorpresa *f.* surprise
sorpresivo, -a surprising, sudden
sospecha *f.* suspicion
sostén *m.* support
sostener (ie) to sustain, support
sostuvo *pret. of* **sostener**
subdesarrollo *m.* underdevelopment
súbdito *m.* subject, citizen
subir to go up; to raise, elevate
sublevación *f.* uprising; revolt
subsistir to subsist
subvencionar to subsidize
subyugar to subjugate
suceder to happen, take place; to succeed, follow
sucesivamente successively
sucesivo, -a successive, following
sucesor *m.* successor, follower
sucumbir to succumb

sud *m.* south
sudeste *m.* southeast
sudoeste *m.* southwest
suelo *m.* soil, earth, ground; floor
sueño *m.* dream; drowsiness; sleep
suerte *f.* luck; fate
sufragio *m.* suffrage, right to vote
sufrimiento *m.* suffering
sufrir to suffer
sugerir (ie, i) to suggest, propose
suicidarse to commit suicide
suicidio *m.* suicide
Suiza *f.* Switzerland; **suizo, -a** Swiss
suma *f.* sum, whole
sumamente extremely
sumar to add, total; **—se a** to join
sumisión *f.* submission
sumo, -a highest
suntuoso, -a sumptuous
superar to overcome, surpass; to conquer; to exceed
superficie *f.* surface, area
superponer to superimpose
superpuesto *past part. of* **superponer**
superrealismo *m.* surrealism
supersticioso, -a superstitious
suplantar to supplant
suponer to suppose
supresión *f.* suppression, elimination
suprimir to suppress
sur *m.* south
surgir to spout, spurt; to appear; to arise, surge, develop
susceptibilidad *f.* susceptibility; touchiness
susceptible susceptible; touchy
sustancia *f.* substance
sustancial substantial
sustituir to substitute; to replace
sustituto *m.* substitute
sutil subtle
suyu (*Ind.*) Incan word for part or section of the Inca Empire

T

tabaco *m.* tobacco
Tahuantisuyo the Inca Empire
tal such; such a; — **vez** perhaps

talla *f.* raised work cut in wood or stone
tallar to cut, carve
taller *m.* workshop; studio
tamaño *m.* size
también also, too, likewise
tambor *m.* drum
tampoco neither, not either
tampu (*Ind.*) an Incan word referring to a type of inn and supply station along their roads
tanto, -a so much, as much; **por lo —** therefore, for that reason
tapicería *f.* tapestries; upholstery
tarde late; *f.* afternoon
tardíamente late
tardío, -a late, slow
tarea *f.* task
tatuar to tattoo
teatral theatrical
técnica *f.* technique, way of doing things
técnico, -a technical; *m.* technician
tecnificación conversion to technology
tecnología *f.* technology
tecnológico, -a technological
techo *m.* roof
tehuelche *m.* Tehuelche (another name for the Patagonian Indians)
tejedor *m.* weaver
tejeduría *f.* weaving; textile making
tejido *m.* textile; something woven
tejuelo *m.* small tile
tela *f.* cloth
telar *m.* loom, frame
tema *m.* theme
temascal (*Ind.*) Aztec word meaning a steam bath
temer to fear
templo *m.* temple
temporario, -a temporary
tenacillas *f.* tweezers, tongs
tender (ie) to spread out; to lay down (as a cable or road)
tendido *m.* something which is laid out
tenencia *f.* holding, possession
tener to have; to hold
tentar to try; to tempt
teñir (i) to tint, dye
teocrático, -a theocratic

teocratismo *m.* belief in theocracy
teoría *f.* theory
teórico, -a theorctic; *m.* theoretician
terminar to end, finish, terminate; **— con** to put an end to
término *m.* term; **en segundo —** secondarily
terrateniente *m.* landholder
terraza *f.* terrace
terremoto *m.* earthquake
terreno *m.* land
terrestre terrestrial, pertaining to the earth
tertulia *f.* an informal social gathering at which one sits around and talks
tesis *f.* thesis
testamento *m.* testament, will
testigo *m.* witness
testimonio *m.* testimony
tiaquiz (*Ind.*) Aztec word meaning market
tiempo *m.* time; weather
tintóreo, -a tinctorial, having to do with hues or colors
tío *m.* uncle
tira *f.* strip
tirano *m.* tyrant
tirantez *f.* strain, tenseness
tiro *m.* throw; shot; **animal de —** a dray animal
titular to title; to entitle
tlacalecutli (*Ind.*) Aztec word meaning a type of king
tlachtli (*Ind.*) An Aztec type of ball game
tocar to touch; to play (an instrument)
todavía still, yet
todo, -a all, every
toldo *m.* awning; a sort of tent
tolerar to tolerate
tolteca *m.* Toltec Indian
Tomás *m.* Thomas
tonelada *f.* ton
torbellino *m.* whirlwind
torneo *m.* tourney, contest
turno *m.* turn, revolution; **en —** a around
toro *m.* bull; **corrida de —s** bullfight
torre *f.* tower

tortilla *f.* a cornmeal pancake
torturar to torture
tostar to toast; to tan
totalitario, -a totalitarian
totémico, -a totemic, pertaining to the distinguishing symbol of a clan
trabajador *m.* worker
tracción *f.* traction; act of pulling; **a — humana** with power supplied by human beings
tradicionalista traditionalist
traducción *f.* translation
traducir to translate
tradujo *pret. of* **traducir**
traer to bring, carry
traición *f.* treason; betrayal; **a —** treacherously
traidor *m.* traitor
trama *f.* plot
transformar to transform, change deeply
transitar to go; to walk; to travel
tránsito *m.* transition; passage; traffic
transmisor, -a transmitting
transmitir to transmit
transporte *m.* transport; transportation
trascendencia *f.* importance
trasladar to carry across, transport, transfer
trasmitir to transmit, carry over
traspaso *m.* carrying over
trata *f.* African slave traffic
tratado *m.* treaty; treatise
tratante de negros slave trader in Negroes
tratar to treat, try; **—se de** to be a matter of
trato *m.* treatment
través *m.* inclination to one side; **a — de** across, athwart; by means of
Trento Trent
trenzar to braid, plait
trepador, -a climbing, creeping; *m. and f.* climber, creeper
trepanación *f.* an operation performed on the skull
trescientos, -as three hundred
tribu *f.* tribe

tributo *m.* tribute, tax
trigo *m.* wheat
trilogía *f.* trilogy
trompeta *f.* trumpet
tropa *f.* troop
tropel *m.* hurry, bustle; **en —** in a great rush
tropezar (ie) to stumble
trópico, -a tropic, tropical; *m.* tropics
trovador *m.* troubadour, a sort of wandering minstrel
Troya Troy
trozo *m.* fragment, piece
truculento, -a truculent, ferocious
truncar to truncate, cut off
tullido, -a maimed, crippled
tullir to cripple, hurt, maim
tumba *f.* tomb
túnica *f.* tunic
tupí-guaraní *m.* Tupí-Guaraní Indian
turbar to trouble, perturb
tutela *f.* guardianship; protection
tuvieron *pret. of* **tener**
tuvo *pret. of* **tener**
tzompantli (*Ind.*) Aztec word meaning building where sacrifices were displayed

U

u or
ubicar to locate, situate, place
último, -a ultimate, last
ultraísta ultraist (name given to a post-World War I literary movement in Argentina)
unción *f.* unction; that which excites piety or devotion
único, -a only; unique
unidad *f.* unit, unity
unir to unite, join
universitario, -a pertaining to the university
unos, -as some; approximately
urbanismo *m.* shift in population toward the cities; city planning
urbano, -a urban, pertaining to the city
urdir to plot, scheme

urna *f.* urn
uruguayo, -a Uruguayan
uso *m.* use; custom
usurpador, -a usurping; *m.* usurper
utensilio *m.* utensil
útil useful
utilitarista utilitarianist (pertaining to the philosophical theory that regarded utility as the basis of morality)
utilizar to use, utilize
utópico, -a Utopian

V

vacilación *f.* vacillation; hesitation
vacilar to hesitate
vacuno, -a pertaining to cattle
vago, -a vague; *m.* tramp, wanderer
valer to be worth, to cost
valiente brave
valioso, -a valuable
valor *m.* valor, bravery, courage; value
valle *m.* valley
vanguardia *f.* vanguard; forefront; advanced portion
vano *m.* vacuum in a wall, such as the doors, windows, *etc.*
variante *m.* variant, alternative form
variar to vary
varilla *f.* rod, rib (of a frame)
varios, -as several; various
varón *m.* male
varonil manly, virile
vasallo, -a *m. and f.* vassal, subject
vasija *f.* vessel, receptacle
vaso-retrato *m.* vase-portrait
vastísimo, -a very vast; extremely broad or large
vecino, -a neighboring; *m.* neighbor; inhabitant; freeman
vegetal vegetable; *m.* vegetable
vela *f.* sail
velada *f.* evening party
vello *m.* down (on a body)
vencer to conquer, overcome
vendedor *m.* seller, vendor
vender to sell
Venecia *f.* Venice

venezolano, -a Venezuelan
vengar to avenge
venir (ie) to come
venta *f.* sale; inn
ventana *f.* window
veraz truthful
verbosidad *f.* verbosity
verdadero, -a true, real
vestido *m.* dress, garment, raiment
vestimenta *f.* clothes, vestment, raiment
veterinaria *f.* veterinary medicine
vez *f.* time; **una —** one time; **a la —** at the same time, both; **a su —** in their turn
vía *f.* way, route
viajar to travel
viaje *m.* trip, journey
viajero *m.* traveler
viandante *m.* traveler, stroller
Vicente *m.* Vincent
vicio *m.* vice; weakness, fault
vicioso, -a vicious
vicisitud *f.* vicissitude
vicuña *f.* a wool-bearing animal
vida *f.* life; **mujeres de la —** prostitutes
vidalita *f.* a type of sad and plaintive song among the gauchos
vidriado, -a glazed
vidrio *m.* glass
vientre *m.* belly; womb
viga *f.* beam
vigencia *f.* force, operation
vigilancia *f.* vigilance, watchfulness
vigilar to watch over; to keep guard
vínculo *m.* bond; tie
vincha *f.* band worn around the head
vino *pret. of* **venir**; *m.* wine
violar to violate
Viracocha name of Incan god
virgen *f.* virgin; **Vírgenes del Sol** Maidens of the Sun (royal Incan women dedicated to religious worship of the sun)
virreinato *m.* viceroyalty
virrey *m.* viceroy
virtud *f.* virtue; **en — de** by virtue of
virtuosismo *m.* virtuosity

viruela *f.* smallpox
viscoso, -a viscose, thick, sticky
visitador *m.* visitor, searcher, inspector
víspera *f.* eve, day before
vista *f.* view
vistoso, -a showy, colorful
vitalismo *m.* vitalism
vitalizar to vitalize, enliven
viuda *f.* widow
viudo *m.* widower
vivienda *f.* dwelling, living quarters; housing
viviente living
vivo, -a alive
vocablo *m.* word, expression
vocación *f.* vocation, calling
volador, -a flying; *m.* flier
volcán *m.* volcano
volumen *m.* volume
voluntad *f.* will
voracidad *f.* voracity
vorágine *f.* vortex
vuelo *m.* flight; flare
vuelta *f.* turn; return
vulgarmente popularly, by the people

W

Wilfredo *m.* Wilfred

X

xeque (*Ind.*) Indian word used by the Chibchas to refer to their priests
xenofobia *f.* hatred or fear of foreigners

Y

ya already, now; — **no** no longer; — **que** since, because
yacimiento *m.* deposit, field
yanacona (*Ind.*) Incan word referring to a type of slave used for specialized tasks
yuca *f.* yucca (a nutritious, farinaceous plant from which tapioca comes)

Z

zaga *f.* back extremity; **a la —** behind
zaque (*Ind.*) a word used by the Chibchas to indicate a king
zambo *m.* offspring of an Indian and a Negro
zipa (*Ind.*) a word used by the Chibchas to indicate a king
zona *f.* zone
zoomórfico, -a zoomorphic, pertaining to animals
zurdo, -a left handed

ORÍGENES DE LAS FOTOGRAFÍAS

American Airlines: 22-23
American Museum of Natural History: iii, 26 top, 38, 71
Argentine Consulate General, New York: 189
Art Institute of Chicago: 29 bottom (Buckingham Fund)
La Biblioteca Nacional del Perú: 192, 198
Brazilian Government Trade Bureau: 13, 155, 257, 262-263
Brown Brothers: 184, 186
Canadian Pacific Airlines: 115, 137 bottom, 138, 139
Centro Guatemalteco de Turismo: 3, 10, 219
Chicago Natural History Museum: 26 bottom
Compañía Shell de Venezuela: 220, 225 bottom, 230-231, 247, 248, 249, 269, 270
Consulado General de Chile en los EE. UU.: 56, 216
Consulado General de Honduras, New York: 281
Creole Petroleum Corporation de Venezuela: 4, 5 top, 6-7, 126-127, 168-169, 170, 222-223 top, 283
Culver Pictures: 185
Charles Phelps Cushing: 49, 258-259 (Hess)
Dartmouth College Photo Bureau: 241 top
Davenport Municipal Gallery, Davenport, Iowa: 143 (Collection of C. A. Ficke)
Departamento de Turismo de México: 21, 33, 55, 212, 214, 244, 245, 274-5
Diario *La Nación*, Buenos Aires, Argentina: 70 top, 77 top, 203, 204
Embassy of Venezuela Information Service, Washington, D. C.: 163 top, 175
Grace Line: 29
Galería Sudamericana: 165
Industrias Kaiser Argentina, S. A.: 222-223 bottom, 225 top
Instituto Costarricense de Turismo: 103, 109, 215
Instituto Guatemalteco de Turismo: 100-101, 102, 107, 125
Instituto Panameño de Turismo: 14, 276-277
M. Knoedler & Company, Inc.: 243
La Prensa, Buenos Aires: 12, 163 bottom, 213
Middle America Information Bureau: 38-39
Monkmeyer: 254-255 (Kikoler); 264 (Henle)
Moore-McCormack Lines: 148
Museo de Bellas Artes, Caracas, Venezuela: 240
Museum für Völkerkunde, Vienna: 47
The Museum of Modern Art, New York, Collection: 242 (Gift of Edward M. M. Warburg); 265 (Abby Aldrich Rockefeller Fund)

New York Public Library: ii, *Civitates Orbis Terrarum*, Vol. I (Rare Books Division); 46 (Rare Books Division); 51 (*Codex Mendoza*, Courtesy The Bodleian Library); 76 (Rare Books Division); 97 (Prints Division); 110-111 (*Relación Histórica*...1748, Rare Books Division); 112 (*De Nieuwe Oubekende Weereld*, 1671, Rare Books Division); 122 and 123 (Rare Books Division); 133 (*Retratos de los Espagnoles Illustres*, 1791); 176, *El Periquillo Sarniento, Vol. I*, 1897; 179

Pan American-Grace Airways, Inc.: 28, 65, 88, 119, 137 top, 138 top, 142, 280

Pan American Union, Courtesy of: 156, 166 bottom, 196, 203 bottom, 238 bottom, 239 top, 246

Royal Mail Lines Limited, London: 152, 154, 199, 252, 272-273

Dr. Joan Rubin, The American University, Washington, D. C.: 77 bottom

St. Anthony Guild Press: 135

San Francisco Museum of Art: 238 top, 239 bottom (Gift of M. and M. Garfield Warner)

Spanish National Tourist Office, San Francisco, California: 89, 95

United Fruit Company: 9, 35, 41, 42, 279

University Musuem, Philadelphia, Pa.: 25, 73

West Point Museum Collection: 166 top

Wide World Photos: 210, 235, 266